U0126245

自敘

經學是我國學術思想中的主脈，經學的萌芽，始於夏商周三代歷史文獻的積累，「詩」源於民間歌謠，「書」源於政府檔案，「禮」源於社會儀節，「易」源於卜筮之用，「春秋」源於魯國舊史，因而逐漸形成六藝，及至孔子，借用古代六藝，賦予新義，而成爲「六經」，經者常道，六經中之常道常則，兩千多年以來，已經深植於國人的精神命脈之中，對於傳統價值觀念的確立，道德規範的認定，以至整個民族文化的發展，都已產生極爲重大的影響。

「六經」形成之後，歷代的學者們，對於六經，曾經作出了許多的詮解和闡釋，因而也流傳下來數量龐大的著述資料，即使像通志堂、學海堂、南菁書院三部經解而言，也只是較具代表性的成果集結而已。

今天從事經學的研究，面對著浩瀚有如煙海的前人成果，敬愼之餘，能夠稍作補苴罅漏的工作，已自不易，又遑論踵事增華，創新發明。頻年以來，稍稍從事於此，此一論集，所收拙稿二十二篇，也都是在此一心情下的嘗試之作，集中所收，多屬分別探究各經問題之作品，惟〈經學即心學〉與〈五經要義約論〉兩篇，則係綜論五經要旨之作，尤其是〈五經要義約論〉一文，或可視爲個人對於「五經」較爲完整之看法，然而，個人所窺，畢竟有限，所撰各稿，是否有當，尚請同好之士，多加批評是幸。

中華民國九十一年六月二十二日胡楚生識於東吳大學中文系

經學研究論集　目次

十五、試論《春秋公羊傳》中「借事明義」之思維模式與表現方法

一、《詩經》中「行役詩」探究

(一)引　言

《詩經》中有不少「行役詩」，所謂「行役詩」，其主旨，基本上，是描述男子出行在外，或者是爲了戰爭，或者是爲了徭役，或者是爲了商賈等原因，長久羈留，行旅四方，不能歸家，因此而有思鄉懷人的詩篇出現。

另外，《詩經》之中，也有一些「閨怨詩」，內容則是記述良人出行於外，閨中少婦，思念遠人的作品，在情感表現上，「閨怨詩」剛好是「行役詩」的反面，但是，在寫作方式上，也可將「閨怨詩」視爲是「行役詩」的另一種相輔相成的技巧呈現。

「行役詩」之主旨，極爲明確，無待研討，本文之作，僅就「行役詩」的寫作技巧方面，試作探析。

(二)「行役詩」之寫作技巧

1.直接描述行役在外之艱苦

《詩經》中，有些「行役」之詩，其寫作的方式，是直接描述行役在外的艱苦情形，例如《詩經．小雅．鴻雁》曰：

鴻雁于飛，肅肅其羽，之子于征，劬勞于野，爰及矜人，哀此鰥寡。
鴻雁于飛，集于中澤，之子于垣，百堵皆作，雖則劬勞，其究安宅。
鴻雁于飛，哀鳴嗷嗷，維此哲人，謂我劬勞，維彼愚人，謂我宣驕。❶

此詩三章，每章六句，每章皆藉「鴻雁于飛」以起興，首章言男子奉召，出門行役，在郊野之中，勞苦困頓，實由於矜憐孤寡之民眾，無所依賴。次章言男子奉召，出門行役，構築牆

❶《毛詩注疏》，台北，藝文印書館影印阮刻《十三經注疏》本，下引《詩經》並同。

垣，起造房屋，俾使窮苦民眾，得獲安居。三章言男子奉召，出門行役，劬勞在野，尚不得取諒於官員。此詩三章，也反映出，男子奉召行役，在外辛勤勞苦之情況。又如《詩經·小雅·漸漸之石》曰：

> 漸漸之石，維其高矣，山川悠遠，維其勞矣，武人東征，不皇朝矣。
>
> 漸漸之石，維其卒矣，山川悠遠，曷其沒矣，武人東征，不皇出矣。
>
> 有豕白蹢，烝涉波矣，月離于畢，俾滂沱矣，武人東征，不皇他矣。

此詩三章，每章六句，朱子《詩集傳》云：「將帥出征，經歷險遠，不堪勞苦，而作此詩。」❷所釋詩旨，頗爲恰當，此詩每章皆自戰士奉召出征在外，而直接描述所見之景況入手，首章言山石陡峭，高聳入雲，山川遼闊，悠遠無盡，而戰士東征，久留在外，已不復計及日期之多寡。次章言行役高山之中，經歷艱困，久留在外，已不復計及何日方得出山還歸。三章言天降大雨，軍隊涉水而行，所攜之豬隻，也陷在泥中，眼前艱苦，已難應付，也不暇計及

---

❷ 朱子：《詩集傳》，香港，中華書局排印本，一九六一年，下引並同。

其他事況。此詩三章，所反映之戰士行役在外，奔波辛勞之苦狀，更爲深刻。又如《詩經・小雅・何草不黃》曰：

何草不黃，何日不行，何人不將，經營四方。
何草不玄，何人不矜，哀我征夫，獨爲匪民。
匪兕匪虎，率彼曠野，哀我征夫，朝夕不暇。
有芃者狐，率彼幽草，有棧之車，行彼周道。

此詩四章，每章四句，朱子《詩集傳》云：「周室將亡，征役不息，行者苦之，故作是詩。」頗得詩旨，此詩前兩章以「何草不黃」、「何草不玄」起興，言秋冬之際，野草經已變色，而征戰在外之役夫，仍然奔忙不息，勞苦不止，三四兩章，以兕虎及野狐作比，言征戰在外之役夫，雖然非兕非虎，也非野狐，卻似同兕虎野狐一般，長年在曠野幽草之間，過著非人之生活，而不能如大車一般，行於大路之上，此詩四章，每章四句，每章之末句，「經營四方」、「獨爲匪民」、「朝夕不暇」，已將征夫之艱辛道出，「行彼周道」，也已將征夫之期望與無奈道出。

由以上三首詩中，可以見出，其寫作技巧，皆屬藉詩中之主角，行役之人，直接陳述其所經歷之艱辛困苦情況。

2. 強調對於家中親人之思念

《詩經》中，有些行役之詩，其寫作的方式，是強調行役在外之人，對故鄉中親人之思念，例如《詩經．唐風．鴇羽》曰：

肅肅鴇羽，集于苞栩，王事靡盬，不能蓺稷黍，父母何怙，悠悠蒼天，曷其有所。

肅肅鴇翼，集于苞棘，王事靡盬，不能蓺黍稷，父母何食，悠悠蒼天，曷其有極。

肅肅鴇行，集于苞桑，王事靡盬，不能蓺稻粱，父母何嘗，悠悠蒼天，曷其有常。

此詩三章，每章七句，朱子《詩集傳》云：「民從征役，而不得養其父母，故作此詩。」最近詩旨，此詩每章之首二句，皆藉鴇鳥之飛集於樹上，作爲比喻，以喻行役在外之征夫，隨處而居，居無定所，又因國家征戰之事，未曾止息，因而思念遠在家鄉之年邁父母，既無子女在旁，種植稻粱黍稷，因而憂心父母衣食不足，但己身在外，無能爲力，也只能悠悠呼天，徒喚奈何而已。又如《詩經．邶風．擊鼓》曰：

> 擊鼓其鏜，踴躍用兵，土國城漕，我獨南行。
> 從孫子仲，平陳與宋，不我以歸，憂心有忡。
> 爰居爰處，爰喪其馬，于以求之，于林之下。
> 死生契闊，與子成說，執子之手，與子偕老。
> 于嗟闊兮，不我活兮，于嗟洵兮，不我信兮。

此詩五章，每章四句，皆征人思歸之辭，故皆藉戰士之口陳述，首章言國家對外用兵，自己隨軍南行，雖欲在國內修築城垣，也不可得，二章言從隨大將，遠征陳宋兩國，長久在外，不得歸鄉，是以憂心不已，三章言自己不慎，遺失戰馬，雖已尋回，不免心神恍惚，四章思念故鄉妻子，憶及昔日，曾深情執手，相約白首偕老，如今卻生離在外，不能相伴，五章悽愴嗟嘆，深恐誓願成空，全詩以四五兩章，充滿思念故鄉妻子情懷，最爲深刻動人。又如《詩經．檜風．匪風》曰：

匪風發兮，匪車偈兮，顧瞻周道，中心怛兮。
匪風飄兮，匪車嘌兮，顧瞻周道，中心弔兮。
誰能烹魚，溉之釜鬵，誰將西歸，懷之好音。

此詩三章，每章四句，細味詩意，當是役夫東征，懷念故鄉家人之作，首二章藉景物而起興，言大路之上，涼風吹拂，車輛奔馳，行役征夫，回頭試顧來時之路，心中不禁思念家中親人，而悲從中來。三章以烹魚也需大釜爲喻，比喻工欲善其事，必先利其器，而引出「誰將西歸，懷之好音」，希望藉著能有往西返鄉之人，爲之攜回家書，以慰故園親人懸念之心。

由以上三首詩中，可以見出，其寫作方式，皆屬強調對於家中親人之思念，從而彰顯行役之人，淹留異鄉的無奈心情。

3. 設想親人對於自己之懷念

《詩經》中，有些「行役」之詩，其寫作的方式，是行役在外之人，明明是自己思念故鄉的親人，其寫作方式，卻從想像家中親人，對於自己思念的種種情形，入手描繪，例如《詩經．魏風．陟岵》曰：

陟彼岵兮，瞻望父兮，父曰嗟予子行役，夙夜無已，上慎旃哉，猶來無止。
陟彼屺兮，瞻望母兮，母曰嗟予季行役，夙夜無寐，上慎旃哉，猶來無棄。
陟彼岡兮，瞻望兄兮，兄曰嗟予弟行役，夙夜必偕，上慎旃哉，猶來無死。

此詩三章，每章六句，《詩序》云：「〈陟岵〉，孝子行役，思念父母。」❸此詩寫征夫行役在外，思念家中親人，最爲明確，而其寫作方式，卻從征夫登高望遠，想像家中父母兄弟，懸念在外行役之人入手，首章想像家中老父，思念幼子行役外在，夙夜不得休息，而盼其能早日歸來，不致留止於外。次章想像家中老母，思念幼子行役在外，夙夜不得安睡，而盼其能早日返鄉，不致長棄在外。三章想像家中兄長，思念幼弟行役在外，夙夜與同袍相偕生活，而盼其能早日回家，不致喪生郊野。此詩三章之中，想像父母兄長，皆以「上慎旃哉」之言相爲勗勉，以見期盼之深，方玉潤《詩經原始》釋此詩時曾云：「人子行役，登高念親，人情之常，若從正面直寫己之所以念親，縱千言萬語，豈能道得意盡，詩妙從對面設想，思親所以念己之心，與臨行勗己之言，則筆以曲而愈達，情以婉而愈深，千載下讀之，猶足令羈

❸ 同注❶。

旅人，望白雲而起思親之念。」❹大體已能將此詩中之寫作方式與情感表達，敘說清楚。又如《詩經．豳風．東山》曰：

> 我徂東山，慆慆不歸，我來自東，零雨其濛，我東曰歸，我心西悲，制彼裳衣，勿士行枚，蜎蜎者蠋，烝在桑野，敦彼獨宿，亦在車下。
>
> 我徂東山，慆慆不歸，我來自東，零雨其濛，果蠃之實，亦施于宇，伊威在室，蠨蛸在戶，町畽鹿場，熠燿宵行，不可畏也，伊可懷也。
>
> 我徂東山，慆慆不歸，我來自東，零雨其濛，鸛鳴于垤，婦嘆于室，洒埽窒室，我征聿至，有敦瓜苦，烝在栗薪，自我不見，于今三年。
>
> 我徂東山，慆慆不歸，我來自東，零雨其濛，倉庚于飛，熠燿其羽，之子于歸，皇駁其馬，親結其縭，九十其儀，其新孔嘉，其舊如之何。

此詩四章，每章十二句，《詩序》云：「〈東山〉，周公東征也，周公東征，三年而歸，勞

---

❹ 方玉潤：《詩經原始》，台北，藝文印書館影印《雲南叢書》本，下引並同。

歸士，大夫美之，故作是詩也。」今考詩中不見「勞歸士，美周公」之意，細味詩辭，當是周公東征，三年而返，隨軍戰士，於歸鄉途中，記述所見所聞（首二章），及所想望者（三四章）之意，全詩皆藉戰士征夫之口而言，首章言返鄉途中，所見野外淒涼景像，蠋蟲蛸蜎蠕動於樹上，士卒蜷曲獨臥於車旁，是以雖然東歸，觸景生情，思及三年艱辛，也不禁向西而生悲。次章言返鄉途中，所見戰爭過後，空室無人，景物蕭條之情況，野蟲滿地，蜘蛛滿屋，野鹿窺視，螢火飛舞，由眼前景像之可畏，而愈宜懷念遠方溫馨的家園。三章寫妻子獨自在家，低聲嘆息，洒掃室內，期盼良人早日歸來，重相聚首，又瞻視室外，苦瓜又已成熟，而時光飛逝，三年已經過去。四章寫妻子在家回想當年新婚宴爾之歡樂情況，迎親之馬，結縭之婦，儀節繁多，卻不知目前良人在外仍無恙乎。此詩四章，一二兩章，寫戰士自東而返，途中所見之悽涼景像，三四兩章，寫妻子在家中嘆息，思念在外良人，思及當年新婚情況，以及整理室家，預備迎接良人歸來之情形，此兩章寫作方式，較為特別，而與〈陟岵〉詩中之寫作方式，頗為類似。姚際恒《詩經通論》云：「末章駘蕩之極，直是出人意表，後人作從軍詩，必描畫閨情，全祖之。」❺又如《詩經．小雅．出車》曰：

---

❺ 姚際恒：《詩經通論》，台北，廣文書局影印排印本，民國五十年，下引並同。

我出我車，于彼牧矣，自天子所，謂我來矣，召彼僕夫，謂之載矣，王事多難，維其棘矣。

我出我車，于彼郊矣，設此旐矣，建彼旄矣，彼旟旐斯，故不旆旆，憂心悄悄，僕夫況瘁。

王命南仲，往城于方，出車彭彭，旂旐央央，天子命我，城彼朔方，赫赫南仲，玁狁于襄。

昔我往矣，黍稷方華，今我來思，雨雪載塗，王事多難，不遑啓居，豈不懷歸，畏此書簡。

喓喓草蟲，趯趯阜螽，未見君子，憂心忡忡，既見君子，我心則降，赫赫南仲，薄伐西戎。

春日遲遲，卉木萋萋，倉庚喈喈，采蘩祁祁，執訊獲醜，薄言還歸，赫赫南仲，玁狁于夷。

此詩六章，每章八句，《詩序》云：「〈出車〉，勞還率也。」意指天子慰勞出征返國之軍帥，但是，詩中所謂，「王命南仲」、「天子命我」，非天子語氣，「赫赫南仲」，語實稱譬，也非慰勞將帥之詞，細味詩旨，應是將士出征返鄉歌詠之意。此詩前三章，乃將士回憶出征情況，首章言國家多事，天子命將出征，次章言大軍啓行，征人勞瘁，三章言築城朔方，南仲威名，震於殊俗。此詩第四章，言返國途中，景物已改，此詩第五章，則將士於途中，想像家中妻子，思念在外之征人，而盼望早日相會之情形，朱子《詩集傳》釋此章云：「此言將帥之出征也，其室家感時物之變而念之，以爲未見而憂之如此，必既見然後心可降耳。」嚴粲《詩緝》釋此章云：「當南仲出征在外之時，其室家思望之。」❻皆以征人想像家中妻子思念之情形爲言，大體皆極妥當。此詩第六章，則征人想像妻子在家中期盼之情形。

由以上三首詩中，可以見出，其寫作方式，多屬強調出外將士想像家中親人對於自己思念之情形，從而彰顯征人的行役之苦與思鄉之切。

(三)「閨怨詩」與「行役詩」之呼應

《詩經》之中，有爲數頗多的「閨怨詩」，所謂「閨怨詩」，即是征夫行役在外，閨中

❻ 嚴粲：《詩緝》，台北，廣文書局影印明嘉靖趙府味經堂刻本，民國四十九年。

少婦，久不得見，思念良人，情深意切的詩篇。

在內容上，「閨怨詩」正是針對「行役詩」而發，因此，兩者之間，關係極爲密切，兩者之間，也相互呼應，互爲表裏，不啻爲一體之兩面，從某一個角度而言，「閨怨詩」也可以說是「行役詩」的另外一種補充形式，另外一種表現形式。

以下，即略舉其例，以見一斑。

《詩經．王風．君子于役》曰：

君子于役，不知其期，曷至哉，雞棲于塒，日之夕矣，羊牛下來，君子于役，如之何勿思。

君子于役，不日不月，曷其有佸，雞棲于桀，日之夕矣，羊牛下括，君子于役，苟無饑渴。

此詩二章，每章八句。朱子《詩集傳》云：「大夫久役於外，其室家思而賦之。」故此詩二章，皆藉少婦之口言之，首章言君子行役在外，不知何時方是歸期，少婦在家，每至日夕，但見雞棲於巢，羊牛自山而下，返回家中，而良人仍淹留遠方，又如何而能不令人爲之思念。

二章大義，同於首章，而久盼良人不歸，但能盼其在外，不受饑渴之苦，於願已足。又如《詩經·衛風·伯兮》曰：

伯兮朅兮，邦之桀兮，伯也執殳，爲王前驅。
自伯之東，首如飛蓬，豈無膏沐，誰適爲容。
其雨其雨，杲杲出日，願言思伯，甘心首疾。
焉得諼草，言樹之背，願言思伯，使我心痗。

此詩四章，每章四句，朱子《詩集傳》云：「婦人以夫久從征役，而作是詩。」故此詩四章，皆良人遠征，妻子思念之辭，首章言良人爲國遠戍，尙有矜得之意，次章言思念良人之深，無心膏沐爲容。三章言風雨日出，陰晴變化，而良人不歸，傳言多端，少婦思夫，爲之憂喜不定，懸懸不已。四章言盼得諼草忘憂，知不可得，而思念良人之情，雖心爲之病而意未能止也。又如《詩經·周南·卷耳》曰：

采采卷耳，不盈頃筐，嗟我懷人，寘彼周行。

陟彼崔嵬，我馬虺隤，我姑酌彼金罍，維以不永懷。
陟彼高岡，我馬玄黃，我姑酌彼兕觥，維以不永傷。
陟彼砠矣，我馬瘏矣，我僕痡矣，云何吁矣。

此詩四章，每章四句，皆以婦人思念行役在外之良人爲言，首章言少婦思念良人，無心採摘卷耳之狀。其下三章，皆少婦想像良人行役在外，艱辛勞苦，懷念家中妻子之情況，二章設想良人登高山，馬疲憊，思念妻子，瞻望不見，姑酌金罍，聊以自醉而暫忘所懷之人。三章設想，與二章略同。四章設想良人躋登石山，馬疲僕病，憂心長嘆之狀。此詩舊解，多以四章皆「后妃之志」（《詩序》）、或婦人思夫言之，「后妃之志」，固嫌迂曲，婦人思夫，其義雖是，但也與陟岡飲酒攜僕乘馬之辭不合，方玉潤《詩經原始》云：「此詩當是婦人念夫行役，而憫其勞苦之作。」憫其勞苦，正是少婦設想的情形，故後三章釋之如此。且此詩寫作方式，與前節所舉〈陟岵〉之詩，也頗相類似。又如《詩經・小雅・杕杜》曰：

有杕之杜，有睆其實，王事靡盬，繼嗣我日，日月陽止，女心傷止，征夫遑止。
有杕之杜，其葉萋萋，王事靡盬，我心傷悲，卉木萋止，女心悲止，征夫歸止。

陟彼北山，言采其杞，王事靡盬，憂我父母，檀車幝幝，四牡痯痯，征夫不遠。

匪載匪來，憂心孔疚，期逝不至，而多爲恤，卜筮偕止，會言近止，征夫邇止。

此詩四章，每章七句，姚際恒《詩經通論》云：「此室家思其夫歸之詩。」詳味此詩之義，皆少婦思念征夫之辭，首二章藉「有杕之杜」起興，言赤棠之木，經已結實，時序變遷，而國事不寧，行役之征夫，長久外在，未能返鄉，故少婦思之而內心悲傷。三章乃少婦想像其夫在外，憂心故鄉父母，車馬疲弊之情形。四章則少婦期盼良人之歸，乃求之卜筮，占問歸期，或在不遠之時，方玉潤《詩經原始》云：「此詩本室家思其夫歸而未即歸之辭。」最能切近詩旨。

由以上四首詩中，可以見出，「閨怨」之詩，其內容所表現者，實與征夫「行役」之詩，適相應和，而「閨怨詩」之寫作方式，亦與「行役」之詩，頗多近似之處。

㈣結　語

綜合前文所作之探究，約可舉出下列數點，以爲結語：

1.《詩經》中「行役」之詩，爲數頗多，對於當時社會情況之反映，歷史事件之佐證，皆能具有重要之價值。

2.由「行役詩」中，可以見出，征夫在外，思鄉甚篤，而家中父母親人，也懸念關懷，彼此之間，情眞意切，皆足令人感動。

3.「行役詩」之寫作方式，寫作技巧，對於後世「邊塞詩」之寫作，影響必不在小。

4.《詩經》之中，「閨怨詩」之數量，也不在少，其內容表現，適與「行役」之詩，兩相應合，不啻爲一體之兩面，其寫作方式，兩者之間，也頗爲相似，此文之中，雖以探討「行役」之詩爲主，但是，輔之以「閨怨」之詩，則對於探究「行役詩」的特色，或更能窺見其全貌。

二、「不學詩，無以言！」

——陳第〈讀詩拙言〉箋釋

(一)引　言

讀《詩經》有很多功用，《論語・陽貨》記孔子曰：「詩可以興，可以觀，可以群，可以怨，邇之事父，遠之事君，多識於鳥獸草木之名。」孔子認爲，讀《詩》可以感發人們的意志，可以考見各地的風俗，可以和樂人群的感情，可以抒發民眾的尤怨，因此，可以用來事父事君，達到家和國治的功能，也可以增廣見識，達到博學多聞的功能。《論語・子路》又記孔子之言曰：「誦詩三百，授之以政，不達，使於四方，不能專對，雖多，亦奚以爲？」孔子也認爲，讀《詩》可以了解各地之風俗，可以處理政治之得失，也可以言語溫厚，長於諷諭，出任使臣，敦睦邦交。

《論語・季氏》曾記孔子告戒孔鯉之言曰：「不學詩，無以言。」《詩》既然具備了興、觀、群、怨，博學多識的功能，又具備了事父事君，燮理政治，出使專對功能，則君子之人，多讀《詩經》，涵泳體會，由此而通達事理，內以蓄德，在心爲志，發而在外，形成言辭，構成言論，對於人群社會、修己治人，都會產生莫大的幫助，這種「言論」的功用，又豈在小?因此，孔子才說，「不學詩，無以言!」

明代陳第，字季立，福建連江縣人，萬曆時諸生，都督俞大猷召致幕下，教以兵法，曾任薊鎮游擊將軍，在鎮十年，邊務修飭，致仕而歸，善詩，所居世善堂，藏書極富，撰有《毛詩古音考》一書，書末附有〈讀詩拙言〉一篇，其中所論，讀《詩》之功用，計有四項，而所枚舉之說明例證，則有四十二條。陳氏所論讀《詩》之功效，極爲精要，以下，即就陳氏所論，試加引申，並加詮解，以彰著陳氏所論誦讀《詩經》，領悟心得，發爲言論，所能產生之功用。

(二)箋　釋

陳第〈讀詩拙言〉曾曰：「《詩》三百篇，牢籠天地，囊括古今，原本物情，諷切治體，總統理性，闡揚道眞，廓乎廣大，靡不備矣，美乎精微，靡不貫矣，近也實遠，淺也實深，辭有盡而意無窮。」❶在該文中，陳第指出，《詩經》之中，內容廣博，涵蓄深厚，至少包括四項要義，「原本物情」、「諷切治體」、「總統理性」、「闡揚道眞」，因此，人們誦讀《詩經》，如果能眞實地體會這四種要義，領悟於心，引導思慮，發爲言辭，形成言論，以之應用，自然能達到經綸世務的功能。以下，即就陳氏所論四項要義，以及四十二條例證，加以分析詮解。

甲、原本物情——誦讀《詩經》，可以學習抒寫描繪之能力，典雅文辭，進而達到孔子所謂「觀」之功用。

1. 陳第〈讀詩拙言〉曰：「誰適為容，閨怨之貞志也，。」

今考《詩經‧衛風‧伯兮》云：「自伯之東，首如飛蓬，豈無膏沐，誰適爲容。」❷《詩

---

❶〈讀詩拙言〉，據陳第《毛詩古音考》書末附錄，台北，新文豐出版公司，《叢書集成新編》本，民國七十三年六月，下引此書並同。《四庫全書》收有陳第《毛詩古音考》，而書末未附〈讀詩拙言〉。

❷《毛詩注疏》，台北，藝文印書館影印阮刻《十三經注疏》本，下引並同。

序》云：「〈伯兮〉，刺時也，言君子行役，爲王前驅，過時而不反焉。」❸朱子《詩集傳》云：「言我髮亂如此，非無膏沐，可以爲容，所以不爲者，君子行役，無所主而爲之故也。」❹此詩四章，次章言君子行役在外，其婦在家，無心容飾，「爲容」四句，形容少婦之怨，故陳第謂之爲「閨怨之貞志也」。

2.陳第〈讀詩拙言〉曰：「與子偕作，塞曲之雄心也。」

今考《詩經·秦風·無衣》云：「豈曰無衣，與子同澤，王于興師，修我矛戟，與子偕作。」此詩三章，皆言「王于興師」，首章言「修我戈矛，與子同仇」，次章言「修我矛戟，與子偕作」，三章言「修我甲兵，與子偕行」，皆勤勞王事，從軍戍邊之辭，故陳第謂之爲「塞曲之雄心也。」

3.陳第〈讀詩拙言〉曰：「於女信宿，戀德之悃衷也。」

今考《詩經·豳風·九罭》云：「鴻飛遵陸，公歸不復，於女信宿。」此詩四章，方玉

---

❸《詩序》，台北，藝文印書館影印阮刻《十三經注疏》本，下引並同。

❹朱子：《詩集傳》，香港，中華書局排印本，一九六一年一月，下引並同。

潤《詩經原始》云：「東人送周公西歸也。」❺頗得詩旨，此詩第三章言鴻鳥之飛，循高陸而去，以喻周公將歸而不返，東方之人，緬懷其德，因盼周公再宿於此，以長留去思，故陳第謂之爲「戀德之悃衷也。」

4.陳第〈讀詩拙言〉曰：「投畀豺虎，疾惡之峻語也。」

今考《詩經．小雅．巷伯》云：「彼譖人者，誰適與謀，取彼譖人，投畀豺虎，豺虎不食，投畀有北，有北不食，投畀有昊。」此詩七章，首章言「彼譖人者，亦已太甚。」末章言「寺人孟子，作爲此詩」，朱子《詩集傳》云：「時有遭讒而被宮刑爲巷伯者，作此詩。」頗得詩旨，此詩第六章言「取彼譖人，投畀豺虎」，以至於「投畀有北」、「投畀有昊」，皆厭惡至極之言，故陳第謂之爲「疾惡之峻語也。」

5.陳第〈讀詩拙言〉曰：「樂子無知，傷時之幽憂也。」

今考《詩經．檜風．隰有萇楚》云：「隰有萇楚，猗儺其枝，夭之沃沃，樂子之無知。」此詩三章，皆以「隰有萇楚」起興，首章言詩人見草木之盛美，而嘆息自身處於亂世，生不

❺ 方玉潤：《詩經原始》，台北，藝文印書館影印《雲南叢書》本。

逢辰，反不如萇楚之花木，雖無所知識，而亦能自得其樂，二三兩章，亦言「樂子之無家」、「樂子之無室」，以加重人不如物之感，故陳第於此詩，謂之爲「傷時之幽憂也。」

6.陳第〈讀詩拙言〉曰：「攜手同行，招隱之娉節也。」

今考《詩經・邶風・北風》云：「北風其涼，雨雪其雱，惠而好我，攜手同行，其虛其邪，既亟只且。」朱子《詩集傳》云：「言北風雨雪，以比國家危亂將至，而氣象愁慘也，故欲與其相好之人，去而避之。」所釋頗爲平實，故此詩「攜手同行」之語，實爲避亂歸隱而發，故陳第於此詩句，謂之爲「招隱之娉節也。」

7.陳第〈讀詩拙言〉曰：「斷壺剝棗，田家之真樂也。」

今考《詩經・豳風・七月》云：「六月食鬱及薁，七月亨葵及菽，八月剝棗，十月穫稻，爲此春酒，以介眉壽，七月食瓜，八月斷壺，九月叔苴，採荼薪樗，食我農夫。」此詩八章，大體皆描述農夫田園之生活，此第六章所敘，則係農家耕種、收穫、飲食之事，故陳第謂之爲「田家之眞樂也。」

8.陳第〈讀詩拙言〉曰：「魚鱉筍蒲，餞送之清致也。」

今考《詩經・大雅・韓奕》云：「韓侯出祖，出宿于屠，顯父餞之，清酒百壺，其餚爲何，炰鱉鮮魚，其蔌維何，維筍及蒲，其贈維何，乘馬路車，籩豆有且，侯氏燕胥。」此詩六章，方玉潤《詩經原始》云：「〈韓奕〉，送韓侯入覲歸娶爲國北衛也。」差近詩旨，前引詩句，爲此詩第三章，大約敘述韓侯覲見周天子而歸，公卿祖道餞送之盛況，故有「清酒百壺」，「炰鱉鮮魚」，「維筍及蒲」，「乘馬路車」之陳設，故陳第謂之爲「餞送之清致也。」

9. 陳第〈讀詩拙言〉曰：「示我周行，乞言之虛懷也。」

今考《詩經・小雅・鹿鳴》云：「呦呦鹿鳴，食野之苹，我有嘉賓，鼓瑟吹笙，吹笙鼓簧，承筐是將，人之好我，示我周行。」《詩序》云：「〈鹿鳴〉，燕群臣嘉賓也。」此詩三章，首章皆以鹿鳴相和起興，因以興起群臣嘉賓，承君之召，得享宴食，和樂相聚，國君並請群臣，多獻讜言，示之以美好之至道，朱子《詩集傳》云：「周行，大道也。」故陳第指「示我周行」，謂之爲「乞言之虛懷也。」

10. 陳第〈讀詩拙言〉曰：「周爰咨謀，遠遊之博采也。」

今考《詩經・小雅・皇皇者華》云：「皇皇者華，于彼原隰，駪駪征夫，每懷靡及。」

又云：「我馬維駒，六轡如濡，載馳載驅，周爰咨諏。」又云：「我馬維騏，六轡如絲，載馳載驅，周爰咨謀。」此詩五章，尋其詩義，應是使臣奉令在外訪求賢達之辭，首章寫使臣在外，見草木之華，而思求賢任事，二至四章，皆寫使臣馳驅奔波，遍訪咨詢之事，故二章言「周爰咨諏」，三章言「周爰咨謀」，四章言「周爰咨度」，五章言「周爰咨詢」，義皆相同，故陳第於「周爰咨謀」，謂之爲「遠遊之博采也。」

11.陳第〈讀詩拙言〉曰：「實命不猶，自寬之善經也。」

今考《詩經．召南．小星》云：「嘒彼小星，維參與昴，肅肅宵征，抱衾與裯，寔命不猶。」此詩二章，尋其詩義，宜爲征人行役自傷勞苦之辭，次章言征人夜行，見參星昴星，在天之西方，因思念家人，而自嘆爲公務所羈，命實如此，怨尤無用，故陳第於「實命不猶」，謂之爲「自寬之善經也。」

12.陳第〈讀詩拙言〉曰：「我思古人，拔俗之卓軌也。」

今考《詩經．邶風．綠衣》云：「綠兮衣兮，綠衣黃裏，心之憂矣，曷維其已。」又云：「絺兮綌兮，淒其以風，我思古人，實獲我心。」此詩四章，《詩序》云：「〈綠衣〉，衛姜傷己也。」前引此詩首章，以綠衣黃裏作比，以喻上下失序，故爲之心憂，前引此詩第四章，以絺綌之葛布，遇寒風作比，以喻己身之不遇，而深思古人處此境地，當能善加因應，示我正則，以慰我心者，故陳第於「我思古人」，謂之爲「拔俗之卓軌也。」

要之，陳第於〈讀詩拙言〉此節之中，舉出十二條例證，用以說明，《詩經》中之詩篇，文辭典雅，意趣淵懿，描繪事物，抒寫情志，皆能恰到好處，妙達顚毫，即如以「誰適爲容」描寫「閨怨之貞志」，以「與子偕作」描寫「塞曲之雄心」，以「於女信宿」描寫「戀德之悃衷」，以「投畀豺虎」描寫「疾惡之峻語」，以「樂子無憂」描寫「傷時之幽憂」，以「攜手同行」描寫「招隱之姱飾」，以「斷壺剝棗」描寫「田家之眞樂」，以「魚鱉筍蒲」描寫「餞送之清致」，以「示我周行」描寫「乞言之虛懷」，以「周爰咨謀」描寫「遠遊之博采」，以「實命不猶」描寫「自寬之善經」，以「我思古人」描寫「拔俗之卓軌」，都是最爲恰當的描繪，最爲優雅的文辭，陳第〈讀詩拙言〉在此節之末說道：「後世風流文雅之士，言之能若此之典乎？」實則，《詩經》在文學史上，具有最爲重要的影響地位，其修辭技巧的典雅，也爲後世文學作品，奠定了良好的基礎，因此，誦讀《詩經》，對於後世文人學子之學習文辭，發爲言論，自然也有其重要的作用。

乙、總統理性——誦讀《詩經》，可以培養清隱幽靜之意志，高潔情操，進而達到孔子所謂「興」之功用。

13.陳第〈讀詩拙言〉曰：「好樂無荒，恬淡而慮長。」

今考《詩經·唐風·蟋蟀》云：「蟋蟀在堂，歲聿其莫，今我不樂，日月其除，無已大康，職思其居，好樂無荒，良士瞿瞿。」此詩三章，朱子《詩集傳》云：「唐俗勤儉，故其民間，終歲勞苦，不敢少休，及其歲晚，務閒之時，乃敢相與燕飲為樂。」又云：「又遽相戒曰，今雖不可以不為樂，然不已過樂乎。」頗近詩旨，此詩三章，皆有「好樂無荒」之戒，故陳第以為，乃詩人「恬淡而慮長」之意。

14.陳第〈讀詩拙言〉曰：「匪我思存，紛華而不亂。」

今考《詩經·鄭風·出其東門》云：「出其東門，有女如雲，雖則如雲，匪我思存，縞衣綦巾，聊樂我員。」此詩兩章，姚際恒《詩經通論》云：「鄭國春月，士女出遊，士人見之，自言無所繫思，而室家聊足與娛樂也。」[6]頗得詩旨，故此詩首章，謂東門之外，美女

---

[6] 姚際恒：《詩經通論》，台北，廣文書局印行本，民國五十年十月，下引並同。

如雲，而皆非士人所思念者，是其情有獨鍾，不爲眾移，故陳第謂之爲「紛華而不亂」也。

15. 陳第〈讀詩拙言〉曰：「泌之洋洋，素位而止足。」

今考《詩經・陳風・衡門》云：「衡門之下，可以棲遲，泌之洋洋，可以樂饑。」此詩三章，朱子《詩集傳》云：「此隱居自樂而無求者之辭也。」所引首章，言橫木爲門，亦可遊息，泉水廣大，可以得趣而忘饑，皆自止自足之辭，故陳第謂之爲「素位而止足」。

16. 陳第〈讀詩拙言〉曰：「在水中沚，跡近而心遐。」

今考《詩經・秦風・蒹葭》云：「蒹葭采采，白露未己，所謂伊人，在水之涘，溯洄從之，道阻且右，溯游從之，宛在水中沚。」此詩三章，姚際恒《詩經通論》云：「此自是賢人隱居水濱，而人慕而思見之詩。」前所引之第三章，言伊人在水之涘，又如在水中小渚，形似近而實遠，故陳第謂之爲「跡近而心遐。」

17. 陳第〈讀詩拙言〉曰：「振鷺，想君子之容也。」

今考《詩經・周頌・振鷺》云：「振鷺于飛，于彼西雝，我客戾止，亦有斯容。」《詩序》云：「〈振鷺〉，二王之後，來助祭也。」《鄭箋》云：「二王，夏殷也。其後，杞也，宋也。」❼此詩以白鷺群飛起興，以言周王祀神，杞宋二君，至此助祭，亦皆有潔白君子之容貌，故陳第謂之爲「想君子之容也。」

18.陳第〈讀詩拙言〉曰：「白駒，縶嘉客之馬也。」

今考《詩經．小雅．白駒》云：「皎皎白駒，食我場苗，縶之維之，以永今朝，所謂伊人，於焉逍遙。」此詩四章，朱子《詩集傳》云：「爲此詩者，以賢者之去而不可留也，故託以其所乘之駒食我場苗，而縶維之，庶幾以永今朝。」故陳第謂此詩爲「縶嘉客之馬也。」

要之，陳第於〈讀詩拙言〉此節之中，舉出六條例證，用以說明，《詩經》中之詩篇，頗多意境悠遠，格調高雅之作，即如以「好樂無荒」表達「恬淡而慮長」之義，以「匪我思存」表達「紛華而不亂」之義，以「泌之洋洋」表達「素位而止足」之義，以「在水中沚」表達「跡近而心遐」之義，以「振鷺」表達「想君子之容」，以「白駒」表達「縶嘉客之馬」，因此，陳第〈讀詩拙言〉在此節之末說道：「後世清隱高遯之士，言之能若此之婉乎？」

---

❼ 鄭玄：《毛詩箋》，見《毛詩注疏》，台北，藝文印書館影印院刻《十三經注疏》本。

是以《詩經》在培養讀者高潔之情操方面，也具有感發士子的作用。

丙、諷切治體——誦讀《詩經》，可以鍛練經綸世務之能力，明辨事理，進而達到孔子所謂「群」之功用。

19.陳第〈讀詩拙言〉曰：「濟濟多士，美得人也。」

今考《詩經．大雅．文王》云：「世之不顯，厥猶翼翼，思皇多士，生此王國，王國克生，維周之楨，濟濟多士，文王以寧。」此詩七章，皆述文王之德，以告周之子孫，勉以戒愼守成。所引此詩三章，言眾多賢士，生於文王之國，文王之國，得此眾多之士，亦賴此因以爲安，故陳第於此詩，謂之爲「美得人也。」

20.陳第〈讀詩拙言〉曰：「有嚴有翼，修戎政也。」

今考《詩經．小雅．六月》云：「六月棲棲，戎車既飭，四牡騤騤，載是常服，玁狁孔熾，我是用急，王于出征，以匡王國。」又云：「四牡修廣，其大有顒，薄伐玁狁，以奏膚公，有嚴有翼，共武之服，共武之服，以定王國。」此詩六章，皆述尹吉甫奉命出征玁狁，師捷慶功之事，前引此詩首章言「玁狁孔熾」、「王于出征」，三章言「有嚴有翼」、「以定王國」，皆整軍修武之事，故陳第於此詩，謂之爲「修戎政也。」

21.陳第〈讀詩拙言〉曰：「公孫碩膚，昭勞謙也。」

今考《詩經．豳風．狼跋》云：「狼跋其胡，載疐其尾，公孫碩膚，赤舃几几。」又云：「狼疐其尾，載跋其胡，公孫碩膚，德音不瑕。」此詩二章，《詩序》云：「〈狼跋〉，美周公也，周公攝政，遠則四國流言，近則王不知，周大夫美其不失聖也。」義頗近是，此詩二章，皆以狼之進踐己胡，退踐己尾，跋前疐後，動輒得咎，以興周公勤勞王事，卻處境艱難，乃能以謙遜爲懷，而終得國人之稱頌，故陳第於此詩，謂之爲「昭勞謙也」。

22.陳第〈讀詩拙言〉曰：「萬邦作孚，廣身教也。」

今考《詩經．大雅．文王》云：「命之不易，無遏爾躬，宣昭義問，有虞殷自天，上天之載，無聲無臭，儀刑文王，萬邦作孚。」此詩七章，此所引者，爲第七章，要旨在言天命不易保持，故告以勿自絕於天，上天之事，雖無聲臭，不易測度，惟有效法文王，勤於修德，則萬邦自然信服，故陳第於此，謂之爲「廣身教也」。

以上所論，以「濟濟多士」說明「美得人」，以「有嚴有翼」說明「修戎政」，以「公孫碩膚」說明「昭勞謙」，以「萬邦作孚」說明「廣身教」，皆屬正面宣示施政之原則，故陳第於此節之末說道：：「此盛世之風，綦隆之泰也。」至於以下所述，陳第則說：「變雅所詠，尤可繹思。」《詩大序》云：「至于王道衰，禮義廢，政教失，國異政，家殊俗，而變風變雅作矣。」故大小雅中，皆有變雅之作存在。

23.陳第〈讀詩拙言〉曰：「潝潝訿訿，百官邪矣。」

今考《詩經・小雅・小旻》云：「潝潝訿訿，亦孔之哀，謀之其臧，則具是違，謀之不臧，則具是依，我視謀猶，伊于胡底。」此詩六章，《詩序》云：「〈小旻〉，大夫刺幽王也。」前所引者，爲第二章，言小人同而不和，或潝潝相應，或訿訿相攻，事之善者，則棄之，事之不善，則反用之，故陳第於此，謂之爲「百官邪矣」。

24.陳第〈讀詩拙言〉曰：「亶侯多藏，寵賂彰矣。」

今考《詩經・小雅・十月之交》云：「皇父孔聖，作都于向，擇三有事，亶侯多藏，不憖遺一老，俾守我王，擇有車馬，以居徂向。」此詩八章，《詩序》云：「〈十月之交〉，大夫刺幽王也。」此詩之首，記日食地震之事，以譏刺君王失道，前所引者，爲第六章，言皇父自以爲是，自擇三卿，所擇之人，皆家多蓄藏，貪賄無已，故陳第於此，謂之爲「寵賂彰矣」。

25.陳第〈讀詩拙言〉曰：「婦有長舌，女謁盛矣。」

今考《詩經・大雅・瞻卬》云：「哲夫成城，哲婦傾城，懿厥哲婦，爲梟爲鴟，婦有長舌，維厲之階，亂匪降自天，生自婦人，匪教匪誨，時維婦寺。」此詩七章，姚際恒《詩經通論》云：「此刺幽王寵褒姒致亂之詩。」前所引者，爲第三章，言「哲夫成城，哲婦傾城」，言「婦有長舌，維厲之階」，故陳第於此，謂之爲「女謁盛矣」。

26.陳第〈讀詩拙言〉曰：「莫肯夙夜，庶政隳矣。」

今考《詩經・小雅・雨無正》云：「周宗既滅，靡所止戾，正大夫離居，莫知所勩，三事大夫，莫肯夙夜，邦君諸侯，莫肯朝夕，庶曰式臧，覆出爲惡。」此詩七章，《詩序》云：「〈雨無正〉，大夫刺幽王也。」前所引者，爲第二章，言「三事大夫，莫肯夙夜，邦君諸侯，莫肯朝夕」，三公諸侯，皆不肯勤勞政事，反更行惡事，肆爲暴虐，故陳第於此，謂之爲「庶政隳矣」。

27.陳第〈讀詩拙言〉曰：「為鬼為域，讒夫昌矣。」

今考《詩經・小雅・何人斯》云：「彼何人斯，其心孔艱，胡逝我梁，不入我門，伊誰云從，維暴之云。」又云：「爲鬼爲蜮，則不可得，有靦面目，視人罔極，作此好歌，以極反側。」此詩八章，詳其詩旨，當是爲官之人，傷其同僚趨炎附勢，反覆無常，故作此詩以譏刺之，前引此詩首章，已言其人善變，其心甚險，過我橋梁，而不入我門，似不相識者，而前引此詩八章，則更斥言其人之行爲，若鬼魅野狐，陷害於人，而反能妝模作樣，扮爲君子，而不自知其醜，其實，人皆知之也，故陳第於此詩，謂之爲「讒夫昌矣」。

28.陳第〈讀詩拙言〉曰：「俾晝作夜，酒德酗矣。」

今考《詩經・大雅・蕩》云：「文王曰咨，咨女殷商，天不湎爾以酒，不義從式，即愆爾止，靡明靡晦，式號式呼，俾晝作夜。」此詩八章，《詩序》云：「〈蕩〉，召穆公傷周室大壞也，厲王無道，天下蕩蕩，無綱紀文章，故作是詩也。」頗近詩旨，前所引者，爲此詩第五章，假文王之詞，以責備殷商暴君，不奉天命，沈湎於酒，無間晝夜，淫樂不止，故陳第於此詩，謂之爲「酒德酗矣」。

29.陳第〈讀詩拙言〉曰：「自有肺腸，朋黨分矣。」

今考《詩經・大雅・桑柔》云：「維此惠君，民人所瞻，秉心宣猶，考慎其相，維彼不順，自獨俾臧，自有肺腸，俾民卒狂。」此詩十六章，《詩序》云：「〈桑柔〉，芮伯刺厲王也。」詩中所陳，大體皆言國亂民困，徭役繁多，民不堪命之事，前所引者，爲此詩第八章，言守道之君，爲人民所尊仰，以其能爲民謀福利，多方思慮，至於悖道之君，獨斷自足，異於常人之心思肺腸，故常導引人民，入於狂亂而不自知，爲君如此，而百姓於依違之間，分道而行，故陳第於此詩，謂之爲「朋黨分矣」。

30.陳第〈讀詩拙言〉曰：「民亦勞止，百姓困矣。」

今考《詩經・大雅・民勞》云：「民亦勞止，汔可小康，惠此中國，以綏四方，無縱詭隨，以謹無良，式遏寇虐，憯不畏明，柔遠能邇，以定我王。」此詩五章，多大臣相互戒勉，安邦定國，去惡愛民之意，故朱子《詩集傳》云：「同列相戒之辭。」頗近詩旨，此詩五章，每章首句，皆以「民亦勞止」爲言，可知詩中所述，民眾勞苦，蓋已深矣，詩中所期盼者，五章所言，不過人民可以「小康」、「小休」、「小息」、「小愒」、「小安」而已，人民所求，淺鮮如此，亦可憫矣，故陳第於此詩，謂之爲「百姓困矣」。

要之，陳第於〈讀詩拙言〉此節之中，舉出十二條例證，用以說明，《詩經》中之詩篇，頗多富於政理，通達治道的作品，讀詩之人，可以從中汲取福國利民，興邦致治的原理，即如以「濟濟多士」稱許「得人」之美，以「有嚴有翼」稱許「戎政」之修，以「公孫碩膚」稱許「謙虛」之德，以「萬邦作孚」稱許「身教」之廣，反之，以「潝潝訿訿」表顯「百官」之邪，以「亶侯多藏」表顯「寵賂」之彰，以「婦有長舌」表顯「女謁」之盛，以「莫肯夙夜」表顯「庶政」之隳，以「爲鬼爲蜮」表顯「讒夫」之昌，以「俾晝作夜」表顯「酒德」之酗，以「自有肺腸」表顯「朋黨」之分，以「民亦勞止」表顯「百姓」之困等等，都是可以探索治亂興衰原因的指針，也都是可以作爲治國者借鏡的至理，因此，陳第〈讀詩拙言〉在此節之末說道：「此周之衰也，亦漢唐宋之所以亡也，後世經綸康濟之士，言之能若是之詳乎？」這也是讀詩學詩之人，從《詩經》中，可以學習領悟到的另外一重作用。

丁、闡揚道真——誦讀《詩經》，可以體悟性命道德之原理，涵泳冥會，進而達到孔子所謂「怨」之功用。

31.陳第〈讀詩拙言〉曰：「反是不思，亦已焉哉，謀始之箴也。」

今考《詩經．衛風．氓》云：「及爾偕老，老使我怨，淇則有岸，隰則有泮，總角之宴，言笑晏晏，信誓旦旦，不思其反，反是不思，亦已焉哉！」此詩六章，細味其首，乃棄婦自怨之詞，前所引者，爲此詩之第六章，乃棄婦回憶初識良人，歡樂相聚之情形，而良人今已變心，不再思及往日誓言，則是無可奈何，徒供追悔而已，故陳第於此詩，謂之爲「謀始之箴」，亦欲人之誦此詩者，當有領悟，凡事皆能愼謀其始也。

32.陳第〈讀詩拙言〉曰：「靡不有初，鮮克有終，令終之戒也。」

今考《詩經．大雅．蕩》云：「蕩蕩上帝，下民之辟，疾威上帝，其命多辟，天生蒸民，其命匪諶，靡不有初，鮮克有終。」此詩八章，此引第一章，謂帝王本下民之君，當體恤眾民，今反爲虐爲暴，多行邪僻，詩人因而有怨憎之詞，謂帝王秉承天命之初，本無不善，而後自趨於惡，乃深惜其不能堅持至終也，故陳第於此詩，謂之爲「令終之戒」，亦欲人之誦此詩者，當有領悟，凡事皆能善始而善終也。

33.陳第〈讀詩拙言〉曰：「孝子不匱，永錫爾類，行道之徵也。」

今考《詩經．大雅．既醉》云：「既醉以酒，既飽以德，君子萬年，介爾景福。」又云：「威儀孔時，君子有孝子，孝子不匱，永錫爾類。」此詩八章，味其詩旨，乃天子宴群臣，而群臣頌天子之意，前所引者，爲此詩之首章及五章，首章祝天子長壽，四章言君有孝子，故天永賜善行，故陳第於此詩，謂之爲「行道之徵」，亦欲人之誦此詩者，當有領悟，凡事皆能據道而行也。

34.陳第〈讀詩拙言〉曰：「夙夜匪懈，以事一人，策名之則也。」

今考《詩經．大雅．烝民》云：「天生烝民，有物有則，民之秉彝，好是懿德，天監有周，昭假天下，保茲天子，生仲山甫。」又云：「肅肅王命，仲山甫將之，邦國若否，仲山甫明之，既明且哲，以保其身，夙夜匪懈，以事一人。」此詩八章，《詩序》云：「〈烝民〉，尹吉甫美宣王也，任賢使能，周室中興焉。」前所引者，爲此詩之首章及四章，首章言天生眾民，有其法則，故天既生周，又生仲山甫，以保茲天子，四章言仲山甫奉王命而行，以監察各邦國之善否，又能自身修潔，以明哲自保，以敬事天子，故陳第於此詩，謂之爲「策名之則」，亦欲人之誦此詩者，當有領悟，凡事皆能敬慎勤警以爲之也。

35.陳第〈讀詩拙言〉曰：「白圭之玷，尚可磨也，何言之可輕。」

今考《詩經・大雅・抑》云：「質爾人民，謹爾侯度，用戒不虞，慎爾出話，敬爾威儀，無不柔嘉，白圭之玷，尚可磨也，斯言之玷，不可爲也。」此詩凡十二章，《詩序》云：「〈抑〉，衛武公刺厲王，亦以自警也。」細味詩旨，自警之意，較爲符合，前所引者，爲此詩之第五章，言於爾之民，教以法度，以備不虞之事發生，而言語宜慎，威儀宜敬，因白圭有瑕，尚可磨飾，而言語既出，則無可救挽，故陳第於此詩，謂之爲「何言之可輕」，尤欲世人學詩，領悟詩中教人慎言之意，無輕易出之於口也。

36.陳第〈讀詩拙言〉曰：「民之失德，乾餱以愆，何微之可忽。」

今考《詩經・小雅・伐木》云：「伐木丁丁，鳥鳴嚶嚶，出自幽谷，遷于喬木，嚶其鳴矣，求其友聲，相彼鳥矣，猶求友聲，矧伊人矣，不求友生，神之聽之，終和且平。」又云：「伐木于阪，釃酒有衍，籩豆有踐，兄弟無遠，民之失德，乾餱以愆，有酒湑我，無酒酤我，坎坎鼓我，蹲蹲舞我，迨我暇矣，飲此湑矣。」此詩三章，《詩序》云：「〈伐木〉，燕朋友故舊也，自天子至于庶人，未有不須友以成者，親親以睦，友賢不棄，不遺故舊，則民德歸厚矣。」前所引者，爲此詩之首章及三章，三章以伐木起興，言有美酒嘉肴，以宴友朋，而有人不顧朋友之義，以乾餱粗食待客，則是友德不足，然當以美酒與友人共樂共舞，方見眞情，故陳第於此詩，謂之爲「何微之可忽」，亦欲世人學詩，領悟詩中特重友情之意，愼勿以小故而輕忽之也。

37.陳第〈讀詩拙言〉曰：「秉心塞淵，騋牝三千，何事之非心。」

今考《詩經・鄘風・定之方中》云：「定之方中，作于楚宮，揆之以日，作于楚室，樹之榛栗，椅桐梓漆，爰伐琴瑟。」又云：「靈雨既零，命彼倌人，星言夙駕，說于桑田，匪直也人，秉心塞淵，騋牝三千。」此詩三章，《詩序》云：「〈定之方中〉，美衛文公也，衛爲狄所滅，東徙渡河，野處漕邑，齊桓公攘夷狄而封之，文公徙居楚丘，始建城市，而營宮室，得其時制，百姓說之，國家殷富焉。」前引此詩，爲首及三章，首章言衛文公作爲宮室，三章言文公之勤勞，冒雨視察桑田，又持心深厚，關切馬匹之繁殖，不僅仁民，且能推愛，及之於物，故陳第於此詩，謂之爲「何事之非心」，亦欲世人學詩，領悟詩中以仁愛存心之意，推廣其民胞物與之念也。

38.陳第〈讀詩拙言〉曰：「既作泮宮，淮夷攸服，何教之非政。」

今考《詩經·魯頌·泮水》云：「明明魯侯，克明其德，既作泮宮，淮夷攸服，矯矯虎臣，在泮獻馘，淑問如皋陶，在泮獻囚。」此詩八章，《詩序》云：「〈泮水〉，頌僖公能修泮宮也。」然詳味此詩，前四章頌僖公修作泮宮，後四章則頌僖公征伐淮夷，前引此詩，爲第五章，即述僖公征伐淮夷，武臣英勇，獻馘獻囚之事，故陳第於此詩，謂之爲「何教之非政」，亦欲世人學詩，領悟詩中修作宮室、軍旅征伐之事，皆足見教民爲政之意也。

39.陳第〈讀詩拙言〉曰：「古之人無斁，譽髦斯士，何化之不可行。」

今考《詩經·大雅·思齊》云：「思齊大任，文王之母，思媚周姜，京室之婦，大姒嗣徽音，則百斯男。」又云：「肆成人有德，小子有造，古之人無斁，譽髦斯士。」此詩五章，《詩序》云：「〈思齊〉，文王所以聖也。」朱子《詩集傳》云：「此詩亦歌文王之德，而推本言之。」前引此詩，爲首章及五章，首章言周代之母德，大姜大任大姒，而重在文王之母大任，此詩二章以下，皆言文王之德，五章言文王舉用賢才，成人小子，皆能推賢進用，使之成爲俊彥，故陳第於此詩，謂之爲「何化之不可行」，亦欲世人學詩，領悟詩中惟賢是舉，無不可化之意也。

40.陳第〈讀詩拙言〉曰：「盡瘁以仕，寧莫我有，何變之不可正。」

今考《詩經．小雅．四月》云：「四月維夏，六月徂暑，先祖匪人，胡寧忍予。」又云：「滔滔江漢，南國之紀，盡瘁以仕，寧莫我有。」此詩八章，朱子《詩集傳》云：「此亦遭亂自傷之詩。」前引此詩，爲首章及六章，此詩前四章寫詩人遭亂，經歷四季之苦，後四章寫經歷山川之苦，第六章言江漢二水，匯成南方之巨流，以興詩人自身，亦嘗爲朝廷之楨幹，而己身雖無人願與之相友，亦寧願盡瘁以從事，故陳第於此詩，謂之爲「何變之不可正」，亦欲世人學詩，領悟詩中力疾從公，處變亂而力求正道之意也。

41.陳第〈讀詩拙言〉曰：「及爾出王，及爾游衍，何天之不為人。」

今考《詩經．大雅．板》云：「上帝板板，下民卒癉，出話不然，爲猶不遠，靡聖管管，不實於亶，猶之未遠，是用大諫。」又云：「敬天之怒，無敢戲豫，敬天之渝，無敢馳驅，昊天曰明，及爾出王，昊天曰旦，及爾游衍。」此詩八章，詳其義旨，當是同僚相戒，以刺君王之言，前引此詩，爲首章及八章，首章言天命反常，下民勞瘁，蓋因王政淆亂，言而無信，天乃震怒，故此陳言諫諍，以下各章，皆屬此意，八章言人君當敬天之怒，愼天之變，則出游般樂之際，天則皆已監視之矣，爲人君者，能無懼乎！故陳第於此詩，謂之爲「何天之不爲人」，亦欲世人學詩，領悟詩中昊天在上，明明監之，而能力求小心戒懼之意也。

42.陳第〈讀詩拙言〉曰：「噂沓背憎，職兢由人，何人之不為天。」

今考《詩經・小雅・十月之交》云：「十月之交，朔月辛卯，日有食之，亦孔之醜，彼月而微，此日而微，今此下民，亦孔之哀。」又云：「爗爗震電，不寧不令，百川沸騰，山冢崒崩，高岸爲谷，深谷爲陵，哀今之人，胡憯莫懲。」又云：「黽勉從事，不敢告勞，無罪無辜，讒口囂囂，下民之孽，匪降自天，噂沓背憎，職兢由人。」此詩八章，《詩序》云：「〈十月之交〉，大夫刺幽王也。」前引此詩，爲首章、三章及七章，首章言天變日蝕，三章言地變地震，而君王皆未能因是而知反省自責，深思已過，七章言下民唯勉力從事，不畏辛勞，而既無罪過，反受讒言，則小民之害，非由上天，實由小人在位，競取私利，以致災禍，故陳第於此詩，謂之爲「何人之不爲天」，亦欲世人學詩，領悟詩中天災根於人禍，而能力求修人事以希天命之意也。

要之，陳第於〈讀詩拙言〉此節之中，舉出了十二條例證，用以說明，《詩經》中之詩篇，頗多富於性命道德，天人關係的作品，讀詩之人，可以從中汲取修己敦品、體認天道的原理，即如以「反是不思，亦已焉哉」表示愼謀之始，以「靡不有初，鮮克有終」表示令終之戒，以「孝子不匱，永錫爾類」表示依德行道，以「夙夜匪懈，以事一人」表示勤慎處事，以「白圭之玷，尚可磨也」，表示言語不可輕率，以「民之失德，乾餱以愆」，表示行事不可輕忽，以「秉心塞淵，騋牝三千」，表示心存仁愛，以「既作泮宮，淮夷攸服」，表示教民爲政，以「古之人無斁，譽髦斯士」，表示舉賢化下，以「盡瘁以仕，寧莫我有」，表示處變求治，以「及爾出王，及爾游衍」，表示天監之在上，以「噂沓背憎，職競由人」，表示民怨而天怒等等，都是可以幫助人們，了解修己治人，推行教化的至理，因此，陳第〈讀詩拙言〉，在此節之末，說道：「是合內外，貫始終，一天人道德性命之奧也，後世講學談道之士，言之能若此之審乎？」這也是讀詩學詩之人，從《詩經》之中，可以學習領悟到的另外一些收穫。

㈢結　語

陳第〈讀詩拙言〉曾曰：「《詩》三百篇，牢籠天地，囊括古今，原本物情，諷切治體，總統理性，闡揚道眞，廓乎廣大，靡不備矣，美乎精微，靡不貫矣，近也實遠，淺也實深，辭有盡而意無窮。」又曰：「故詩也者，辭可歌，意可繹，可以平情，可以畜德，孔門所以言詩獨詳也。」陳氏於〈讀詩拙言〉之中，分析學詩誦詩，可以習知典麗優美的藻辭，可以涵養優雅高潔的情操，可以培育經綸世務的能力，可以領悟性命道德的原理，因此，學詩之人，閱讀《詩經》，沈潛其中，涵泳在心，歷時既久，抒發心聲，衍爲言論，可以內而用以勵己，可以出而用以治事，因此，學詩讀詩的作用，可謂大矣。

陳第在〈讀詩拙言〉中又曰：「嘗記童稚時，先人木山公謂不肖曰，吾讀國風，四支猶覺散漫，及讀文王在上，於昭于天，不覺手足之斂肅，肩背之竦直也。嗟夫，小子弗克負荷矣，總角受詩，皓首茫然，聊述梗概，識其愧心而已矣。」陳氏雖然謙稱自己，「總角受詩，皓首茫然」，但是，他能就《詩經》全書之中，採擇篇章，以小見大，總持詩旨，從而彰顯讀詩學詩的作用，後人由是致力，收穫自屬可期，則陳氏之有功於《詩經》者，又豈在小哉！

三、詩序與詩教

——從《詩序》內容看《詩經》之教化理想

(一)引　言

詩有四家，齊魯韓毛，《毛詩》獨傳於今，四家詩或各自有其詩序，《毛詩序》獨傳於今，故今稱《詩經》者，實指《毛詩》而言，今稱《詩序》者，亦實指《毛詩序》而言。《詩序》之作者，究爲何人？自來即有不同的說法，舉其大要而言，或者以爲是孔子所作，或者以爲是子夏所作，或者以爲是毛公所作，但都沒有明確的證據，《後漢書·儒林傳》云：「衛宏字敬仲，東海人也，少與河南鄭興俱好古學，初，九江謝曼卿善《毛詩》，乃爲其訓，宏從曼卿受學，因作《毛詩序》，善得風雅之旨，於今傳於世。」所說較有依據，差可憑信。

詩本於歌謠，本應明白易曉，但是，詩有作詩之義，有賦詩之義，有斷章之義，也有引中之義，譬喻之義，因此，居後世而討論詩義，反而更增困難。

先秦說詩，不過引用詩句，作為人們立身處世的南針，以及作為人們從政治事的準則，❶並不討論詩的本旨。然而，自從《詩序》出現以後，漢人說詩，即多據《詩序》，以說《詩經》之義，自是之後，以迄唐代，敕撰《五經正義》，《詩》取毛公鄭玄之《傳》《箋》，而《詩序》也併入其中，成為朝廷頒定之標準讀本，影響於後世者極大。

《詩經》之有《詩序》，本以解說詩旨，使之愈為彰明，但是，後世討論《詩經》，反多以為，《詩序》之與《詩》旨，切合者極少，故自宋代朱子以下，懷疑《詩序》者甚多，進而主張廢棄《詩序》，直接逕就詩之本文以求詩之義旨者，也愈益增多。

《詩序》之受人懷疑，以為並不切合詩旨，推究原因，主要在於：

其一，詩本多義，詩之體裁，本可表達多重的意義，本可多方解釋，則《詩序》執持一種意義，自不能切合多義的詩旨。

其二，《詩序》之作者，與《詩經》詩篇之作者，並非一人，也非同時之人，以相隔懸

❶ 參屈萬里先生：〈先秦說詩的風尚和漢儒說詩之迂曲〉，載《南洋大學學報》五期，一九七一年。

遠後世之人，推測前人作詩之詩旨，自難一一切合。

其三，《詩經》的每篇詩題，並不以義名篇，詩題所標示者，並不代表全詩的大旨，而僅止約取詩前數字爲題，因此，詩題既未明標詩旨，則《詩序》之說詩旨，以後人所作之《詩序》，欲求替代詩篇之詩題，進而標示詩旨，自屬困難重重。

其四，《詩序》之說，往往於《詩經》本文詞面之中，不易覓得佐證，故其解說詩旨，不易取信於人。

因此，就《詩序》以探求詩人作詩之本旨，自不易一一相符，也不易取信於世人。

其實，漢人之作《詩序》，用以說詩，本自另外有其教化之理想存在，推其用意，本不用爲解說《詩經》作者作詩之本義而發，後人根據《詩序》，以求《詩經》每篇詩作中之本義，自然不能一一相符相合。

因此，本文不就《詩序》以求《詩經》每篇詩作之本義，本文乃就《詩序》而求了解漢人對於《詩經》之觀點，進而了解漢人對於《詩經》所賦予之理想功能，了解漢人撰著《詩序》之用意。

以下，即就《詩序》，歸納其關鍵之詞，試作分析，以見《詩序》作者，憑藉《詩經》，所欲彰顯之詩教理想，所欲推行之詩教功能。

㈡分析

《詩序》中有美刺，所謂「美」，大抵皆是作序者表示正面肯定之事項，所謂「刺」，大抵皆是作序者表示負面否定之事項，因此，前者代表「應爲」之事項，後者代表「不應爲」之事項。

以下，即就《詩序》中所指爲「美」及爲「刺」者，取其關鍵之詞，試作不同層次重點之統計分析，以見《詩序》中教化理想之一斑。

《詩經》三百十一篇，除笙詩六篇，有序無辭，暫不予計之外，其餘三百零五篇，皆篇篇有序，此三百零五篇詩，其詩中或其序中，有明顯只論史事，而其《詩序》並不涉及「美」「刺」者，似此之類，共約九十二首，則也暫不加以統計分析，而另作說明。因此，此項分析，實際所加入統計者，共爲二一三首詩篇之《詩序》。

甲、分析《詩序》中有關「美」之部分

1.「美」之數量

(1)明言爲「美」者

二一三首《詩序》之中，其明言爲「美」某某者，如《周南・甘棠》序云：「美召伯也。」《鄘風・定之方中》序云：「美衛文公也。」《衛風・木瓜》序云：「美齊桓公也。」❷似此之類，計有二十八首。

(2)與「美」義近者

二一三首《詩序》之中，其雖不明言「美」某某，而易言「勸」、「止」、「樂」、「澤」、「頌」等與「美」義相近之辭者，如《召南・殷其靁》序云：「勸以義也。」《小雅・南有嘉魚》序云：「樂與賢也。」《魯頌・駉》序云：「頌僖公也。」似此之類，計有十一首。

---

❷ 此據《毛詩注疏》，台北，藝文印書館影印阮刻《十三經注疏》本，下引《詩序》並同。

(3)有「美」之用意者

二一三首《詩序》之中，其雖不明言「美」某某，而推究其義，實係有「美」之用意者，如《周南・螽斯》序云：「后妃子孫眾多也。」《召南・草蟲》序云：「大夫妻能以禮自防也。」《召南・小星》序云：「惠及下也。」似此之類，計有二十首。

綜合以上三類，約略統計，其《詩序》之旨，凡屬廣義之「美」某某者，計有五十九首，在二一三首《詩序》之中，約佔百分之二十八。

2.「美」之對象

(1)專指一人者

在五十九首《詩序》之中，其所「美」之對象，其專指一人者，則為周宣王（九首）、文王（五首）、周公、魯僖公（各四首）、衛文公、秦襄公（各二首），其餘衛武公、齊桓公、鄭武公、晉武公、秦仲（各一首），計有十一人。

(2)泛指一類人者

其泛指一類人者，則為后妃（九首）、夫人、君子（各三首）、大夫妻（二首）、其餘大夫、臣、賢人、貞女（各一首），計有八類人物。

以上之人，皆屬五十九首《詩序》中正面取向，加以稱美之人，至於彼等各人所受稱美程度之高低，則也可自《詩序》中出現次數之多寡，而加以顯現。

3.「美」之事項

(1)天子

約有「能建國親諸侯」（《大雅・崧高》序）、「任賢使能」（《大雅・烝民》序）、「能錫命諸侯」（《大雅・韓奕》序）、「能興衰撥亂」（《大雅、江漢》序）、「有常德以立武事」（《大雅・常武》序）、「能愼微接下」（《小雅・吉日》序）、「能勞來還定安集之」（《小雅・鴻雁》序）、「世世修德」（《大雅・皇矣》序）、「王化復行」（《大雅・雲漢》序）、「德廣所及」（《周南・漢廣》序）、「澤及四海」（《小雅・蓼蕭》序）、「道化行也」（《周南・汝墳》序）、「節儉正直」（《召南・羔羊》序）、「能備禮」（《小雅・魚麗》序）、「天下無犯非禮」（《周南・麟之趾》序）、「人倫既正」（《召南・騶虞》序）、「男女及時」（《召南・摽有梅》序）等事項，是則天子能具有上述之行爲，皆屬可予稱頌贊美者。

(2)后妃

約有「輔佐君子，求賢審官」（《周南・卷耳》序）、「無嫉妒之心」（《周南・樛木》

序）、「不妒忌」（《周南・桃夭》序）、「樂得淑女，以配君子」（《周南・關雎》序）、「化天下以婦道」（《周南・葛覃》序）、「莫不好德」（《周南・兔罝》序）、「婦人樂有子」（《周南・芣苢》序）、「子孫眾多」（《周南・螽斯》序）、「嫡能悔過」（《召南・江有汜》序）、「猶執婦道」（《召南・何彼襛矣》序）等事項，是則后妃能具有上述之行爲，皆屬可予稱頌贊美者。

(3)諸侯

約有「樂與賢也」（《小雅・南有嘉魚》序）、「樂得賢也」（《小雅・南山有臺》序）、「樂育材也」（《小雅・菁菁者莪》序）、「能以道化其民」（《鄘風・蝃蝀》序）、「不失其聖」（《豳風・狼跋》序）、「以禮自防」（《衛風・淇澳》序）、「君臣之有道」（《魯頌・有駜》序）、「臣子多好善」（《鄘風・干旄》序）、「國家殷富」（《鄘風・定之方中》序）、「備其甲兵，以討四方」（《秦風・小戎》序）、「有車馬禮樂侍御之好」（《秦風・車鄰》序）、「有田狩之事，園囿之樂」（《秦風・駟驖》序）、「儉以足用，寬以愛民，務農重穀」（《魯頌・駉》序）、「能修泮宮」（《魯頌・泮水》序）、「能復周公之宇」（《魯頌・閟宮》序）等事項，是則諸候能具有上述之行爲，皆屬可予稱頌贊美者。

(4)大夫

約有「召伯之教，明於南國」（《召南・甘棠》序）之事項，是則大夫能具有上述之行爲，皆屬可予稱頌贊美者。

(5)大夫妻

約有「能循法度」（《召南・采蘋》序）、「無妒忌之行」（《召南・小星》序）、「能以禮自防」（《召南・草蟲》序）、「勸以義也」（《召南・殷其靁》序）、「不失職也」（《召南・采蘩》序）、「德如鳲鳩」（《召南・鵲巢》序）、「勤而無怨」（《召南・江有汜》序）等事項，是則大夫妻能具有上述之行爲，皆屬可予稱頌贊美者。

(6)孝子

約有「能盡其孝道」（《邶風・凱風》序）之事項，是則孝子能具有上述之行爲，皆屬可予稱頌贊美者。

(7)貞女

約有「彊暴之男，不能侵陵」（《召南・行露》序）之事項，是則貞女能具有上述之行爲，皆屬可予稱頌贊美者。

以上分析，儘量使用《詩序》之原文，擇其關鍵之詞，略加調整其次第，以求具有先後之貫串，以呈現《詩序》中所稱美之事項重點。

乙、分析《詩序》中有關「刺」之部分

1.「刺」之數量

(1)明言爲「刺」者

二一三首《詩序》之中，其明言「刺」某某者，如《邶風·谷風》序云：「刺夫婦失道也。」《衛風·伯兮》序云：「刺時也。」《鄭風·揚之水》序云：「刺平王也。」似此之類，計有一二九首。

(2)與「刺」義近者

二一三首《詩序》之中，其雖不明言「刺」某某者，而易言「惡」、「傷」、「怨」、「責」、「閔」、「戒」、「哀」、「疾」、「憂」、「規」、「誨」、「悔」等與「刺」義相近之辭者，如《邶風·旄丘》序云：「責衛伯也。」《秦風·蒹葭》序云：「戒襄公也。」《小雅·小明》序云：「大夫悔仕於亂世也。」似此之類，計有二十五首。

綜合以上兩類，約略統計，其《詩序》之旨，凡屬廣義之「刺」某某者，計有一百五十四首，在二一三首《詩序》之中，約佔百分之七十二。

2.「刺」之對象

⑴專刺一人者

在一百五十四首《詩序》之中，其所「刺」之對象，其專指一人者，則爲周幽王（三十五首）、周厲王、周宣王（各七首）、鄭世子忽、莊姜（各四首）、衛宣公、鄭莊公、周平王、齊襄公、晉昭公、秦襄公（各三首）、晉獻公（二首），其餘衛夫人、衛宣姜、衛莊公、衛惠公、鄭文公、齊文姜、魯莊公、晉僖公、晉武公、秦康公、陳幽公、陳佗、陳靈公、周暴公、周幽后、州吁、衛伯（各一首），計有二十九人。

⑵泛刺一類人者

其所「刺」之對象，泛指一類人者，則爲周大夫、讒賊（各一首），計有二類人物。

以上之人，皆屬一百五十四首《詩序》中負面取向，加以譏刺之人，至於彼等各人所受譏刺程度之高低，則也可自《詩序》中出現次數之多寡，而加以顯現。

3.「刺」之事項

(1)天子

約有「周室道衰，棄其九族」（《王風・葛藟》序）、「不親九族而好讒佞，骨肉相怨」（《小雅・角弓》序）、「暴戾無親，不能宴樂同姓，親睦九族，孤危將亡」（《小雅・頍弁》序）、「不能修成王之業，疆理天下」（《小雅・信南山》序）、「侮慢諸侯」（《小雅・采菽》序）、「暴虐無親，而刑罰不中，諸侯皆不欲朝」（《小雅・菀柳》序）、「褒姒嫉妒，無道並進，讒巧敗國」（《小雅・車舝》序）、「上棄禮而不能行」（《小雅・瓠葉》序）、「天下蕩蕩，無綱紀文章」（《大雅・蕩》序）、「君臣上下，動無禮文」（《小雅・桑扈》序）、「飲酒無度，天下化之，君臣上下，沈湎淫液」（《小雅・賓之初筵》序）、「戎狄叛之，荊舒不至」（《小雅・漸漸之石》序）、「西戎東夷，交侵中國，師旅並起，因之以饑饉」（《小雅・苕之華》序）、「四夷交侵，中國背叛，用兵不息，視民如禽獸」（《小雅・何草不黃》序）、「萬物失其性」（《小雅・魚藻》序）、「天下俗薄，朋友道絕」（《小雅・谷風》序）、「小人在位，君子在野」（《小雅・隰桑》序）、「小人在位，則讒諂並進」（《小雅・裳裳者華》序）、「在位貪殘，下國構禍，怨亂並興」（《小雅・四月》序）、「政煩賦重，田萊多荒，饑饉降喪，民卒流亡，祭祀不饗」（《小雅・楚茨》序）、「役使不均」（《小雅・北山》序）、「君子行役無期度」（《王風・君子于役》序）、「民人勞苦，孝子不得終養」（《小雅・蓼莪》序）、「不撫其民，而遠屯戍于母家」（《王風・揚之水》序）、「矜寡不能自存」（《小雅・大田》序）等事項，是則天子具有上述之行爲，皆屬可予譏切諷刺者。

(2)諸侯

約有「未能用周禮，將無以固其國」（《秦風・蒹葭》序）、「驕而無禮」（《衛風・芄蘭》序）、「無禮義也」（《鄘風・相鼠》序）、「不能三年」（《檜風・素冠》序）、「無禮義而求大功，不修德而求諸侯」（《齊風・甫田》序）、「無禮義，故盛其車服，疾驅於通道大都」（《齊風・載驅》序）、「鳥獸之行，淫乎其妹」（《齊風・南山》序）、「公與夫人，並爲淫亂」（《邶風・匏有苦葉》序）、「不能以禮防閑其母，失子之道」（《齊風・猗嗟》序）、「淫乎夏姬，驅馳而往，朝夕不休息」（《陳風・株林》序），「君臣淫於其國」、（《陳風・澤陂》序）、「淫荒昏亂，游蕩無度」（《陳風・宛丘》序）、「在位不好德而說美色」（《陳風・月出》序）、「國人疾其君之淫恣」（《檜風・隰有萇楚》序）、「納伋之妻，作新臺于河上而要之」（《邶風・新臺》序）、「不勝其母，以害其弟」（《鄭風・將仲子》序）、「淫亂不恤國事，軍旅數起，大夫久役，男女怨曠」（《邶風、雄雉》序）、「好田獵畢弋，而不修民事，百姓苦之」（《齊風·盧令》序）、「好田獵，從禽獸而無厭，國人化之，遂成風俗」（《齊風·還》序）、「忘先君之舊臣，與賢者有始而無終」（《秦風·權輿》序）、「棄其賢臣」（《秦風·晨風》序）、「不用賢」（《邶風·簡兮》序）、「無良師傅，以至於不義，惡加於萬民」（《陳風·墓門》序）、「不求賢以自輔」（《唐風·有杕之杜》序）、「使賢者退而窮處」（《衛風·考槃》序）、「仁人不遇，小人在側」（《邶風·柏舟》序）、「好聽讒」（《唐風·采苓》序）、「多信讒，君子憂懼」（《陳風·防有鵲巢》序）、「遠君子而好近小人」（《曹風·候人》序）、「好奢而任小人」（《曹風·蜉蝣》序）、「百姓不親，莫不相攜持而去」（《邶風·北門》序）、「其君重斂，蠶食於民，不修其政，貪而畏人」（《魏風·碩鼠》序）、「君好攻戰，亟用兵，而不與民同欲」（《秦風·無衣》序）、「好攻戰，則國人多喪」（《唐風·葛生》序）、「儉不中禮」（《唐風·蟋蟀》序）、「以人從死」（《秦風·黃鳥》序）、「不能修道，以正其國，有財不能用，有鐘鼓不能自樂，有朝廷不能洒埽，政荒民散，將以危亡，四鄰謀取其國家而不知」（《唐風·山有樞》序）等事項，是則諸侯具有上述之行爲，皆屬可予譏切諷刺者。

(3)時

時運不佳，亦可譏刺，所刺之事項，約有「君無道，夫人無德」（《邶風·靜女》序）、

「朝廷興居無節，號令不時」（《齊風．東方未明》序）、「在位無君子，用心之不壹」（《曹風．鳲鳩》序）、「在位貪鄙，無功而受祿，君子不得進仕」（《魏風．伐檀》序）、「昏姻失時，男女多違，親迎女猶有不至者」（《陳風．東門之楊》序）、「時不親迎」（《齊風．著》序）、「君臣失道，男女淫奔，不能以禮化」（《齊風．東方之日》序）、「昏姻之道缺，陽倡而陰不和，男行而女不隨」（《鄭風．丰》序）、「男女有不待禮而相奔者」（《鄭風．東門之墠》序）、「男女失時，喪其妃耦」（《衛風．有狐》序）、「國亂，則昏姻不得其時」（《唐風．綢繆》序）、「淫於新昏，而棄其舊室，夫婦離絕，國俗傷敗」（《邶風．谷風》序）、「禮義消亡，淫風大行，男女無別，遂相奔誘，華落色衰，復相棄背」（《衛風．氓》序）、「天下大亂，彊暴相陵，遂成淫風」（《召南．野有死麕》序）、「兵革不息，男女相棄，淫風大行，莫之能救」（《鄭風．溱洧》序）、「亂世則學校不修」（《鄭風．子衿》序）、「衣服無常」（《小雅．都人士》序）、「君子行役，爲王前驅，過時而不反」（《衛風．伯兮》序）、「君子下從征役，不得養其父母」（《唐風．鴇羽》序）、「國小而迫，而儉以嗇，不能用其民，而無德教」（《魏風．園有桃》序）、「困於役而傷於財」（《小雅．大東》序）、「其國削小，民無所居」（《魏風．十畝之間》序）、「君不能親其宗族，骨肉離散」（《唐風．杕杜》序）等事項，是則各國其時，風氣不佳，具有上述之事項行爲，皆屬可予譏切諷刺者。

(4)夫人

對諸侯夫人之有所譏刺，大約有「衛君無道，夫人無德」（《邶風・靜女》序）、「夫人淫亂，失事君子之道」（《鄘風・君子偕老》序）、「妾上僭，夫人失位」（《邶風・綠衣》序）、「衛人以為宣姜，鶉鵲之不若」（《鄘風・鶉之奔奔》序）等事項，是則諸侯夫人，具有上述之事項行為，皆屬可予譏切諷刺者。

(5)公子

對各國公子之譏刺，約有「鄭人刺忽之不昏于齊」，「齊女賢而不取，卒以無大國之助，至於見逐」（《鄭風・有女同車》序）、「所美非美然」（《鄭風・山有扶蘇》序）、「君弱臣強，不倡而和」（《鄭風・蘀兮》序）、「不能與賢人圖事，權臣擅命」（《鄭風・狡童》序）、「公子頑，通乎君母，國人疾之，而不可道」（《鄘風・牆有茨》序）等事項，是則各國公子具有上述之事項行為，皆屬可予譏切諷刺者。

(6)大夫

各國大夫之受譏刺，約有「不說德而好色」（《鄭風・女曰雞鳴》序）、「在位貪鄙，無功而受祿，君子不得進仕」（《魏風・伐檀》序）、「仕不得志」（《邶風・北門》序）、「大臣不用仁心，遺忘微賤，不肯飲食教載之」（《大雅．綿蠻》序）、「禮義陵遲，男女淫奔」，「不能聽男女之訟」（《王風．大車》序）等事項，是則各國大夫，具有上述之事項行為，皆屬可予譏切諷刺者。

以上分析，亦儘量使用《詩序》之原文，擇其關鍵之語，略加調整其次第，以求具有先後之貫串，以呈現《詩序》中所譏刺之事項重點。

綜合「美」「刺」，兩類而論，二一三首《詩序》，在三一一首《詩序》之中，約佔百分之六十八，在三〇五首《詩序》之中約佔百分之七十。

丙、分析《詩序》中無涉「美」「刺」之部分

1. 有關史事者

《詩序》中有直指某詩之史事，而不明顯涉及「美」或「刺」者，如《小雅．采芑》序云：「宣王南征也。」《大雅．文王》序云：「文王受命作周也。」《大雅．生民》序云：「尊祖也，后稷生姜嫄，文武之功，起於后稷，故推以配天焉。」似此之類，約有二十二首。

2.有關祭祀者

《詩序》中有關於祭祀之事，其事分用「祭」、「祀」、「禘」、「報」、「告」、「祈」、「繹」、「廟見」、「類」、「禡」等語，而亦不明顯涉及「美」或「刺」者，如《周頌·烈文》序云：「成王即政，諸侯助祭也。」《商頌·玄鳥》序云：「祀高宗也。」《周頌·雝》序云：「禘太祖也。」似此之類，計有三十首。

3.有關宴樂者

《詩序》中有關於宴樂之事，其事分用「燕」、「獻」、「奏」、「作樂」、「勞」等語，而亦不明顯涉及「美」或「刺」者，如《小雅·湛露》序云：「天子燕諸侯也。」《小雅·出車》序云：「勞還率也。」《周頌·武》序云：「奏大武也。」似此之類，計有十首。

4.其他

《詩序》中其他不涉及「美」或「刺」，而難於歸類者，如《周頌·小毖》序云：「嗣王求助也。」《周頌·賚》序云：「大封於廟也。」《王風·采葛》序云：「懼讒也。」似此之類，計有三十首。

約略計之，以上《詩序》中無涉於「美」或「刺」者，計有九十二首，在三〇五首詩序之中，約佔百分之三十。

(三)結　語

《詩》三百篇，每篇詩作，都有詩題，但其詩題，乃是約取詩首數字，用以標題，故其標題，並不以義名篇，並不標示全詩之義旨，因此，《詩》三百篇，篇篇有題，然而也等於篇篇無題，而《詩序》之作，在某種意義上，等於是漢人心目中爲每篇《詩經》所訂定之「詩題」，因此，在《詩序》的規範之下，每一首詩，只能按照此一「詩題」所指示的方向去思考，而作出與此「詩題」相符相應的意義解釋。

因此，在《詩序》的指示下，像《周南・卷耳》篇「采采卷耳，不盈頃筐，嗟我懷人，寘彼周行」❸之詩，只能將其解釋爲「后妃之志」、「輔佐君子」、「求賢審官」，像《周

❸ 此據《毛詩注疏》，台北，藝文印書館影印阮刻《十三經注疏》本，下引《毛詩》並同。

南·汝墳》篇「遵彼汝墳，伐其條枚，未見君子，惄如調饑」之詩，只能將其解釋爲「婦人能閔其君子，猶勉之以正」，像《召南·草蟲》篇「喓喓草蟲，趯趯阜螽，未見君子，憂心忡忡」之詩，只能將其解釋爲「大夫妻能以禮自防也」，像《召南·小星》篇「嘒彼小星，三五在東，肅肅宵征，夙夜在公，寔命不同」之詩，只能將其解釋爲「夫人無妒忌之行，惠及賤妾」，像《衛風·木瓜》篇「投我以木瓜，報之以瓊琚，匪報也，永以爲好也」之詩，只能將其解釋爲「衛國有狄人之敗，出處于漕，齊桓公救而封之」，以上是幾首《詩序》中所「美」之詩。

同樣，在《詩序》的指示之下，像《鄭風·女曰雞鳴》篇「女曰雞鳴，士曰昧旦，子興視夜，明星有爛，將翺將翔，弋鳧與雁」之詩，只能將其解釋爲「不說德而好色」，像《鄭風·子衿》篇「青青子衿，悠悠我心，縱我不往，子寧不嗣音」之詩，只能將其解釋爲「亂世則學校不修」，像《鄭風·出其東門》篇「出其東門，有女如雲，雖則如雲，匪我思存」之詩，只能將其解釋爲「兵革不息，男女相棄」，像《齊風·東方之日》篇「東方之日兮，彼姝者子，在我室兮，在我室兮，履我即兮」之詩，只能將其解釋爲「君臣失道，男女淫奔」，像《秦風·蒹葭》篇「蒹葭蒼蒼，白露爲霜，所謂伊人，在水一方」之詩，只能將其解釋爲「刺襄公也，未能用周禮」，以上是幾首《詩序》中所「刺」之詩。

《詩序》的作者，並不追求詩中的本義，而是另外有其教化的理想，當然，人們如果遵循《詩序》的途徑，透過《詩序》，去誦讀《詩經》，而眞能感染到教化的理想，接受到教化的功能，因而對社會風俗，產生積極的影響，而達到「思無邪」（《論語・爲政》）、「正得失」，「經夫婦，成孝敬，厚人倫，美教化，移風俗」（〈詩大序〉）的目標，則又何嘗不是一件好事呢！

即如前面所枚舉的幾首「美」詩，像「輔佐君子，求賢審官」、「婦人能閔其君子，猶勉之以正」、「大夫妻能以禮自防」、「夫人無妒忌之行」、「衛國有狄人之敗」，「齊桓公救而封之」，固然都是值得稱美之行事。再如前面枚舉的幾首「刺」詩，像「不說德而好色」、「亂世則學校不修」、「男女相棄」、「男女淫奔」、「未能用周禮」，固然都是應該譏刺之行事，但是，從負面的否定，轉而看出正面的肯定，則《詩序》藉這幾首詩從而反映出「應該說德而不好色」、「雖逢亂世而學校當修飭，教育應重視」、「男女不當相棄」、「男女不當淫奔」、「治國宜用周禮」的意義，豈不也是相當可貴的提示？

其實，《詩序》之作，也並非完全不顧詩篇辭面中所呈現的意義，像《魏風・陟岵》序言「孝子行役，思念父母」，《魏風・伐檀》序，言「在位貪鄙，無功而受祿，君子不得進仕」，《秦風・黃鳥》序，言「哀三良也，國人刺穆公以人從死」，《豳風・東山》序，言

「周公東征，三年而歸，勞歸士」之類，都很貼近詩篇辭面中的意義，但是，此類《詩序》，為數不多，《詩序》作者的用意，也不在此。

要之，《詩序》之作，本來只是漢人對於《詩經》的一種看法，其用意本不在於探求各篇詩作之本義。

因此，《詩序》之作者，實際上已是針對民歌性質的詩三百篇，從根本上，改變其體質，納入了教化的理想，從而希望藉著詩篇的流傳誦讀，而達致其教化的功能。在此前提之下，《詩序》的教化理想，已經可以稱之為《詩經》的教化理想了。

因此，以《詩序》解《詩經》，或者說，《詩經》附加了《詩序》之後，其體質既已改變，《詩經》則已經背負了教化的理想，則「詩猶此詩，義非此義」，《詩序》作者所希望的，是人們在誦讀《詩經》之時，自然地接受另一番他們所預設的道理，感染另一重他們所希盼的意義，那才是《詩序》作者的眞正目的，因此，如果人們一定要從《詩序》中去探索《詩經》每首詩篇的本義，那自然不免會有所失望。

本文之作，意在覓尋《詩序》的用意，嘗試暫時不作《詩經》本義的探求，逕就《詩序》，直接探究其教化理想之範圍、內容、事項、重點、條件，以展現其所期望獲致的全面的教化功能，究何所在。

本文擇取二一三首《詩序》，從「美」與「刺」兩方面，試加統計分析，其所「美」者，代表《詩序》作者正面肯定所期望之事項，其所「刺」者，代表《詩序》作者負面否定所不期望的事項。其正面肯定者，固然顯示《詩序》作者教化之理想所在，其負面否定者，也可以從反面呈現《詩序》作者之理想所在。

本文所進行之統計與分析，只是一種嘗試，統計不夠精確，分析不夠細密，材料歸類，或有錯誤，都是不能避免的事實，所希望者，只是能夠呈現《詩序》作者心目中的大略現象而已，這種嘗試，是否可取，仍請讀者諸君，多加批評。

四、《尚書》中最早之政治原理

——以〈堯典〉與〈皐陶謨〉為闡釋依據

㈠引　言

《尚書》是我國現存最早的一部政書，集錄了許多古代政治方面的文獻，其中也記載了許多古代的政治制度與政治原理。

今文《尚書》二十八篇，以《虞夏書》中的〈堯典〉與〈皐陶謨〉兩篇，所記述的歷史事件，最爲久遠，該兩篇中所記述的政治原理，影響於後世者，也最爲鉅大。

近人唐文治先生，在他所撰著的《尚書大義》❶一書之中，曾經指出，〈堯典〉與〈皐

❶ 唐文治：《尚書大義》，台北，廣文書局，民國五十九年十月初版。

陶謨〉中的「政治學」，有「三微五著」的「心法要典」，所論兩篇中的政治原理，最爲精要，唐先生所說的「三微五著」，是指蘊涵在〈堯典〉和〈臯陶謨〉中的三種「微義」和五種「著義」，三種較爲隱微一點的意義，是指「政道」而言，是屬於「領導國家的基本原則」，五種較爲明著一點的意義，是指「治道」而言，是屬於「處理國事的具體方法」。

唐文治先生雖然指出了〈堯典〉與〈臯陶謨〉中所具有的三種「微義」和五種「著義」，但是，他只是提綱絜領，大略說明，並未曾充分發揮，暢加討論。本文之作，則是依據唐先生所指出的方向和要旨，引述例證，多加推衍，主要在於闡釋〈堯典〉與〈臯陶謨〉兩篇中所蘊涵的政治原理，使之益爲清晰明白。

唐文治先生在他的書中，先論「著義」，後論「微義」，大約以爲，「著義」較爲具體，「微義」較爲抽象。本文之中，也依照唐先生書中的次第，加以說明，同時在綱要的文字方面，也略作調整，使之更爲明確。

(二)處理國事之具體方法

1. 為政之道，本於孝悌和睦

《尚書・堯典》記曰：

> 曰若稽古帝堯，曰放勳，欽、明、文、思，安安，允恭克讓，光被四表，格於上下，克明俊德，以親九族，九族既睦，平章百姓，百姓昭明，協和萬邦，黎民於變時雍。❷

〈堯典〉記載，堯之所以能夠具備欽敬、明達、文雅、思慮圓熟等四種品德，而又能夠儒雅安詳、謙恭禮讓，以至於光輝普照，感動天地神明，主要在於，他能彰明既有的優良德性，以孝悌爲心，親和家族，然後本此孝悌親和之心，推廣到臣民百姓的身上，再由臣民百姓之

---

❷《尚書正義》，台北，藝文印書館影印阮刻《十三經注疏》本，下引《尚書》並同。

身，擴展到天下之大小諸侯，使之都能和協調順。因此，從而也可以見出，處理國事的具體方法，首先就是要由君王本身作起，以孝存心，以悌存心，然後推廣此孝悌之心，由近及遠，擴展而至天下臣民百姓，俾使天下遠近，都能達至和睦熙祥的境界。

〈堯典〉曾經記載帝堯在位七十年，欲遜帝位予賢者，大臣在推薦虞舜之時，特別提到舜是「瞽子，父頑，母嚚，象傲」的家庭背景，但卻強調舜能「克諧，以孝烝烝，乂不格姦」，而能以孝道感動父母兄弟，終於使得家庭和諧的事實，因此，大臣舉薦虞舜，帝堯信任虞舜，首要的條件，就是虞舜能夠以「孝悌」立身，具備和諧家庭的品德。

2. 設學之旨，本於涵養性情

《尚書・堯典》記曰：

> 帝曰：「契，百姓不親，五品不遜，汝作司徒，敬敷五教，在寬。」

為政之道，雖在管理百姓，但是，管理百姓，卻要從教化百姓開始，〈堯典〉記載，虞舜登基之後，深感百姓之間，需要和睦，親族之間，需要融洽，因此，乃命契為司徒之官，掌守教化之責，教導百姓，推動父義、母慈、兄友、弟恭、子孝，施行人倫五常的教育，化導百姓，涵養性情，使人民都能經由學習而具備包容寬厚的德性，才能成爲優雅溫良的國民，〈堯典〉又記曰：

> 帝曰：「夔，命汝典樂，教胄子，直而溫，寬而栗，剛而無虐，簡而無傲。詩言志，歌永言，聲依永，律和聲，八音克諧，無相奪倫，神人以和。」

爲了教化百姓，帝舜命夔爲典樂之官，主掌音樂教育，先由教育諸侯及卿大夫之長子開始，使他們都能具有正直而溫和的性格，寬宏而愼重的個性，而在行事方面，既能剛嚴，卻不苛虐，既能簡明，卻不傲慢。同時，夔也更加配合詩辭的達意效果，歌謠的和婉趣味，樂聲的雋永意義，律呂的調和功能，拓展音樂的教化，使得樂音諧和，讓人心情愉悅，精神爽朗，使社會充滿溫暖和諧的氣氛，遠離暴戾蠻橫的作風。

〈堯典〉記載帝堯在試用虞舜的才能時，也特別提到舜能夠「愼徽五典，五典克從」，強調了舜能夠具備推行五種人倫的關係，使之實施完善，引導人民，趨向和諧的能力。

因此，政府設立教育機構，推行教育措施，主要在使人民百姓，能夠從教化中，涵養其性情，作爲敦親睦鄰，實踐五倫的基礎。

3.敷治之要，本於重農厚生

《尚書・堯典》記曰：

（堯）乃命羲和，欽若昊天，歷象日月星辰，敬授人時。

又記曰：

帝曰：「棄！黎民阻饑，汝后稷，播時百穀。」

又記曰：

（舜）咨十有二牧，曰：「食哉！惟時。」

中國土地廣大，人口眾多，因此，食物的充裕與否，直接關係到民眾的生活，因此，〈堯典〉

記錄帝堯之命，令羲氏與和氏，掌守天象的觀測，從而了解四時運行之常則，日月星辰之變化，以便確定適宜耕作之時節，傳授給人民知曉。又記錄帝舜因深感百姓為饑餓所苦，乃命大臣棄，擔任農稷之官，教導人民，種植百穀，以充裕民眾的食糧，帝舜也特別命令十二州牧，要注意農民耕作的時令配合，才能獲得豐收的成果。

〈皋陶謨〉也記錄了大禹之言說道：「予決九川，距四海，濬畎澮，距川。暨稷播奏庶艱食鮮食。」提出在治水過程中，疏導了九條大川，使之流入大海，又疏濬了田間的川流，以便與后稷種植各種穀物，捕殖各種魚類配合，使人民能夠獲得各種食物的充裕供應，而不虞匱乏。

中國自古以來，以農立國，農耕水利，都要配合時令的運轉，才能使五穀豐收，魚鱉充足，以至使百姓安居樂業，因此，治理國事，要在養民，必當使農業興盛，才能使人民富庶。

4. 和眾之義，本於禮教秩序

《尚書・堯典》記曰：

帝曰：「咨，四岳，有能典朕三禮？」僉曰：「伯夷。」帝曰：「俞咨！伯（夷），汝作秩宗，夙夜惟寅，直哉惟清。」

〈堯典〉記載帝舜命官，令伯夷爲秩宗之官，主持祭祀天神地祇與人祖之典禮，早晚恭敬從事，且能正直不邪，寧靜肅穆，以行其禮。《尚書・皐陶謨》記曰：

天敘有典，勑我五典五惇哉。天秩有禮，自我五禮有庸哉，同寅協恭和衷哉。天命有德，五服五章哉。天討有罪，五刑五用哉，政事懋哉懋哉。

〈皐陶謨〉記載皐陶命眾之言，以爲五倫乃天定的秩序，人們應該要謹慎地去實行，以爲爵位乃天定的禮制，人們應該要經常地去維護，眾人如能恭敬遵循，則政事自然和諧融洽。又以爲應當遵循天命，任命有德之人爲官，聲討犯刑有罪之人，而後制定等級不同的五種服飾，制定差別有異的五種刑罰，如此，才能使得政務自然精勤邁進。

因此，爲治之道，應當順應天意，體察民情，以禮爲教，制定禮儀典則，使人民行事，知所遵循，民眾的舉止行徑，才能井然有序，社會國家，才能熙然和諧。

5. 事業之興，本於愼選明良

《尚書・皐陶謨》記曰：

帝庸作歌，曰：「敕天之命，惟時惟幾。」乃歌曰：「股肱喜哉，元首起哉，百工熙哉。」皐陶拜手稽首，颺言曰：「念哉，率作興事，愼乃憲，欽哉！屢省乃成，欽哉！」乃賡載歌曰：「元首明哉，股肱良哉，庶事康哉！」又歌曰：「元首叢脞哉，股肱惰哉，萬事墮哉！」帝拜曰：「俞，往欽哉！」

〈皐陶謨〉記載帝舜與大臣作歌，相互勗勉。帝舜勉勵大臣，要恪守上天之命，把握時機，興作時務，並以歌聲激勵大臣，以爲如果大臣都能振奮興起，就能使得君王也和樂奮發，以致百官都能融洽共治。皐陶也大聲揚言，激勵同袍，要振興盛大的事業，必須謹愼制定法律，明確遵守，並時時加以檢討自己的所作所爲，是否有所失誤，然後才能有所成功，同時，皐陶也放聲作歌，以爲元首如果能夠明哲在上，領導眾民，則大臣們受到激勵，也都自然能夠步上賢良之途，國家大事，也都因此能夠多方安定。反之，如果元首在上，專務瑣細，忽略大事，大臣受到感染，也就都會懈怠偷墮，以致荒廢許多國家的事務。因此，帝舜乃與大臣，相互勗勉，相互激勵，上行下效，共同努力，以策動國家的進步爲己任。

因此，〈皋陶謨〉中所顯示的政治原理，指出國事之興，必然由於君臣上下，相互激勵，共趨於賢明良善，同時，審愼選擇良法良圖，才能振興國事，大有作爲。

以上五種處理國事的具體方法，是唐文治先生從〈堯典〉與〈皋陶謨〉中紬繹出來的「治道」，本文則加以推衍說明。

㈢領導國家之基本原則

1. 布政施令，以安靜力行為主

《尚書・堯典》記曰：

曰若稽古帝堯，曰放勳，欽、明、文、思，安安，允恭克讓。

《尚書・皐陶謨》記曰：

> 禹曰：「都，帝！愼乃在位。」帝曰：「俞。」禹曰：「安汝止。」

又記曰：

> 皐陶曰：「都，在知人，在安民。」禹曰：「吁！咸若時，惟帝其難之，知人則哲，能官人，安民則惠，黎民懷之。」

〈堯典〉中記載帝堯的爲人，不但具有敬謹、明通、文雅、思慮周詳的特質，同時，又能具有安祥寧靜的個性，謙恭好讓的美德。而〈皐陶謨〉中也記述大禹勸勉帝舜之言，以爲天子當安於職守，不應輕率妄動，以免貽誤國事。而〈皐陶謨〉中也記載了皐陶與大禹的對話，都以爲天子之重任，在能拔識人才，蔚爲國用，才能安寧邦國，受到民眾的擁戴。

另外，〈堯典〉中也記載了帝堯批評丹朱之言，「嚚訟，可乎」，批評共工之言，「靜言庸違，象恭，滔天」，以爲丹朱的言論荒謬突兀，喜好爭訟鬥狠，以爲共工不採善言，貌似恭謹，行事怠慢，都不是領袖人物應有的行徑，都不符合領袖人物以安靜爲主的行事準則。

因此，〈堯典〉與〈皐陶謨〉中所顯示的政治原則，首重爲君者能以靜慎存心，以安寧爲念，在上位者，以此修己，然後以此治國，才能避免民心的虛浮妄動，才能求取國家的長治久安，以造福於社會的百姓民眾。

2.知人治事，以慎辨幾微為主

《尚書·皐陶謨》記曰：

帝庸作歌，曰：「敕天之命，惟時惟幾。」

又記曰：

禹曰：「都，帝！愼乃在位。」帝曰：「俞。」禹曰：「安汝止，惟幾惟康。」

又記皐陶之言曰：

無教逸欲有邦，兢兢業業，一日二日萬幾，無曠庶官，天工人其代之。

〈皐陶謨〉記載帝舜激勵眾臣之歌，以爲大臣輔政者，當謹遵天命，治理下民，舉凡用人行事，皆宜把握時機，注意人心是非善惡之微妙變化，注意事情發展之幾微徵兆，見微知著，遠見未萌，掌握先機，以求取民眾的幸福。〈皐陶謨〉記載了大禹勸勉帝舜之言，也以爲人君治國，應該具有遠見，能於事務發生之前，察見先兆，預謀對策，才能知所因應，弭禍於無形。〈皐陶謨〉又記載皐陶勸勉帝舜之言，以爲人君施政，當戒愼凜懼，早察先機，期能於一日二日之內，了解事務發生之先兆，預爲處理，早作安排，才能使百官各安其事，各守其職，而無所殞越。

因此，君王居上，宜深察無形之幾微，了解民眾心念之趨向，知曉萬事興革之是非，內以詳治己心，涵養德性，外以知人善任，賞罰得宜，既可經緯天下之人情，又能窮究古今之事變，才能使國家獲得長治久安的良效。

3. 修己成賢，以克明俊德為主

《尚書・堯典》記帝堯之德曰：

光被四表，格于上下，克明俊德，以親九族。

又記帝舜之言曰：

柔遠能邇，惇德允元。

又記皐陶論「九德」之言曰：

寬而栗，柔而立，愿而恭，亂而敬，擾而毅，直而溫，簡而廉，剛而塞，彊而義。彰厥有常，吉哉。日宣三德，夙夜浚明有家。日嚴祇敬六德，亮采有邦。翕受敷施，九德咸事，俊乂在官，百僚師師，百工惟時。

〈堯典〉記載帝堯之德曰「克明俊德」，記載帝舜之德曰「惇德允元」，都強調元首個人品德之重要，都希望君王彰明自己美好的品德，培養自己惇厚的德性，希望君王能夠內以修己，先正其身，才能外以治人，移風易俗，及至皐陶，史官更記載其所論「九德」之言，以爲人君在上，應該具備「寬大而又謹慎」、「溫柔而又卓立」、「謹厚而又恭順」、「幹濟而又敬業」、「雅馴而又恒毅」、「正直而又溫雅」、「簡易而又廉潔」、「剛健而又篤實」、「勇敢而又守義」等九種美德，才能稱爲是理想的領袖人物，才能感染臣下的行爲，影響大臣的品德，進而達到理想的境地。

因此，堯、舜、皐陶，都強調君王明德之教，先修己身，期能成賢成聖，然後推之民眾百姓，使之風行草偃，蔚爲優良的風氣，這對於後世〈大學〉中修齊治平之思想，也有著巨大的影響存在。

以上三種領導國家的基本原則，是唐文治先生從〈堯典〉和〈皐陶謨〉中紬繹出來的「政道」，本文也加以推衍說明。

(四)結　語

《尚書》中的〈堯典〉與〈皐陶謨〉兩篇，記載了我國最早期的一些政治措施、政治制度、和政治言論，從這些措施、制度、和言論中，人們可以了解到不少政治方面的原理。

唐文治先生在《尚書大義》一書之中，將〈堯典〉與〈皐陶謨〉中的政治原理，選擇其尤爲重要者，紬繹爲三種「微義」，五種「著義」，大體而言，可說是三種「領導國家的基本原則」和五種「處理國事的具體方法」，這些原則和方法，可以說是先民流傳下來最早的智慧結晶，幾千年來，對於我國歷代君王的政治措施，也曾產生過十分深遠的影響。即使在今天，《尚書》中的一些政治原理，也仍然值得爲政者去多加珍視，多加取資，多加省思，和多加踐行。

本文之作，即在將唐文治先生書中的大義，細加引述，多方闡明，使之益爲清晰彰著，便於爲人參考。

（此文原刊於《中國文化月刊》五十九期，民國九十年十月出版）

五、《尚書》中誓師之辭探析

㈠引　言

今文《尚書》之中，有五篇戰爭前君王激勵將士的誓師之辭，計爲《虞夏書》中的〈甘誓〉，《商書》中的〈湯誓〉，《周書》中的〈牧誓〉、〈費誓〉及〈秦誓〉。這五篇誓師之辭，可以反映出周代以前戰爭中的一些特殊情形，也可以反映出當時戰爭前後的一些軍政情況。以下，即就五篇誓師之辭，略作分析，以見其內容之一斑。

㈡分　析

1. 戰爭以正義為尚

戰爭的行爲，以求取勝利爲主，戰爭的理由，卻以是否符合正義，爲其原則，符合正義公理、聲討有罪的戰爭，才能激勵人心，鼓舞士氣，求取勝利，反之，師出無名，或者純粹只是侵略的手段，是難以鼓動士卒奮力作戰的心情的，例如〈甘誓〉記載夏君征討有扈氏時的誓師之辭，曾曰：

有扈氏威侮五行，怠棄三正，天用勦絕其命，今予惟恭行天之罰。❶

夏君以爲有扈氏之君，輕蔑且不信任五德應運而興的夏朝帝王，又不尊奉夏王之正朔，故上天意欲斷絕其國命，而夏君的征伐，只是遵行上天對其所作的懲罰而已，在上古神權時代，不順奉上天的命令，是一種罪大惡極，使民眾信服不疑的重要理由。又如〈湯誓〉記載商湯討伐夏桀時的誓師之辭曰：

非台小子，敢行稱亂，有夏多罪，天命殛之。

❶《尚書正義》，台北，藝文印書館影印阮刻《十三經注疏》本，下引《尚書》並同。

又曰：

> 夏王率遏眾力，率割夏邑，有眾率怠弗協，曰：「時日曷喪？予及汝皆亡！」夏德若茲，今朕必往。

夏桀王罪惡多端，自喻永不墜落的太陽，既用盡了百姓的力量，又損害了夏國的城邑，夏民不堪勞役之苦，都只能消極地懈怠抗議，甚至於寧願與夏桀王共同滅亡，可知夏民之怨，已極深厚，所以，商湯王才說，「天命殛之」，宣誓是奉行上天誅絕夏桀的命令，所以，商湯王才說，「予畏上帝」，不敢不去執行征伐的意旨。又如〈牧誓〉記載周武王討伐商紂王的誓師之辭曰：

> 古人有言曰：「牝雞無晨，牝雞之晨，惟家之索。」今商王受，惟婦言是用，昏棄厥肆祀，弗答，昏棄厥遺王父母弟，不迪，乃惟四方之多罪逋逃，是崇是長，是信是使，是以爲大夫卿士，俾暴虐于百姓，以姦宄于商邑，今予發，惟恭行天之罰。

商紂王暴虐無道，專信妲己之言，廢棄祀神之祭，而不答謝神恩，又遺棄同胞兄弟，不加以任用，卻任用四方有罪之徒，使爲卿士大夫，使之虐待民眾，擾亂商國社會，因此，武王姬發，才不得不奉行上天對紂王懲罰的命令，加以討伐。

以上的這些誓師之辭，所提出的，都是一些義正辭嚴的理由，去聲討敵人，從而鼓勵本國戰士們對於戰爭的信念。

2. 軍紀以嚴明為主

戰爭之時，大軍出動，行軍作戰，指揮部署，首要在於軍紀嚴明，令出必行，指揮進退，士卒服從，方能在戰爭中，求取勝利，這些情形，在將帥們的誓師之辭中，也表現得十分清晰，例如在〈甘誓〉中記載夏君之辭曰：

今予惟恭行天之罰，左不攻于左，汝不恭命，右不攻于右，汝不恭命，御非其馬之正，汝不恭命。

夏君在誓師之辭中，嚴格地昭告士卒，要服從指揮，戰爭進攻之時，車上之戰士，如果在車左之戰士不能盡力攻擊左方的敵人，在車右之戰士不能盡力攻擊右方的敵人，在車中駕駛戰車的御者不能適當地操控戰車，則都是不遵守命令的行爲，也都是違犯軍紀的舉動。又如在〈牧誓〉中記載武王之辭曰：

> 今予發，惟恭行天之罰，今日之事，不愆于六步、七步，乃止齊焉，夫子勖哉！不愆于四伐、五伐、六伐、七伐，乃止齊焉，勖哉夫子！尚桓桓，如虎、如貔、如熊、如羆，于商郊，弗迓克奔，以役西土，勖哉夫子！

周武王在誓師之辭中，明確地命令士卒，要遵從指揮，每當戰車進攻敵人之時，戰士們雖然要發揮擊刺敵人的技術（一擊一刺曰伐），但也要聆聽號令，隨時整頓戰車的陣形、陣勢，才能發揮整體的作戰力量，才能產生像虎豹熊羆一樣的勇武精神，同時，也不應該殺害投誠來歸的敵人，以彰顯仁義之師的寬厚精神。又如在〈費誓〉中記載魯僖公討伐淮夷徐戎的誓師之辭曰：

> 嗟！人無譁，聽命！徂茲淮夷、徐夷並興，善敹乃甲冑，敿乃干，無敢不弔。備乃

弓矢，鍛乃戈矛，礪乃鋒刃，無敢不善。

魯僖公在誓師之辭中，宣示淮夷徐戎反叛，必須加以征伐的原因，並激勵士卒，要妥善地整治鎧甲武器，戈矛弓矢，磨利鋒刃，以便努力作戰，爭取勝利。

在以上這些誓師之辭中，都提出了命令士卒，要嚴守軍紀，服從上級指揮的嚴格要求。

3. 賞罰以明確為度

大軍啓行，兩軍交鋒，戰伐之際，以殺敵致勝，爲其目的，因此，服從命令，進則有賞，退則有罰，是維持軍紀的必要條件，但是，賞罰也必須以合理爲其標準，例如〈甘誓〉中記載夏君之辭曰：

用命，賞于祖，弗用命，戮于社，予則孥戮汝。

夏君在誓師之辭中，明示士卒，如能奮力作戰，爭取勝利者，則將於祖廟神位之前，加以獎賞，惠予榮耀，反之，如其不能奮身作戰，貪生畏死者，則將於社廟神位之前，予以殺戮，並將加重懲罰，使其子女牽連爲奴，加以羞辱。又如〈湯誓〉中記載商湯之辭曰：

爾尚輔予一人，致天之罰，予其大賚汝。爾無不信，朕不食言，爾不從誓言，予則孥戮汝，罔有攸赦。

商湯在誓師之辭中，告誡士卒，如能輔佐統帥，推行天討，致力伐夏，求取勝利，則將加重賞賜，反之，如其不能遵從軍令，則將加重懲罰，辱及子女爲奴，皆無所赦免。又如〈湯誓〉記載武王之辭曰：

勖哉夫子！爾所弗勖，其于爾躬有戮！

武王在誓師之辭中，也激勵士卒，奮力作戰，反之，如其不能併力向前，則將嚴刑加以殺戮。又如〈費誓〉記載魯僖公之辭曰：

今惟淫舍牿牛馬，杜乃擭，敜乃穽，無敢傷牿，牿之傷，汝則有常刑。馬牛其風，

> 臣妾逋逃，無敢越逐，祇復之，我商賚汝，乃越逐不復，汝則有常刑。無敢寇攘，踰垣牆，竊馬牛，誘臣妾，汝則有常刑。

魯僖公在誓師之辭中，告誡士卒，在平時戰爭尚未發生之際，應該要妥善地照料牛馬，以便在戰爭中可用以駕駛車輛，另外，也要留意牛馬的走失，僕役的潛逃。再則，更要警惕士卒自身，不應有偷竊搶劫、引誘婦女的行爲。否則，違犯了上述三種告誡，則將依據國家正常的法令刑則，加以懲處。〈費誓〉又記魯僖公之辭曰：

> 甲戌，我惟征徐戎，峙乃糗糧，無敢不逮，汝則有大刑。魯人三郊三遂，峙乃楨榦，甲戌，我惟築，無敢不供，汝則有無餘刑，非殺。魯人三郊三遂，峙乃芻茭，無敢不多，汝則有大刑。

魯僖公在誓師之辭中，告誡士卒，討伐徐戎的戰爭，即將定時展開，要求戰士們應該準備行軍食用的乾糧，並在魯國三面郊遂之處，修築寨壘，備妥牛馬食用的草料，否則，如其不能服從命令，準備完善，則將處以較重的懲罰。

在以上的這些誓師之辭中，都提出了明確的賞罰準則，告誡士卒，要努力國事，爭取獎賞，而避免遭受懲罰。

4. 君王以責己為賢

君王以誓師之辭，激勵將士們奮勇作戰的信念，但是，在誓師之辭中，有時，也敘說到君王們面臨戰爭時的心情，像〈甘誓〉中記載夏君所說的「天用勦絕其命，今予惟恭行天之罰」，〈湯誓〉中記載商湯所說的「非台小子，敢行稱亂」，「夏氏有罪，予畏上帝，不敢不正」，〈牧誓〉中記載武王所說的「今予發，惟恭行天之罰」等，都是君王們表示出自身面對戰爭時的心情。而在〈秦誓〉中所記載的，則是秦穆公在面對將士們時另外一種心情的流露。

魯僖公三十二年（西元前六二八年），秦穆公三十三年，命孟明視、西乞術、白乙丙三人帥師，討伐鄭國，事先問於蹇叔，蹇叔極力勸諫，穆公不聽，仍然興師，偷襲鄭國，但因鄭人已有防備，秦軍只好順道滅亡滑國，方才引師返國。但是，晉襄公卻親率大軍，前往救鄭，而於殽地，與秦軍相遇，大敗秦軍，孟明視、西乞術、白乙丙三人都被晉軍所虜，秦穆公得悉之後，身著素服，候於郊外，等待戰敗的秦軍返國，面對歸來的士卒，穆公痛哭失聲，追悔未聽蹇叔之言，以致此敗，因而才另有誓師之辭，撫慰軍心，此與〈甘誓〉等篇，君王於戰前誓師之舉，並不相同，故可視爲是誓師之辭中的變體。〈秦誓〉記載穆公之辭曰：

嗟！我士！聽無譁！予誓告汝群言之旨。古人有言曰：「民訖自若是多盤，責人斯無難，惟受責，俾如流，是惟艱哉。」我心之憂，日月逾邁，若弗云來，惟古之謀人，則曰未就予忌，惟今之謀人，姑將以爲親。雖則云然，尚猷詢茲黃髮，則罔所愆，番番良士，旅力既愆，我尚有之，仡仡勇夫，射御不違，我尚不欲，惟截截善諞言，俾君子易辭，我皇多有之。

秦穆公在誓師之辭中，首先引用古人之言，以爲責人雖易，責備自己，卻極爲艱難，以表示自己已痛加悔改之意。然後，再提出君王應親近有智謀的人士，尤其是年高德劭的長者，多加諮詢，方能減少過錯的發生，至於一些善作巧言的人，則應該儘量加以疏遠。〈秦誓〉記載穆公之辭曰：

昧昧我思之，如有一介臣，斷斷猗，無他技，其心休休焉，其如有容，人之有技，若己有之，人之彥聖，其心好之，不啻如自其口出，是能容之，以保我子孫黎民，亦職有利哉。人之有技，冒疾以惡之，人之彥聖，而違之，俾不達，是不能容，以不能保我子孫黎民，亦曰殆哉。

秦穆公在誓師之辭中，對於官員部屬，提出了兩種人格的類型，一種是寬容大量，休休有容，能推崇賢良，舉薦人才。另一種是心胸狹隘，嫉賢妒能，不能容納賢才，反而百般陷害。這兩種類型的官員，只有前一種才能對國家有所貢獻，而長久保護百姓黎民，在此段誓師之辭中，秦穆公也充分地表達了他對蹇叔的追思之意，以及自己的後悔之感。〈秦誓〉又記載穆公之辭曰：

邦之杌隉，曰由一人，邦之榮懷，亦尚一人之慶。

秦穆公由錯誤的決策中，領悟到失敗的教訓，因而在面對戰士部屬之際，說出國家的興衰安危，應由在上的君王一人，負擔最大責任的話語，以謙抑爲懷，以深加自責，以承擔戰爭失敗的全責，以安慰激勵士卒們傷痛的心情。

君王主持國家大政，一人之心，影響到千萬人之心的思想趨向，春秋時期，秦穆公所以能夠稱霸西戎，問鼎中原，這與他能夠深自謙抑勇於承認錯誤的性格，相信也有著不少的關係。

㈢結　語

戰爭本來是極爲殘酷的行爲，但是，戰爭的動機，卻有著相當的差異，有些戰爭，是窮兵黷武，殘民以呈的侵略行徑，有些戰爭，則是弔民伐罪，維護公理的正義行爲，《周易・革卦・彖辭》說道：「湯武革命，順乎天而應乎人。」❷《孟子・滕文公下》也記載：「湯始征，自葛載，十一征而無敵於天下，東面而征西夷怨，南面而征北狄怨，曰：『奚爲後我？』民之望之，若大旱之望雨也。」❸戰爭的動機，如果都能像商湯討伐夏桀一樣，則君王們在誓師之辭中，自然都能夠振振有辭，抒發出正義的呼聲，去激勵將士，奮勇爭取勝利。

---

❷《周易正義》，台北，藝文印書館影印阮刻《十三經注疏》本。

❸《孟子注疏》，台北，藝文印書館影印阮刻《十三經注疏》本。

《尚書》中記載的五篇誓師之辭，試作分析，所提出的戰爭動機，大抵皆能符合正義的原則，只有〈秦誓〉一篇，是由於秦穆公意欲偷襲鄭國，侵略用兵，師出無名，所以才有殽地之敗，也才有穆公的追悔之辭，可以算是誓師之辭中的反面教材吧！

六、「《書》以廣聽，知之術也！」

——皮錫瑞論研讀《尚書》之效用

㈠引　言

《漢書．藝文志》於〈六藝略〉小序曰：「六藝之文，《樂》以和神，仁之表也，《詩》以正言，義之用也，《禮》以明體，明者著見，故無訓也，《書》以廣聽，知之術也，《春秋》以斷事，信之符也，五者，蓋五常之道，相須而備，而《易》為之原。」❶《漢志》以五經配五常，而以為《尚書》一經，記錄二帝三王之詔令政事，後世讀之，可以增廣見聞，益人神智，故曰「《書》以廣聽，知之術也」。

❶ 新校《漢書．藝文志》，台北，世界書局，民國五十二年。

《尙書》有今古文之分，今文《尙書》二十九篇，伏生所傳，世人咸以爲眞，古文《尙書》二十五篇，出之梅賾所獻，世人多以爲僞書，此外，故籍所傳，謂《尙書》本有百篇，孔子所授，則皆不可信也。

清代皮錫瑞氏，嘗撰《經學通論》，其於《書經通論》之中，論及後人研讀《書經》之態度，曾曰：「百篇全經不可見，二十九篇，篇篇有義，學者當講求大義，不必考求逸書。」又曰：「昔人謂讀人間未見書，不如讀人間常見書，二十九篇皆常見書，學者當寶愛而講明之，勿徒惜不見全經，而反面牆大義也。」❷，因此，他特別提出研讀《尙書》的態度，應該即就二十九篇今文《尙書》，講求其大義，而盼世人遵循實踐，吸取古人教訓，以求於己有益，於世有用。

以下，即就皮氏所言，試加疏釋，以見其意。

---

❷ 皮錫瑞：《經學通論》，台北，河洛圖書出版公司，民國六十三年，下引《書經通論》並同。

㈡疏　釋

1.**皮錫瑞《書經通論》曰**：「〈堯典〉，見為君之義，君之義，莫大於求賢審官，其餘巡守朝覲封山濬川賞功罰罪皆大事，非大事不書，觀此，可以知作史本紀之法矣。」

今考〈堯典〉，記帝堯爲君，設官分職，以利百姓，擇賢繼位，以授大舜等事，又記帝舜爲君，巡守四岳，流放四凶，爲官擇人，安定百姓，平治洪水等事，凡所記述，皆人君治國之大事也，故皮氏以爲，觀〈堯典〉一篇，可以知作史者撰寫本紀之體要矣。

2.**皮錫瑞《書經通論》曰**：「〈臯陶謨〉，見為臣之義，臣之義，莫大於盡忠納誨，上下交儆，以致雍熙，故兩篇皆冠以曰若稽古，觀此，可以知記言問對之體矣。」

今考〈臯陶謨〉，記臯陶及大禹與帝舜謀議政事、相互問答事之辭，臯陶稟告帝舜，皆知人安民，愼修九德，恪謹天命，以代天工之事，大禹稟告帝舜，先言平治洪水，疏決九川，定安百姓之事，又言海隅蒼生，萬邦黎獻，共爲帝臣，建議帝舜，博諮周採，明試以功，並予賞賜，則天下罔不應從，故自〈皐陶謨〉中，可以見君臣議政，交互惕勵之辭，也可見古史記言問對之體。

3.**皮錫瑞《書經通論》曰**：「〈禹貢〉，見禹治水之功，並錫土姓，分別五服，觀此，可以冠地理水道之書矣。」

今考〈禹貢〉，記大禹平治洪水，疏導河川，畫分天下，計分爲冀州、兗州、青州、徐州、揚州、荊州、豫州、梁州、雍州等九州，每州又分別區界其封域，衡定其土壤之差異，確立其田賦之等第，記錄其貢品之種類。然後又稟報天子，分封諸侯，賜以土地，兼及百姓。又以王畿爲中心，推其區域遠近，分別爲甸服、侯服、綏服、要服、荒服等五服之名，以區分其文化之準繩。大體而論，〈禹貢〉所言，實地理水道最古之記錄也。

4.**皮錫瑞《書經通論》曰**：「〈甘誓〉，見天子親征，申明約束之義，觀此，知仁義之師，亦必兼節制矣。」

今考〈甘誓〉，記夏君與有扈氏戰於甘地時誓師之辭，〈甘誓〉記夏君命令將士之言有云：「有扈氏威侮五行，怠棄三正，天用勦絕其命，今予惟恭行天之罰。左不攻于左，汝不恭命，右不攻于右，汝不恭命，御非其馬之正，汝不恭命。用命，賞于祖，弗用命，戮于社，予則孥戮汝。」是天子親征有罪，以仁義之師，伐至不仁，也必需嚴肅軍令，賞罰兼行，以節制大軍，以利於作戰也。

5. **皮錫瑞《書經通論》曰**：「〈湯誓〉，見禪讓變為征誅，弔民伐罪之義，與〈牧誓〉合觀，可知暴非桀紂，聖不及湯武，不得以放伐藉口矣。」

今考〈湯誓〉，記商湯討伐夏桀時誓師之辭，〈湯誓〉記商湯數桀之罪云：「夏王率遏眾力，率割夏邑。」又記百姓怨桀之辭云：「時日曷喪，予及汝皆亡。」故知夏桀之暴虐，民眾積怨至深，故商湯得據以爲征誅之行也。

6. **皮錫瑞《書經通論》曰**：「〈盤庚〉，見國遷詢萬民，命眾正法度之義，觀此，知拓拔宏之譎眾脅遷者非也。」

今考盤庚乃殷帝祖丁之子，爲帝之時，率民自奄涉河，遷往殷地，〈盤庚〉篇中，記「盤庚遷于殷，民不適有居」，民眾不願遷徙，盤庚乃親率近臣，面見百姓，出而陳言，告以法度，以為殷之先王，恪遵天命，重視民生，而也不能久居一地，迄至於今，已經五易國都，故今日遷都，實不得不然之事，故亦強調，「今予將試以汝遷，永建乃家」。拓跋宏，北魏孝文帝，性暴戾，嘗多次脅民遷徙。

7.皮錫瑞《書經通論》曰：「〈高宗肜日〉，見遇災而懼，因事進規之義，

觀此，知漢以災異求直言，得敬天之意矣。」

今考〈高宗肜日〉曰：「高宗肜日，越有雊雉。」高宗乃武丁，肜者，祭祀之名，蓋殷人祭祀武丁之時，有山雉飛立於祭器鼎耳之上而鳴，人皆驚為怪異，疑祭祀非當，大臣祖己，乃往告於王，以為「惟天監下民，典厥義」，因此，「王司敬民，罔非天胤，典祀無豐于昵」，以為上天臨監下民，秉義而行，王當敬勉於己，祀典所祭，當崇尚儉樸，勿過於豐厚也，此亦祖己因見災異，懼而進諫，欲天子從善改過之事。

8.皮錫瑞《書經通論》曰：「〈西伯戡黎〉，見拒諫速亡，取以垂戒之義，

觀此，知天命不足恃，而人事不可不勉矣。」

今考〈西伯戡黎〉記西伯戰勝黎戎，大臣祖伊驚懼，恐西伯坐大，往諫紂王，以為「非

我先王不相我後人，惟王淫戲用自絕，故天棄我」，且人民百姓，亦「罔弗欲喪」，皆盼殷之滅絕，故其國勢，危之極矣，而紂王堅拒其諫，反云：「嗚呼！我生不有命在天？」欲天命長在己身，而不速修人事，終乃底於滅亡。

9.**皮錫瑞《書經通論》曰**：「〈微子〉，見殷之亡，由法度先亡，取以垂戒之義，觀此，知為國當正紀綱，不可使民玩其上矣。」

今考微子爲紂王庶兄，〈微子〉記紂王荒亂淫於酒色，微子告大臣父師少師之言云：「我祖厎遂陳于上，我用沈酗于酒，用亂敗厥德于下。」又云：「小民方興，相爲敵讎，今殷其淪喪。」以爲上無紀綱，下民爲讎，而國危矣，〈微子〉又記父師之言云：「天毒降災荒殷邦，方興沈酗于酒。」又云：「今殷民，乃攘竊神祇之犧牷牲。」又云：「商其淪喪，我罔爲臣僕。」以爲上下交亂，商將淪喪，無可救挽。

10.**皮錫瑞《書經通論》曰**：「〈牧誓〉，見弔民伐罪，兼明約束之義，觀此，知步伐整齊，乃古兵法，而非迂論矣。」

今考〈牧誓〉，記周武王伐商紂，戰於牧野而誓師之辭，文中有武王數紂「惟婦言是用」

之罪，亦有武王勖勉將士，「不愆于六步、七步，乃止齊焉」，「不愆于四伐、五伐、六伐、七伐，乃止齊焉」等約束之語，六步、七步，乃將士前進之步數，四伐、五伐，乃將士攻敵之動作，蓋兵刃一擊一刺，謂之爲伐也，由此可見，大軍啓行，攻擊敵人，行動整齊，乃用以求取勝利而彰顯勇武精神之道也。

11.皮錫瑞《書經通論》曰：「〈洪範〉，見天人不甚相遠，禍福足以儆君之義，觀此，知人君一言一動，皆關天象，而不可不慎矣。」

今考〈洪範〉，記武王戰勝商紂，訪於箕子，箕子爲陳治國大法九疇之事，所陳九疇，一曰五行，二曰五事，三曰八政，四曰五紀，五曰皇極，六曰三德，七曰稽疑，八曰庶徵，九曰五福六極。九疇之中，有天象、有人事、天象之與人事，關係極爲密切，人事安和，則天象徵祥，人事乖戾，則天象徵咎，故人君之言行，尤關繫於天道之禍福，其能不愼之至邪。

12.皮錫瑞《書經通論》曰：「〈金縢〉，言人臣忠孝，足以感天，人君報功，當逾常格之義，觀此，知周公所以為聖，而成王命魯郊非僭也。」

今考〈金縢〉，記武王有疾，周公禱祭三王，願以身代武王之死，並納禱辭於金縢匱中，武王乃瘳之事，又記武王既喪，周公攝政，管叔蔡叔，流言於國，言周公將不利於孺子，周公乃避居東方二年，及秋，天災大變，雷電以風，邦人大恐，成王啓金縢之匱，得周公禱辭，乃大感悟，親自出郊，迎返周公之事。是以周公忠孝，感天動地，成王郊迎，亦非過僭也。

13. 皮錫瑞《書經通論》曰：「〈大誥〉，見開國時基業未固，防小腆靖大艱之義，觀此，知大臣當國，宜挺身犯難，而不宜退避矣。」

今考《書序》云：「武王崩，三監及淮夷叛，周公相成王，將黜殷，作〈大誥〉。」〈大誥〉篇中，記周公述成王告戒諸侯之辭，謂武王崩後，殷之小主武庚，欲謀反周，用復其國，成王因占得吉卜，將率各邦君庶士，往討逆叛，靖服大難，以上承天休，下安黎民，卒成文王之大業。

14. 皮錫瑞《書經通論》曰：「〈康誥〉，見用親賢以治亂國，宜慎用刑之義，觀此，知父子兄弟，罪不相及，用法似重而實輕矣。」

今考〈康誥〉，記武王封其弟康叔於康之辭，篇中記誥命康叔，愛護百姓，應「若有疾」、「若保赤子」，除卻「元惡大憝，矧惟不孝不友」者之外，其餘民眾，不僅宜慎用刑罰，即使予以囚禁，也應多加思考，「服念五六日，至于旬時，丕蔽要囚」，然後判定是否應予監禁，是皆裕德保民，不廢王命之事。

15.**皮錫瑞《書經通論》曰**：「〈酒誥〉，見禁酒以絕亂源，宜從重典之義，觀此，知作新民必先除舊習矣。」

今考〈酒誥〉，乃周公以成王之命，告於康叔之辭，篇中所言，皆戒酒之事，篇中先引「文王誥教小子」，惟祭祀之時，可以飲酒，且「德將，無醉」，除此之外，民眾之「大亂喪德」，國家之「小大邦用喪」，實罔不由於飲酒之罪辜，故告命康叔，「勿辯乃司民湎于酒」，否則，群飲于酒，則將「盡執拘以歸于周，予其殺」，言必刑之以重罰也。

16.**皮錫瑞《書經通論》曰**：「〈梓材〉，見宥罪加惠，以永保民之義，觀此，知王者治天下，一夫一婦，必無不得所矣。」

今考〈梓材〉，記武王誥命康叔之辭，篇中有曰，「若稽田」、「若作室家」、「若作梓材」，以治田畝、築房舍、制器皿三事，以喻治國爲政，當有始有終，專意致力，造福百姓，方能受民愛戴，「欲至于萬年惟王，子子孫孫永保民」。

17.**皮錫瑞《書經通論》曰**：「〈召誥〉，見宅中圖大，祈天永命之義，觀此，知王者宜監前朝而疾敬德矣。」

今考〈召誥〉，記召公誥成王，營建洛邑之辭，《史記・周本紀》記周公攝政七年，成王稍長，周公反政成王，〈召誥〉篇中，記召公勉成王，「有王雖小，元子哉」，又告成王，當以有夏有殷，墜命而亡，深以爲鑑，又勉成王，「知今我初服，宅新邑，肆惟王其疾敬德」，雖係初任大政，初宅新邑，如能亟敬美德，上下勤恤，自能「受天永命」。

18.**皮錫瑞《書經通論》曰**：「〈洛誥〉，見營洛復政，留公命後之義，觀此，知君臣當各盡其道，而不忘交儆矣。」

今考〈洛誥〉，記成王復政，周公營建洛邑既成，成王往觀，命周公留守洛邑之事，篇中先記周公稟報，多方擇地，多次占卜，惟洛地爲吉之辭，再記成王與周公，二人共貞，視卜休吉之事，更記二人互勉，裕民無戾之事，並記王命周公，留洛爲監，誕保受民，以及周公承命，惕勵互儆，永觀萬年之事。

19.**皮錫瑞《書經通論》曰**：「〈多士〉，見開誠布公，以靖反側之義，觀此，知遺民不忘故君，非新主所能遽奪矣。」

今考〈多士〉，記成周既成，成王遷殷頑民於洛邑，周公以王命告之之辭，篇中先言周之代殷，猶如「爾先祖成湯革夏」，皆承天命、致天罰之事，又言「今朕作大邑于茲洛」，遷殷眾民以居，因而警惕殷民，「爾克敬，天惟畀矜爾，爾不克敬，爾不啻不有爾土，予亦致天之罰于爾躬」，皆恩威並施之言也。

20.**皮錫瑞《書經通論》曰**：「〈無逸〉，見人君當知艱難，毋以太平漸耽樂逸之義，觀此，知憂盛危明，當念魏徵所云十漸，不克終矣。」

今考〈無逸〉，記周公告戒成王，勿耽逸樂之辭，篇中歷陳殷周君王，多能習勞康強，得享壽考，因而告戒成王，「君子所其無逸，先知稼穡之艱難（乃逸），則知小人之依」，也欲成王，了解民間疾苦，而謹慎修德。唐代魏徵，嘗以十事諫太宗，勿因小青而漸成大過。

21.**皮錫瑞《書經通論》曰**：「〈君奭〉，見大臣當和衷共濟，閔天越民之義，觀此，知富弼以撤簾與韓琦生意見，其量褊矣。」

今考〈君奭〉，記周公告召公，共輔成王之辭，君奭，乃召公之名，〈君奭〉篇中，歷數殷商賢君，因有伊尹、保衡、伊陟、臣扈、巫咸、巫賢、甘盤等大臣相輔，故能「禮陟配天，多歷年所」，又陳述文王亦有大臣虢叔、閎夭、散宜生、泰顛、南宮括等相輔，故能「迪見冒聞于上帝，惟是受有殷命哉」，因而勗勉召公，效法前賢，輔相成王，共體天命也。富弼與韓琦，皆北宋重臣，而因小隙，橫生意見。

22.皮錫瑞《書經通論》曰：「〈多方〉，見綏靖四方，重言申明之義，觀此，知開國之初，人多覬覦，當以德服其心，不當用威服矣。」

今考〈多方〉，記周公以成王之命，告東土諸國之辭，故篇中之辭，皆以「王若曰」、「王曰」發端，篇中先言夏桀商紂，貪圖逸豫，大肆淫昏，因以亡國之事，以爲鑑戒，然後明告諸國遺民，「爾乃自時洛邑，尙永力畋爾田，天惟畀矜爾，我有周惟其大介賚爾」，勗勉遺民，永居洛邑，並告各國民眾，「爾乃惟逸惟頗，大遠王命，則惟爾多方探天之威，我則致天之罰，離逖爾土」，惕勵民眾，勿違王命，是皆恩威並施，以警凶頑之義。

23.皮錫瑞《書經通論》曰：「〈立政〉，見為官擇人，尤當慎選左右之義，觀此，知命官當得其人，不當干預其事。」

今考〈立政〉，記周公告成王以設官立事之辭，篇中先述夏桀商紂，所任非人，暴德罔後，以爲戒鑑，又述文王武王，立民官長，咸稱有德，以爲勗勵，又勉成王，「孺子王矣，繼自今，我其立政立事」，「其勿以憸人，其惟吉士，用勱相我國家」，所陳皆命官宜得良士之道也。

24.皮錫瑞《書經通論》曰：「〈顧命〉，見王者所以正終，當命大臣立嗣子之義，觀此，知宦官宮妾擅廢立之禍，由未發大命矣。」

今考《書序》云：「成王將崩，命召公畢公率諸侯相康王，作〈顧命〉。」而〈顧命〉記成王之辭有云：「嗚呼！疾大漸，惟幾，病日臻，既彌留，恐不獲誓言嗣，茲予審訓命汝。」又云：「今天降疾，殆，弗興弗悟，爾尚明時朕言，用敬保元子釗，弘濟于艱難，柔遠能邇，安勸小大庶邦。」元子者太子也，釗，康王之名，是〈顧命〉乃記成王臨崩時確立嗣子之事也。

25.皮錫瑞《書經通論》曰：「〈康王之誥〉，見王者所以正始，當命大臣保王室，觀此，知成康繼治，幾致刑措，有由來矣。」

今考《書序》云：「康王既尸天子，遂誥諸侯，作〈康王之誥〉。」而〈康王之誥〉記康王繼立爲天子之後，乃告於群臣云：「惟了一人釗報誥。」又云：「今予一二伯父，尙胥暨顧，綏爾先公之臣服于先王，雖爾身在外，乃心罔不在王室，用奉恤厥若，無遺鞠子羞。」皆康王誥命大臣，用心保定王室安寧國家之言也。

26. **皮錫瑞《書經通論》曰**：「〈費誓〉，見諸侯專征，嚴明紀律之義，觀此，知用兵不可擾民矣。」

今考〈費誓〉，記魯僖公將伐淮夷徐戎，誓師於費地之辭，僖公之誓辭有云：「備乃弓矢，鍛乃戈矛，礪乃鋒刃，無敢不善。」又云：「甲戌，我惟征徐戎，峙乃糗糧，無敢不逮，汝則有大刑。」若此之類，皆嚴明紀律之戒也，誓辭又云：「無敢寇攘，踰垣牆，竊馬牛，誘臣妾，汝則有常刑。」若此之類，皆不可擾民之令也。

27. **皮錫瑞《書經通論》曰**：「〈甫刑〉，見哀敬折獄，輕重得中之義，觀此，知罰即贖刑，不可輕用其慈祥悱惻，漢人緩刑書，不足道矣。」

今考〈甫刑〉，或作〈呂刑〉，呂與甫，音同字通，呂者國名，在今河南，舊謂〈呂刑〉記周穆王誥呂侯，述蚩尤作亂，定制五刑，殺戮無辜之事，又述穆王勗勉司政之官，典獄聽訟，務求其中之道，〈呂刑〉篇中有云：「上刑適輕下服，下刑適重上服，輕重諸罰有權。」

又云：「非佞折獄，惟良折獄，罔非在中。」又云：「哀敬折獄，明啓刑書胥占，咸庶中正。」是皆屬權衡輕重，以躋於公平中正，閱實其罪，爲折獄之準的，而不可擅用慈悲，輕啓赦贖，以放縱詭隨之徒也。故皮氏引漢宣帝時，路溫舒上〈尙德緩刑書〉爲例，以爲不足取也。

28.皮錫瑞《書經通論》曰：「〈文侯之命〉，見命方伯安遠邇之義，觀此，知襄王時王靈猶赫，惜不能振作矣。」

今考〈文侯之命〉，記周幽王被弒，晉文侯助平王平亂，平王感念錫命之辭，《書序》以爲「平王錫晉文侯秬鬯圭瓚」，義正相符，篇中記平王告晉文侯之辭有云：「汝多修，扞我于艱，若汝，予嘉。」又云：「用賚爾秬鬯一卣，彤弓一，彤矢百，盧弓一，盧矢百，馬四匹。」又云：「柔遠能邇，惠康小民，無荒寧，簡恤爾都，用成爾顯德。」皆勗勉錫命諸侯之義，猶不失天子之威靈也，唯《史記·周本紀》以此篇乃襄王錫命晉文侯之辭，故皮氏據以爲說。

29.皮錫瑞《書經通論》曰：「〈秦誓〉，見穆公悔過，卒伯西戎之義，觀此，知人君不可飾非，當改變以救敗矣。」

今考秦穆公三十三年，命孟明視，西乞術、白乙丙帥師伐鄭，蹇叔諫而不聽，因鄭人有備，秦師未至鄭，滅滑而還，至崤，爲晉襄公所敗，〈秦誓〉，即記秦穆公親迎將士返國，追悔誓師之辭，〈秦誓〉有云：「我心之憂，日月逾邁，若弗云來。」又云：「邦之杌隉，曰由一人，邦之榮懷，亦尚一人之慶。」皆憂心悔過責己之辭，崤之敗，秦穆公不責三帥，不掩己過，轉而圖強，終能稱霸於西戎。

(三)結　語

《尚書》一經，爲現存最早之古籍，書中所記，典謨誥誓，可以作爲後世取法之政治原理，行事規範，也可以作爲後人體悟之修養教訓，道德典範，其在歷史上，《尚書》中的義蘊，早已產生過不少的影響，影響著後世人們對於價值觀念的評斷。

在前節的敘述中，可以見出，皮錫瑞已對《尚書》每篇的要義，作出說明，皮氏所說的《尚書》某篇，「見某某某之義」，可以視爲是該篇中之大義要旨，皮氏所說的「觀此知某某某矣」，可以視爲是後人研讀《尚書》該篇之後，可能獲取的知識教訓，因此，以下再就皮氏所舉《尚書》二十九篇之要旨，試加歸納，以見研讀《尚書》一經，可能獲知之內容旨趣及歷史教訓。

- 1.爲君之道
  - ①開誠布公（見〈多士〉第十九）
  - ②求賢審官（見〈堯典〉第一）
  - ③愼選左右（見〈立政〉第二十三）
  - ④以德服人（見〈多方〉第二十二）
  - ⑤愓勵自警（見〈洛誥〉第十八）
  - ⑥無耽逸樂（見〈無逸〉第二十）
  - ⑦悔過遷善（見〈秦誓〉第二十九）
  - ⑧柔遠能邇（見〈文侯之命〉第二十八）
  - ⑨愼立子嗣（見〈顧命〉第二十四）
  - ⑩鑑於前朝（見〈召誥〉第十七）
  - ⑪廣詢民意（見〈盤庚〉第六）
- 2.爲臣之道
  - ①竭力爲公（見〈禹貢〉第三）
  - ②盡忠善諫（見〈皐陶謨〉第二）
  - ③因事進規（見〈高宗肜日〉第七）
  - ④力保王室（見〈康王之誥〉第二十五）
  - ⑤和衷共濟（見〈君奭〉第二十一）
  - ⑥挺身犯難（見〈大誥〉第十三）

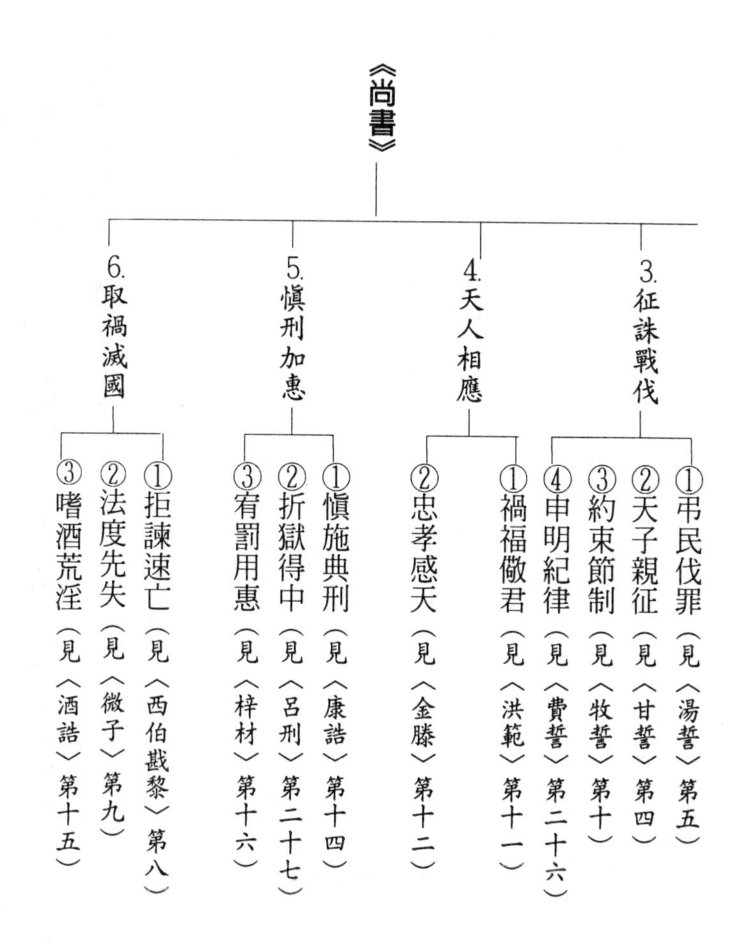
《尚書》
3.征誅戰伐
①弔民伐罪（見〈湯誓〉第五）
②天子親征（見〈甘誓〉第四）
③約束節制（見〈牧誓〉第十）
④申明紀律（見〈費誓〉第二十六）
4.天人相應
①禍福儆君（見〈洪範〉第十一）
②忠孝感天（見〈金縢〉第十二）
5.慎刑加惠
①慎施典刑（見〈康誥〉第十四）
②折獄得中（見〈呂刑〉第二十七）
③宥罰用惠（見〈梓材〉第十六）
6.取禍滅國
①拒諫速亡（見〈西伯戡黎〉第八）
②法度先失（見〈微子〉第九）
③嗜酒荒淫（見〈酒誥〉第十五）

即就上表分析所得，則皮氏所稱《尙書》二十九篇之要旨，以及世人閱讀《尙書》可能獲致之效用，已大略可見，此皆皮氏勉人研習《尙書》之用意也。

要之，《尙書》爲華夏現存最早之古藉，其中所記載者，多古代先賢之歷史經驗與人生智慧，值得世人多加研讀，多加體會。

七、《儀禮．士冠禮》闡義

㈠引　言

經書之中，《儀禮》、《周禮》、《禮記》，合稱三禮，《儀禮》一書，所記儀式節文，頗爲繁密，不易了解，唐代韓愈，已稱「《儀禮》難讀」，但又以爲，《儀禮》一書，「文王周公之法制，粗在於是」，「於是掇其大要，奇辭奧旨，著于篇，學者可觀焉」❶，韓愈整理《儀禮》，所謂「掇其大要」者，內容已不可詳知，但其用心，應該是將《儀禮》一書的大意，以「提要鉤玄」❷的方式，加以彰顯，則是可以確定的事實。因此，今日研讀《儀

❶ 韓愈：〈讀儀禮〉，見馬其昶：《韓昌黎文集校注》卷一，世界書局，民國五十六年五月再版。

❷ 韓愈〈進學解〉云：「記事者必提其要，纂言者必鉤其玄。」見馬其昶：《韓昌黎文集校注》卷一，世界書局。

禮》，似乎也可以師法韓愈的精神，採用其「提要鉤玄」的方式，去理解《儀禮》中各種儀節背後所蘊涵的意義。

《禮記》一書，四十九篇，本係孔門後學所記，用以解釋禮義之作品，其中〈冠義〉、〈昏義〉、〈鄉飲酒義〉、〈射義〉、〈燕義〉、〈聘義〉等六篇，更是明確地與《儀禮》中〈士冠禮〉、〈士昏禮〉、〈士相見禮〉、〈鄉飲酒禮〉、〈鄉射禮〉、〈燕禮〉、〈聘禮〉等幾篇，內容適相應合，實爲解釋《儀禮》此數篇中儀節之意義而設。

此文之作，即取《禮記》中〈冠義〉之詮解，去闡釋《儀禮》中〈士冠禮〉一篇之儀文細節，以探究《儀禮》此篇儀節背後所蘊涵之意義，從而彰明《儀禮》此篇中之「大要」。至於〈士冠禮〉中過於繁細之節文，而在〈冠義〉中又並未曾闡釋其意義者，此文則儘量予以省略。

(二)闡　義

《禮記・冠義》曾說：「凡人之所以爲人者，禮義也。禮義之始，在於正容體，齊顏色，順辭令。容體正，顏色齊，辭令順，而后禮義備。以正君臣，親父子，和長幼。君臣正，父子親，長幼和，而后禮義立。故冠而后服備，服備而后容體正，顏色齊，辭令順。故曰，冠者，禮之始也，是故聖王重冠。」此段文字，主要即在說明，禮義是人之所以爲人的基本條件，而禮義的實踐，應由個人的容貌端莊，態度和善，言語謹愼開始，然後才能推而至於在與人接觸之時，相處融洽，關係和諧，因此，要做到個人的容貌端莊，態度和善，言語謹愼，則成年加冠之禮，正是一個實踐禮義的開始。

《儀禮・士冠禮》記載士人加冠之儀節曰：

士冠禮，筮于廟門，主人玄冠，朝服，緇帶，素韠，即位于門東，西面。有司如主人服，即位于西方，東面，北上。筮與席，所卦者，具饌于西塾。布席于門中，闑西、閾外，西面。筮人執策，抽上韇，兼執之，進受命于主人。宰自右，少退贊命，筮人許諾，右還，即席坐，西面。卦者在左，卒筮，書卦，執以示主人，主人受視，反之。筮人還，東面，旅占卒，進告吉。若不吉，則筮遠日，如初儀，徹筮席，宗人告事畢。

又曰：

主人戒賓，賓禮辭，許，主人再拜，賓答拜，主人退，賓拜送。前期三日，筮賓，如求日之儀。乃宿賓，賓如主人服，出門左，西面再拜，主人東面答拜，乃宿賓，賓許。主人再拜，賓答拜，主人退，賓拜送。宿贊冠者一人，亦如之。❸

《儀禮・士冠禮》記載士人加冠禮前，占筮冠禮日期及占筮觀禮賓客的詳細儀節，首先，是主人（加冠者之父）盛服就位，占筮者與記卦者也都各就其位，俟主人發令占筮，則筮者將筮得之日期，呈示予主人，占筮所得如吉，則加採用，如其不吉，則再行占筮較遠之日期。其次，則是主人親至眾多賓客之家，加以邀請，並告知觀禮日期，及至行禮之前三日，又舉行占筮正賓之儀式，其儀式與筮日相同。《儀禮・士冠禮》載有戒賓、宿賓時，主人與賓客對答之日：

戒賓曰：「某有某子，將加布於其首，願吾子之教之也。」賓對曰：「某不敏，恐不能共事，以病吾子，敢辭。」主人曰：「某猶願吾子之終教之也。」賓對曰：「吾

---

❸《儀禮》，台北，藝文印書館影印阮刻《十三經注疏》本，下引並同。

子重有命，某敢不從。」宿曰：「某將加布于某之首，吾子將莅之，敢宿。」賓對曰：「某敢不夙興。」

而《禮記・冠義》則曰：

古者冠禮，筮日筮賓，所以敬冠事，所以重禮，重禮，所以爲國本也。

又曰：

冠者，禮之始也，嘉事之重者也，是故古者重冠，重冠，故行之於廟，行之於廟者，所以尊重事，尊重事而不敢擅重事，不敢擅重事，所以自卑而尊先祖也。❹

《禮記・冠義》闡釋《儀禮・士冠禮》中筮日筮賓、戒賓宿賓時的繁密儀節，主要在於強調，擇日擇賓以及告賓的重要性，同時強調，冠禮之所以行於祖廟之中，是尊重先祖，也是慎重

❹《禮記》，台北，藝文印書館影印阮刻《十三經注疏》本，下引並同。

其事的意義。

《儀禮·士冠禮》又曰：

厥明夕，爲期于廟門之外……擯者告期于賓之家。

又曰：

夙興，設洗直于東榮，南北以堂深，水在洗東，陳服于房中西牖下，東領北上……爵弁、皮弁、緇布冠各一匴，執以待于西坫南，南面東上，賓升則東面。

又曰：

主人玄端，爵韠，立于阼階下，直東席西面，……將冠者彩衣、紒，在房中，南面，賓如主人服，贊者玄端從之，立于外門之外，擯者告，主人迎出門左，西面再拜，賓答拜，主人揖贊者，與賓揖先入。

又曰：

主人之贊者筵于東序，少北，西面。將冠者出房，南面，贊者奠纚、笄、櫛于筵南端，賓揖將冠者，將冠者即筵坐……賓筵前坐，正纚，興，降西階一等，執冠者升一等，東面授賓，賓右手執項，左手執前，進容，乃祝，坐如初，乃冠，興，復位。……賓盥正纚如初，降二等，受皮弁，右執項，左執前，進祝，加之如初，復位。……賓降三等，受爵弁加之。……冠者即筵坐，左執觶，右祭脯醢，以柶祭醴三，興，筵末坐，啐醴，建柶，興，降筵，坐奠觶，拜，執觶，興，賓答拜。

又曰：

賓降，直西序，東面，主人降，復初位，冠者立于西階東，南面，賓字之，冠者對。

《儀禮・士冠禮》記載士人加冠之禮進行時的種種儀節，先是於加冠前一天，在祖廟中舉行行禮時辰之約定，次日，則安排各種禮器服飾之陳列，禮服與爵弁、皮弁、緇布冠的陳設，尤爲愼重。而主持冠禮的家長，則盛裝立於東階的主位，而執行加冠之禮的正賓，則一如主人的盛裝，之於門外。俟主人與贊禮人及眾賓客都已經就位，此時，將冠者才出於房中，依次行禮，立於筵前，正賓乃爲之整理束髮，使之端正，又以右手扶持冠之後端，左手扶持冠之前端，致以祝福之後，然後逐次爲之加戴緇布冠、皮弁、以及爵弁，因而完成「三加」之冠禮。正賓並爲冠者命之以字號，冠者也即時應答，以成其禮。《儀禮·士冠禮》又說：

> 始加，祝曰：「令月吉日，始加元服，棄爾幼字，順爾成德，壽考惟祺，介爾景福。」
> 再加，曰：「吉月令辰，乃申爾服，敬爾威儀，淑愼爾德，眉壽萬年，永受胡福。」
> 三加，曰：「以歲之正，以月之令，咸加爾服，兄弟具在，以成厥德，黃耇無疆，受天之慶。」……字辭曰：「禮儀既備，令月吉日，昭告爾字，爰字孔嘉，髦士攸宜，宜之於假，永受保之，曰伯某甫，仲、叔、季，惟其所當。」

《儀禮·士冠禮》中，載有冠禮中前述「始加」、「再加」、「三加」之祝辭，以及「命字」時之祝辭，此外，又載有「醴禮」、「醮禮」、「再醮」、「三醮」之祝辭。而《禮記·冠義》則曰：

> 故冠於阼，以著代也，醮於客位，三加彌尊，加有成也，已冠而字之，成人之道也。

《禮記・冠義》闡釋《儀禮・士冠禮》中加冠之時，繁密的儀節，主要在於說明，將冠者受冠於東階主階，則是既已成人，已有資格取家中主人而代替之的意義。至於三次加冠，所加之冠，皮弁尊於緇布冠，而爵弁又尊於皮弁，則是愈加愈益尊貴，也是勉勵冠者成人之後，日益精進之義。至於已冠之後，人皆稱其字號，而不直呼其名，則是以成人之道待之的意義。（《儀禮・士冠禮》末段「記」中，有「冠而字之，敬其名也」一段文字）

《儀禮・士冠禮》又曰：

> 冠者奠觶于薦東，降筵，北面坐取脯，降自西階，適東壁，北面見于母，母拜受，子拜送，母又拜。

又曰：

> 賓出，主人送于廟門外，請醴賓，賓禮辭，許，賓就次。冠者見于兄弟，兄弟再拜，

冠者答拜。見贊者，西面拜，亦如之。入見姑姊，如見母。

又曰：

乃易服，服玄冠、玄端、爵韠，奠摯見于君，遂以摯見於鄉大夫、鄉先生。

又曰：

乃醴賓以壹獻之禮，主人酬賓，束帛儷皮，贊者皆與，贊冠者爲介，賓出，主人送于外門外，再拜，歸賓俎。

《儀禮·士冠禮》記載冠者加冠之後，自西階而降，至東門外，拜見其母，其母答拜。冠者再拜見其兄弟、姑母、姊姊，其兄弟姑姊也答拜。又更換盛裝禮服，攜帶禮物，以覲見國君，再往見鄉大夫與鄉先生。而《禮記·冠義》則曰：

> 見於母，母拜之，見於兄弟，兄弟拜之，成人而與之爲禮也，玄冠玄端，奠摯於君，遂以摯見於鄉大夫鄉先生，以成人見也。

《禮記・冠義》闡釋《儀禮・士冠禮》中冠者加冠之後，拜見其母與其兄弟姑姊，其母與其兄弟姑姊也回拜的儀節，主要意義在於，冠者加冠之後，已爲成人，故其母與其兄弟姑姊遂也待之以成人之禮。至於冠者盛服摯禮，覲見國君，並往見鄉大夫及鄉先生，則是表示冠者成年，已可以成人的身分，覲見國君及鄉大夫鄉先生了。《禮記・冠義》又曰：

> 成人之者，將責成人之禮焉，責成人禮焉者，將責爲人子、爲人弟、爲人臣、爲人少者之禮行焉，將責四者之行於人，其禮可不重與！故孝弟忠順之行立，而后可以爲人，可以爲人，而后可以治人也，故聖人重禮，故曰，冠者，禮之始也，嘉事之重者也。

則是《禮記・冠義》總結冠禮之意義，以爲冠者加冠之後，既已爲成人，則應當要求其能夠踐行成人之責任，要求其能夠踐行孝弟忠順道德之行爲，先有諸己，然後才可以治理他人，所以，才強調了冠禮是一切禮儀的開始，也是嘉禮中所最重要者。

㈢結語

《儀禮》一經，節文繁細，難於研讀，昔者，善化皮錫瑞曾經指出：「讀《儀禮》有三法，一曰分節，二曰釋例，三曰繪圖，得此三法，則不復苦其難。」❺分節之書，可以張爾岐《儀禮鄭注句讀》爲代表，釋例之書，可以凌廷堪《禮經釋例》爲代表，繪圖之書，可以張惠言《儀禮圖》爲代表。❻而拙稿此文，則略師韓愈之意，試取《儀禮・士冠禮》一篇，「掇其大要」，略發其凡，而據《禮記・冠義》之詮解，以闡釋其要旨，以彰明〈士冠禮〉中儀節背後所蘊涵之意義，或許，也是研讀《儀禮》的方法之一吧。

---

❺ 見皮錫瑞：《經學通論》卷三，頁三十二，台北，河洛圖書出版社，民國六十三年十二月影印初版。

❻ 張爾岐之書，有《四庫全書》本，凌廷堪之書，有《皇清經解》本，張惠言之書，有《續皇清經解》本。

八、《儀禮・士昏禮》闡義

(一)引　言

《儀禮》一經，所記儀式節文，極爲繁密，不易了解，唐代韓愈，已稱「《儀禮》難讀」，「於是掇其大要，奇辭奧旨，著于篇，學者可觀焉」❶，前曾略師其意，取《禮記》中〈冠義〉一篇，用以闡釋《儀禮》中〈士冠禮〉之儀文細節，今再取《禮記》中〈昏義〉一篇，用以闡釋《儀禮》中〈士昏禮〉之儀文細節，以探究〈士昏禮〉該篇中儀節背後所蘊涵之意義，從而彰明〈士昏禮〉篇中之「大要」。

---

❶ 韓愈：〈讀儀禮〉，見馬其昶：《韓昌黎文集校注》卷一，世界書局，民國五十六年五月再版。

(二)闡　義

《禮記·中庸》曾說：「君子之道，造端乎夫婦。」《禮記·昏義》也說：「昏禮者，將合二姓之好，上以事宗廟，下以繼後世也。」又說：「禮之大體，而所以成男女之別，而立夫婦之義也，男女有別而後夫婦有義，夫婦有義而後父子有親，父子有親而後君臣有正，故曰，昏禮者，禮之本也。」都在說明，婚禮是夫婦的開始，也是人倫的基礎，所以才以爲是一切禮儀的根本。

《儀禮·士昏禮》中，記載婚禮的基本內容，共有六項，一是納采，二是問名，三是納吉，四是納徵，五是請期，六是親迎。「納采」是男方派遣媒人向女方提親，女方同意所請，「問名」是男方請問女子之名，以占其吉凶，「納吉」是男方卜得吉兆，告知女方，「納徵」是男方致送聘禮，以求其成，「請期」是男方卜得迎娶吉日，徵求女方同意，「親迎」是女婿親往女方家中迎娶新婦，歸而成婚。

《儀禮·士昏禮》記載婚禮「納采」之儀節曰：

昏禮，下達，納采，用雁，主人筵于戶西，西上，右几，使者玄端至，擯者出請事，入告，主人如賓服，迎于門外，再拜，賓不答拜，揖入，至于廟門，揖入，三揖，至于階，三讓，主人以賓升，西面，賓升西階，當阿，東面致命，主人阼階上，北面再拜，授于楹間，南面，賓降，出，主人降，授老雁。❷

《儀禮・士昏禮》記載，「納采」時詳細的細節，由男方的使者媒人，至於女家，由女方的主人，主持其事，迎接媒人，備設筵席，至於祖廟門前，雙方三揖三讓，一同登堂，在東西兩楹之間，媒人將所執以爲禮的雁鵝贈予女方主人，因而完成禮儀。〈士昏禮〉又記載了「問名」、「納吉」、「納徵」、「請期」之禮，其儀節大體皆如同「納采」之禮。〈士昏禮〉在篇末所附的「記」❸中，曾經記載「納采」之時，雙方的「昏辭」曰：

---

❷《儀禮》，台北，藝文印書館影印阮刻《十三經注疏》本，下引並同。

❸《儀禮》經文之中有「記」，賈公彥《儀禮注疏》曰：「凡言記者，皆是記《經》不備，兼記《經》外遠古之言。」

昏辭曰：「吾子有惠，貺室某也，某有先人之禮，使某也請納采。」對曰：「某之子惷愚，又弗能教，吾子命之，某不敢辭。」致命曰：「敢納采。」

〈士昏禮〉在篇末的「記」中，也記載了「問名」、「納吉」、「納徵」、「請期」時的男女雙方對答之辭，其主要者，如「敢請女氏爲誰」（問名）、「占者曰吉，使某也敢告」（納吉）、「使某也請吉日」（請期）等等。至於「親迎」之禮，則由男方家長設筵，命令其子，親自前往女家，迎接新婦，而女方家長，同樣設筵，迎新郎於家門，儀式繁多，〈士昏禮〉篇末「記」中，又有男女雙方家長告戒其子女之辭曰：

父醮子，命之曰：「往迎爾相，承我宗事，勖帥以敬，先妣以嗣，若則有常。」子曰：「諾，惟恐弗堪，不敢忘命。」

又曰：

父送女，命之曰：「戒之敬之，夙夜毋違命。」母施衿結帨，曰：「勉之敬之，夙夜無違宮事。」庶母及門內，施鞶，申之以父母之命，曰：「敬恭聽，宗爾父母之言，夙夜無愆，視諸衿鞶。」

而《禮記・昏義》則曰：

昏禮者，將合二姓之好，上以事宗廟，而下以繼後世也，故君子重之，是以昏禮納采、問名、納吉、納徵、請期，皆主人筵几於廟，而拜迎於門外，入，揖讓而升，聽命於廟，所以敬愼重正昏禮也。[4]

《禮記・昏義》闡釋《儀禮・士昏禮》中繁密的儀節，以爲婚禮主要的意義，是在使男女雙方，都能將婚禮視爲是恭敬謹愼隆重而盛大的行徑，而不敢掉之以輕心。

《儀禮・士昏禮》又記載「親迎」之儀節曰：

---

[4] 《禮記》，台北，藝文印書館影印阮刻《十三經注疏》本，下引並同。

期，初昏，陳三鼎于寢門外東方，北面北上，其實，特豚，合升，去蹄……尊于房户之東，無玄酒，篚在南，實四爵合巹。

又曰：

主人爵弁，纁裳緇袘，從者畢玄端，乘墨車，從車二乘，執燭前馬，婦車亦如之，有裧。至于門外，主人筵于户西，西上，右几，女次，純衣纁袇，立于房中，南面，姆纚笄宵衣，在其右，女從者畢袗玄纚笄，被潁黼，在其後。主人玄端迎于門外，西面，再拜。賓東面答拜，主人揖入，賓執鴈從，至于廟門，揖入，三揖，至于階，三讓，主人升，西面，賓升，北面，奠鴈，再拜稽首。降，出，婦從降自西階，主人不降送，婿御婦車，授綏，姆辭不受，婦乘以几，姆加景，乃驅，御者代，婿乘其車，先，俟於門外。

又曰：

婦至，主人揖婦以入，及寢門，揖入，升自西階，媵布席于奧，主人于室即席，婦尊西，南面，媵御沃盥交，……揖婦，即對筵，皆坐，皆祭，……三酳用巹，亦如之……主人說服于房，媵受，婦說服于室，御受，……主人入，親說婦之纓，燭出，媵餕主人之餘，御餕婦餘，贊酌外尊酳之，媵侍于户外，呼則聞。

《儀禮・士昏禮》記載「親迎」時詳細的儀節，引文首節記「初昏」之際開始，男方備妥酒宴，以及合巹之酒器。次節記新婿前往女家，女方家長設宴相待，而新婦已立於房中，新婿執雁入廟，三揖三讓，登堂，置雁，與女父行禮之後，降階而出，新婦隨從而出，新婿爲新婦駕車，又另乘一車，先行回家，俟於門外，等候新婦之至。三節記新婦抵達，入門升堂，與新婿對坐，同巹飲酒，而新婦從嫁之媵，與新婿之僕御，也交互爲對方男女新人侍禮，然後新婚夫婦，入室同房。而《禮記・昏義》則曰：

父親醮子，而命之迎，男先於女也，子承命以迎，主人筵已於廟，而拜迎于門外，婿執雁入，揖讓升堂，再拜奠雁，蓋親受之於父母也，降，出御婦車，而婿受綏，御輪三周，先俟於門外。婦至，婿揖婦以入，共牢而食，合巹而酳，所以合體同尊卑以親之也。

《禮記・昏義》闡釋《儀禮・士昏禮》中「親迎」禮繁密之儀節，以爲新婿往迎，秉承父親之命令，意義在於男方應爲主動的關係，至於女方父親，迎接新婿，升堂行禮，也是由於新婿是秉承父母之命而來，故女方家長也以尊長之禮待之。至於新婚夫婦「共牢而食，合巹而酳」，則是顯示男女雙方，合爲一體，尊卑相同，宜當彼此相親相愛的意義，至於「御輪三周」，則《儀禮・士昏禮》中，反而不見其儀節。

《儀禮・士昏禮》又記曰：

夙興，婦沐浴纚笄宵衣以俟見，質明，贊見婦于舅姑，席于阼，舅即席，席于房外，南面，姑即席。婦執笲棗栗，自門入，升自西階，進拜，奠于席。舅坐撫之，興，答拜，婦還，又拜，降階，受笲腶脩，升，進，北面拜，奠于席，姑坐舉以興，拜，授人。

又曰：

贊禮婦，席于户牖間……婦升席，左執觶，右祭脯醢，以柶祭醴三，……降出，授人于門外。

又曰：

舅姑入于室，婦盥饋，特豚、合升、側載，無魚腊，無稷，並南上，其他如取女禮。婦贊成祭，卒食，一酳，無從，席於北墉下，婦徹，設席前如初，西上。婦餕，舅辭，易醬，婦餕姑之饌，御贊祭豆、黍、肺、舉肺脊，乃食，卒，姑酳之，婦拜受，姑拜送，坐祭，卒爵，姑受奠之，婦徹于房中。

又曰：

舅姑共饗婦以一獻之禮，舅洗于南洗，姑洗于北洗，奠酬。舅姑先降自西階，婦降自阼階。

《儀禮・士昏禮》記載新婦來歸次日，覲見公婆之儀節，首先，記載天明之後，由贊者引導新婦，拜見翁姑，翁姑分別於堂上入席，而新婦登自西階（客階），進拜翁姑，翁姑也分別答禮。其次，記載贊禮者設筵禮婦之儀節。再者，記載翁姑饋食新婦，以及新婦分別餕食翁姑所餘食物之禮。最末，則記載翁姑饋食新婦之禮完成，翁姑自西階（客階）而下，及新婦自阼階（主階）而下之禮儀。而《禮記・昏義》則曰：

夙興，婦沐浴以俟見，質明，贊見婦於舅姑，婦執笲、棗、栗、段脩以見。贊醴婦，婦祭脯醢，祭醴，成婦禮也。舅姑入室，婦以特豚饋，明婦順也。厥明，舅姑共饗婦以一獻之禮，奠酬。舅姑先降自西階，婦降自阼階，以著代也。

《禮記・昏義》闡釋《儀禮・士昏禮》中新婦來歸翌日覲見翁姑之繁密儀節，首先，以爲天明之後，新婦在贊者引導之下，執奉各種禮品，以拜見翁姑，贊禮者則以酒代翁姑賜予新婦，這些儀節，主要的意義，在於使新婦完成爲人媳婦之禮節。其次，俟翁姑入室之後，新婦又以豬豚獻上，豬性溫順，則是表明新婦對於翁姑孝順之義。再者，新婚覲見翁姑的次日，翁姑再以醴酒賜予新婦，新婦回敬，則是表明禮儀已畢之義。至於禮儀完畢，翁姑自客階先下，新婦再自主階後下，則是表明，自是之後，新婦已經具備接替其姑，作為家庭主婦資格之意義。

《禮記・昏義》又曰：

古者婦人先嫁三月，祖廟未毀，教于公宮，祖廟既毀，教于宗室，教以婦德、婦言、婦容、婦功，教成祭之，牲用魚，芼之以蘋藻，所以成婦順也。

又曰：

成婦禮，明婦順，又申之以著代，所以重責婦順焉。婦順者，順於舅姑，和於室人，而後當于夫，以成絲麻布帛之事，以審守委積蓋藏，是故婦順備而後內和理，內和理而後家可長久也，故聖王重之。

家庭能有賢慧的主婦，才能使內外和穆，才能使丈夫專心事業，所以，《禮記・昏義》也強調婦德、婦言、婦容、婦功的家庭教育，以彰明婦順在家庭中的重要性，《周易・家人》九三曰：「在中饋，無攸遂」，也強調有賢慧的主婦，則不必憂心家道的失墜，其意義正可與此相互印證。

㈢結語

皮錫瑞在《經學通論》中曾經說道：「讀《儀禮》有三法，一曰分節，二曰釋例，三曰繪圖，得此三法，則不復苦其難。」❺此文之作，不取皮氏所稱三法，而師法韓愈「掇其大要」之意，取《禮記・冠義》之詮解，以闡釋《儀禮・士昏禮》之「大要」，期能試爲彰明〈士昏禮〉中儀節背後所蘊涵之意義。

❺ 見皮錫瑞：《經學通論》卷三，頁三十二，台北，河洛圖書出版社，民國六十三年十二月影印初版。

九、《儀禮・覲禮》探析

㈠引　言

《儀禮》中第八篇爲〈聘禮〉，第十篇爲〈覲禮〉，〈聘禮〉記列國諸侯之間相互訪問之禮儀，〈覲禮〉則記諸侯晉見天子之禮儀。

賈公彥：《儀禮注疏》引鄭玄《目錄》曰：「覲，見也，諸侯秋見天子之禮。」又曰：「春見曰朝，夏見曰宗，秋見曰覲，冬見曰遇。朝宗禮備，覲遇禮省，是以享獻不見焉，三時禮亡，唯此存爾，覲禮於五禮屬賓。」❶周代強盛之時，天子威儀三千，四方諸侯，以時敬謁，今春夏冬三季謁見之禮，已經亡佚，僅存秋季謁見天子之禮，而其禮儀，較之春夏朝宗之禮，則稍簡略。

❶ 賈公彥：《儀禮注疏》，台北，藝文印書館影印阮刻《十三經注疏》本，下引並同。

今取《儀禮》中〈覲禮〉一篇，試加分析，以探究其內容之要旨。

(二)禮儀之過程

張爾岐《儀禮鄭註句讀》書中❷，於〈覲禮〉一篇，分為十節，不僅使〈覲禮〉一篇，章節明確，層次清晰，也更加易於彰明該篇之內容大要，茲錄之於下，並加說明。

1. **王使人郊勞**——記述諸侯謁見天子，至於天王郊野，天子派遣使臣，前往慰勞諸侯之禮儀。
2. **王賜侯氏舍**——記述諸侯至於王郊，天子賜館舍予諸侯居住。
3. **王戒覲期**——記述天子命使臣，告知諸侯覲見天子之日期。
4. **受次于廟門外**——記述諸侯將覲見天子，而先暫息於文王廟門之外。
5. **侯氏執瑞玉行覲禮**——記述諸侯覲見天子的詳細禮儀。
6. **覲已即行三享**——記述諸侯覲見天子，而行三次進獻特產之禮儀。

❷ 張爾岐：《儀禮鄭註句讀》，台北，藝文印書館影印乾隆八年和衷堂藏板，下引並同。

7.侯氏請罪天子辭乃勞之——記述諸侯稟報各國職事，因而請罪，請求譴責，天子謙辭，並加慰勞之禮儀。

8.王賜侯氏車服——記述天子賞賜諸侯車乘服飾之禮儀。

9.王辭命稱謂之殊——記述天子對於諸侯稱謂的不同。

10.略言王待侯氏之禮——記述天子款待諸侯。諸侯覲見天子之禮儀，至此完成。

《禮記・經解》云：「故朝覲之禮，所以明君臣之義也。」又云：「聘覲之禮廢，則君臣之位失，諸侯之行惡，而倍畔侵陵之敗起矣。」[3]

從以上張爾岐的分節之中，可以了解，〈覲禮〉一篇，大略的儀節內容，層次先後。另外，〈覲禮〉之末，尙有「諸侯覲于天子，爲宮方三百步，四門」等等一段記述，鄭玄之注，謂爲「時會殷同」之禮，意指天子於王畿之外，受諸侯覲見。又有「記」曰以下一段記述，則是雜記覲禮儀節之文字。

㈢儀節之義蘊

---

[3] 《禮記》，台北，藝文印書館影印阮刻《十三經注疏》本，下引並同。

《儀禮》中〈覲禮〉一篇，儀式節文，雖不甚繁密，但其儀節之背後，仍然具有義蘊存在，以下，即就張爾岐所分章節，試加闡釋，並徵引史事，加以證明。

〈覲禮〉第一節記「王使人郊勞」曾曰：

> 覲禮，至於郊，王使人皮弁用璧勞，侯氏亦皮弁迎於帷門之外，再拜，使者不答拜，遂執玉，三揖，至於階，使者不讓，先升，侯氏升聽命，降，再拜稽首，遂升受玉，使者左還而立，侯氏還璧，使者受。❹

諸侯入京，覲見天子，將近王城，天子使人赴郊外慰勞，〈覲禮〉鄭玄《注》云：「郊，謂近郊，去王城五十里。」❺諸侯迎接使者，再拜，而使者不答拜，三揖至階，不讓而先升階者，鄭玄《注》云：「不答拜者，爲人使，不當其禮也，不讓先升，奉王命，尊也。」使者之所以受諸侯之拜而不答拜，當階而先登，主要是由於秉承王命，代表天子，地位尊崇所致。

❹ 《儀禮》，台北，藝文印書館影印阮刻《十三經注疏本》，下引並同。

❺ 鄭玄：《儀禮注》，台北，藝文印書館影印阮刻《十三經注疏本》，下引並同。

〈覲禮〉第一節又曰：

侯氏降，再拜稽首，使者乃出，侯氏乃止使者，使者乃入，侯氏與之讓升，侯氏先升，授几，侯氏拜几，使者設几，答拜。侯氏用束帛乘馬儐使者，使者再拜受，侯氏再拜送幣，使者降，以左驂出，侯氏送於門外，再拜，侯氏遂從之。

使者與諸侯行禮畢，使者既出，諸侯又使上戒挽留使者，使者既入，諸侯當階而先登者，主要是以賓禮對待使者，諸侯爲主人，故先升。

〈覲禮〉第二節記「王賜侯氏舍」曾曰：

天子賜舍，曰：「伯父，女順命于王所，賜伯父舍。」侯氏再拜稽首，儐之束帛乘馬。

諸侯覲見天子，至於京城郊外，天子命使者，賜予諸侯館舍居住，使者以天子之命，稱諸侯爲「伯父」，而〈覲禮〉第九節記「王辭命稱謂之殊」也曰：

同姓大國，則曰伯父，其異姓，則曰伯舅。同姓小邦，則曰叔父，其異姓小邦，則曰叔舅。

天子稱諸侯爲伯父、伯舅、叔父、叔舅等，鄭玄於〈覲禮〉無注，而《左傳》昭公三十二年，記天子曰：「天降禍于周，俾我兄弟並有亂心，以爲伯父憂。」《杜注》：「伯父，謂晉侯。」《左傳》僖公九年，王使宰孔賜齊桓公胙，並云：「天子使孔曰，以伯舅耋老，加勞，賜一級，無下拜。」《左傳》僖公二十五年，晉文公朝王，王享醴，命之宥，請隧，弗許，而曰：「王章也，未有代德，而有二王，亦叔父之所惡也。」❻是春秋之際，天子猶以伯父、伯舅、叔父之稱稱諸侯，其制當由來有自。

〈覲禮〉第三節記「王戒覲期」曾曰：

天子使大夫戒，曰：「某曰，伯父帥乃初事。」侯氏再拜稽首。

諸侯將行覲禮，天子命使臣往告諸侯覲見之時日。

---

❻《左傳》，台北，藝文印書館影印阮刻《十三經注疏本》，下引並同。

〈覲禮〉第四節記「受次于廟門外」曾曰：

諸侯前朝，皆受舍於朝，同姓西面，北上，異姓東面，北上。

諸侯於朝覲天子之前，皆先受天子所賜之館舍，暫作休息，以作等待，館舍在文王之廟門外，而諸侯與天子同姓或不同姓者，其朝向之方位，也有不同，鄭玄《注》云：「分別同姓異姓，受之將有先後也，《春秋傳》曰，寡人若朝于薛，不敢與諸任齒，則周禮先同姓。」故同姓西面，乃從主人之位，異姓東面，乃從賓客之位。

〈覲禮〉第五節記「侯氏執瑞玉行覲禮」曾曰：

侯氏裨冕，釋幣於禰，乘墨車，載龍旂，孤韣，乃朝以瑞玉，有繅。天子設斧依於戶牖之間，左右几，天子袞冕，負斧依，嗇夫承命，告於天子，天子曰：「非他，伯父實來，予一人嘉之，伯父其入，予一人將受之。」侯氏入門右，坐奠圭，再拜稽首。擯者謁，侯氏坐取圭，升致命，王受之玉，侯氏降階，東北面，再拜稽首，擯者延之，曰：「升。」升成拜，乃出。

諸侯將覲見天子，乃服裨冕，鄭玄《注》云：「裨冕者，衣裨衣而冠冕也，裨之為言埤也。天子六服，大裘為上，其餘為裨以事，尊卑服之，而諸侯亦服焉。」天子六服，乃大裘、袞服、鷩服、毳服、絺服、玄服，大裘之外，其餘皆稱之為裨服，諸侯將見天子，服裨冕，以示卑於天子。鄭玄《注》又云：「墨車，大夫制也，乘之者，入天子之國，車服不可盡同也。交龍為旂，諸侯之所建。」張爾岐《儀禮鄭註句讀》云：「案〈巾車〉云：同姓金路，異姓象路，四衛革路，各得天子五路之一，今乃乘大夫之墨車者，以金象等路，皆在本國所乘，既入天子之國，方服裨冕以朝，不可更乘此車同於王者，故註云車服不可盡同也。」所以，諸侯覲見天子，乘墨車，載龍旂，也是尊重天子，深自貶抑的意思。

〈覲禮〉第六節記「覲已即行三享」曾曰：

> 四享，皆束帛加璧，庭實唯國所有，奉束帛，匹馬卓上，九馬隨之，中庭西上，奠幣，再拜稽首，擯者曰：「予一人將受之。」侯氏升致命，王撫玉，侯氏降自西階，東面授宰幣，西階前再拜稽首，以馬出，授人，九馬隨之，事畢。

諸侯覲見天子之後，向天子踐行三次進獻之禮（四享，當作三享，字形之誤），進獻各諸侯國當地之特產，並以白馬一匹領先，書寫國名，另外以九匹馬隨後，分載禮物，陳列於中庭，鄭玄《注》云：「馬必十匹者，不敢斥王之乘，用成數，敬也。」又云：「王不受玉，撫之而已，輕財也。」又云：「至于享，王之尊益君，侯之卑益臣。」因此，諸侯覲見天子，三次踐行進獻之禮，主要的意義，也在推動尊敬天子，卑微臣下的行爲。

〈覲禮〉第七節記「侯氏請罪天子辭乃勞之」曾曰：

乃右袒於廟門之東，乃入門右，北面立，告聽事，擯者謁諸天子，天子辭於侯氏，曰：「伯父無事，歸寧乃邦。」侯氏再拜稽首，出，自屏南適門西，遂入門左，北面立，王勞之，再拜稽首，擯者延之，曰：「升。」升，成拜，降出。

諸侯覲見天子，先行袒露右肩，表示內心惶恐，又北面而立，然後向天子秉報治理國事的過失，而請求天子降罪責罰，鄭玄《注》云：「告聽事者，告王以國所用爲罪之事也。」張爾岐《儀禮鄭註句讀》云：「告聽事者，告王以己所爲多罪，願聽王譴責之事也。」天子聆聽諸侯的秉報之後，告以「伯父無事，歸寧乃邦」，是說該諸侯治國妥善，並無罪過，即可回返，繼續處理國政，使之安寧。而諸侯拜辭天子，行至屏牆之南，方穿妥衣袖，接受慰勞，離開宗廟。

〈覲禮〉第八節記「王賜侯氏車服」曾曰：

天子賜侯氏以車服，迎於外門外，再拜，路先設，西上，路下四，亞之，重賜無數，在車南，諸公奉篋服，加命書於其上，升自西階，東面。大史是右，侯氏升，西面立，太史述命，侯氏降，兩階之間，北面再拜稽首，升成拜，大史加書於服上，侯氏受。使者出，侯氏送，再拜，儐使者，諸公賜服者，束帛四馬。儐大史亦如之。

諸侯覲見天子之後，天子又命使者，賞賜諸侯車輛及服飾，以示嘉許，鄭玄《注》云：「賜車者，同姓以金路，異姓以象路。服，則袞也，鷩也，毳也。」賈公彥《疏》云：「案《周禮》，巾車掌五路，玉路以祀，尊之，不賜諸侯，金路同姓以封，象路異姓以封，革路以封四衛，木路以封蕃國。」天子賞賜諸侯車服，並令大史宣讀天子之命書。諸侯接受車、服與天子之命書以後，也贈送使者及大史束帛四馬等禮物。〈覲禮〉第十節記「略言王待侯氏之禮」曾曰：

饗，禮，乃歸。

諸侯接受饗燕等禮之招待後，諸侯即可返國。而諸侯覲見天子之禮儀，至此也即告完成。

㈣附論天子「會同」與「巡守」之禮

〈覲禮〉篇末，另有「諸侯覲于天子」等等一段較長之記載，察其內容，似與前述諸侯覲見天子之儀節，不甚關聯，且前述諸侯覲見天子之禮儀，首尾皆具，經已完備，而此段記載，又以「諸侯覲于天子」爲言，語嫌重複。鄭玄《注》云：「四時朝覲，受之於廟，此謂時會殷同也。」鄭玄已謂此段內容，與天子「受之於廟」的「四時朝覲」，有所不同。

考《周禮・大宗伯》云：「春見曰朝，夏見曰宗，秋見曰覲，冬見曰遇，時見曰會，殷見曰同。」[7]鄭玄《注》云：「此六禮者，以諸侯見王爲文。六服之內，四方以時分來，或

[7]《周禮》，台北，藝文印書館影印阮刻《十三經注疏》本。

朝春，或宗夏，或覲秋，或遇冬，名殊禮異，更遞而遍，朝，猶朝也，欲其來之早，宗，尊也，欲其尊王，覲之言勤也，欲其勤王之事，遇，偶也，欲其若不期而偶至。時見者，言無常期，諸侯有不順服者，王將有征討之事，則既無朝覲，王爲壇於國外，合諸侯而命事焉，《春秋傳》曰，有事而會，不協而盟是也，殷，猶眾也，十二歲，王如不巡守，則六服盡朝，朝禮既畢，王亦爲壇，合諸侯，以命政焉，所命之政，如王巡守，殷見四方，四時分來，終歲則遍。」因此，諸侯於秋季覲見天子，前往王畿，行禮於宗廟之內，是爲「覲禮」，至於天子因事巡行在外，令諸侯會合謁見，則是爲「會同之禮」，兩者有此差別，故《論語·先進》曾記公西華之言云：「宗廟之事，如會同，端章甫，願爲小相焉。」❽而大略言之，「會同」之禮，同樣是諸侯謁見天子之事，故《儀禮》也附記於〈覲禮〉之篇末。

〈覲禮〉篇末記「諸侯覲于天子」曰：

> 諸侯覲于天子，爲宮方三百步，四門，壇十有二尋，深四尺，加方明于其上，方明者，木也，方四尺。設六色，東方青，南方赤，西方白，北方黑，上玄，下黃。設

---

❽ 《論語》，台北，藝文印書館影印阮刻《十三經注疏》本。

六玉，上圭，下璧，南方璋，西方琥，北方璜，東方圭。

根據鄭玄的解釋，天子離開京城，巡守在外，如果需要會合諸侯，令諸侯前來朝見，則先建築宮室，大小約三百步見方，有四所城門，並於宮中築壇，壇方十二尋，高四尺，上加四尺見方之木，以象四方神明，並分設六色與六玉，鄭玄《注》云：「六色象其神，六玉以禮之。」而《周禮·大宗伯》云：「以玉作六器，以禮天地四方，以蒼璧禮天，以黃琮禮地，以青圭禮東方，以赤璋禮南方，以白琥禮西方，以玄璜禮北方。」鄭玄《注》云：「禮神者，必象其類，璧圜象天，琮八方象地，圭銳象春物初生，半圭曰璋，象夏物半死，琥猛象秋嚴，半璧曰璜，象冬閉藏，地上無物，唯天半見。」其所記載，也可與〈覲禮〉此文，取相印證。

〈覲禮〉篇末又記曰：

上介皆奉其君之旂，置於宮，尚左，公、侯、伯、子、男，皆就其旂而立，四傳擯。

天子巡守在外，將行會同之禮，諸侯將覲見天子，天子乃先建宮室，而諸侯之介者，則各奉其君之旂，置於宮中，鄭玄《注》云：「置於宮者，建之，豫爲其君見王之位也。」故覲見天子之時，諸侯皆各近其國之旂旗而立，並依次覲見。考《禮記・明堂位》云：「昔者周公朝諸侯于明堂之位，天子負斧依南鄉而立。三公，中階之前，北面東上。諸侯之位，阼階之東，西面北上。諸伯之國，西階之西，東面北上。諸子之國，門東，北面東上。諸男之國，門西，北面東上。」適可與〈覲禮〉所記相參。

〈覲禮〉篇末又記曰：

天子乘龍，載大旂，象日月，升龍降龍，出拜日於東門之外，反祀方明。禮日於南門外，禮月與四瀆於北門外，禮山川丘陵於西門外。

根據鄭玄的注解，天子與諸侯會同，如在春季，則天子將乘龍馬之車，樹繪有日月之大旗，於東門之外，拜祀日神，再返回宮內，祭拜宮壇上之四方神明。天子與諸侯會同，如在夏季，則天子將於南門之外，禮拜日神，如在冬季，則天子將於北門之外，禮拜月神，禮拜江河淮濟四瀆之神，如在秋季，則天子將於西門之外，禮拜山川丘陵之神。

〈覲禮〉篇末又記曰：

祭天，燔柴，祭山川陵，升，祭川，沈，祭地，瘞。

〈覲禮〉之末，記載天子巡守四方，祭祀天地山川之禮，或用焚燒柴薪，使煙氣上達天神，或登丘陵高山，懸掛祭物，感動山神，或將物品投之水中，祭祀川神，或將物品埋於地中，祭祀土神。鄭玄《注》云：「升、沈，必就祭者也，就祭，則是謂王巡守及諸侯之盟祭也。」張爾岐《儀禮鄭註句讀》云：「此言天子巡守四岳，各隨方向祭之，於山言升，於川言沈，是就其處而舉此禮，故知是王者巡守之事。」考《禮記・王制》記「天子祭天地」，「天子五年一巡守」，分別於二月、五月、八月、十一月，巡守至東西南北四嶽，「柴而望祀山川」，《春秋》僖公三十一年經：「猶三望。」《公羊傳》云：「三望者何?望，祭也，然則曷祭?祭泰山、河、海。曷爲祭泰山、河、海?山川有能潤于百里者，天子秩而祭之。」❾所言皆能闡釋天子巡守四方，因而祭祀天地山川之禮義。

要之，此節文字，與〈覲禮〉前篇所記，內容頗不相類，而近於《儀禮》各篇篇末所附之「記」，爲儒者後學所記天子「會同」與「巡守」之禮儀，又佚其「記」字，故與〈覲禮〉經文相淆。

---

❾ 《春秋公羊傳》，台北，藝文印書館影印阮刻《十三經注疏》本。

(五)結　語

《儀禮》十七篇，儀節繁細，文字艱澀，號稱難讀，而《禮記》中〈冠義〉、〈昏義〉、〈鄉飲酒義〉、〈射義〉、〈燕義〉、〈聘義〉等篇，針對《儀禮》中〈士冠禮〉、〈士昏禮〉、〈鄉飲酒禮〉、〈射禮〉、〈燕禮〉、〈聘禮〉等數篇文字，闡釋其儀節之義蘊，使《儀禮》數篇，大旨彰明，易於了解。

《儀禮》中〈覲禮〉一篇，《禮記》之中，則無專篇，針對其儀節，闡釋其意義，此文之作，則略仿前述《禮記》數篇之體例，針對〈覲禮〉之儀節，釋其要旨，並彰明其儀節背後所蘊涵之意義，對於了解〈覲禮〉，或也不無小補。

十、孫詒讓《周禮政要》析評

——晚清知識份子變法圖強之改革規劃

清代晚期，國勢日衰，外侮交侵，知識分子目睹危難，群起思索變法圖強的方法，在眾多的改革呼聲之中，最爲重要的，自屬康有爲和梁啓超等人推動戊戌變法的改革意見，而孫詒讓以古文經學大師的身份，也能走出書齋，關懷社會，撰成《周禮政要》一書，以表達其對於改革規劃的看法，確實不易。

此文之作，在分析《周禮政要》一書之內容，計分爲「革新內政」、「廣通民情」、「促進教育」、「充實財稅」、「開拓經貿」、「振興實業」、「發展科技」、「增強國防」、「安定社會」等九項重點，雖然，在孫詒讓的九項改革重點中，並沒有見到諸如「立憲」「虛君」之類的主張，但是，孫詒讓的改革意見，比起較早時候其他人士的看法，則較爲完整，也較易實行，因此，孫詒讓和他的《周禮政要》一書，在晚清政治思想上，仍然有其一定的地位存在。

(一)引　言

清代中葉以後，國勢日衰，外侮漸至，自道光二十年（西元一八四〇年）鴉片戰爭事起，嗣後，列強交侵，舉其大端而言，則道光二十二年（西元一八四二年），中英南京條約訂立，咸豐八年（西元一八五八年），英法聯軍陷大沽，天津條約訂立，十年（西元一八六〇年），英法聯軍入北京，清帝避難於熱河，天津續約訂立，光緒二十年（西元一八九四年），中日甲午戰爭，次年，馬關條約訂立，清廷之喪權辱國，至是已達極點，知識份子目擊危難，於是變法圖強之議，蜂起並興，其中以鄭觀應、馮桂芬、王韜、陳熾、薛福成、容閎、康有爲、梁啓超、譚嗣同、皮錫瑞、孫詒讓等人所思考倡行之改革規劃，較爲緊要，其中最爲重要者，自屬康有爲與梁啓超的改革主張，只是，康梁等人的主張，近世學者們的論述，已經很多，而孫詒讓的改革意見，似乎尚罕見有學者論及，此文之作，則僅就孫詒讓的改革意見，加以分析評論，以供參考。

孫詒讓字仲容，浙江瑞安人，生於道光二十八年（西元一八四八年），卒於光緒三十四年（西元一九〇八年），享六十一歲。

孫詒讓之爲學，遠承永嘉學派的經世理想，近繼晚明大儒顧亭林的致用精神，博治群書，多有撰述，所著《周禮正義》、《墨子閒詁》、《名原》、《契文舉例》、《尙書駢枝》、《札迻》、《溫州經籍志》等凡數十種，其於《周禮》一書，尤爲精擅，故被學界公認爲是晚清時代之經學大師。❶

光緒二十四年（西元一八九八年），歲次戊戌，五月，清廷立議變法，七月，西太后囚光緒帝於瀛臺，變法失敗，康有爲逃往香港，梁啓超逃往日本，楊銳、劉光第、譚嗣同、林旭、楊深秀、康廣仁等六人被殺。

光緒二十八年（西元一九〇二年），孫詒讓五十五歲，有感於國事日危，因撰成《周禮政要》四十篇，分爲四卷，以《周禮》與西方的政治制度相互印證，以求國家能夠據此而變法圖強，孫氏於此書之自序中，曾經說道：「辛丑夏，天子眷念時艱，重議更法，友人以余嘗治《周禮》，屬捃摭其與西政合者甄輯之，以備財擇，此非欲標揭古經，以自張其虛憍，而飾其窳敗也，夫亦明中西新故之無異軌，俾迂固之士，廢然自反，無所騰其喙焉。」又說：「中國變法之議，權輿於甲午，而極盛於戊戌，蓋佹變而中阻，政法未更，而中西新故之辯，

❶ 參朱芳圃：《清孫仲容先生詒讓年譜》台北，商務印書館初版，民國六十九年六月。

舛馳異趣，已不勝其譁聒，夫政之至精者，必協於群理之公，而通於萬事之變，一切弗講，而徒以中西新故，晝區畛以自隘，吾知其懵然一無所識也，中國開化四千年，而文明之盛，莫尚於周，故《周禮》一經，政法之精詳，與今泰東西諸國所以致富強者，若合符契，然則華盛頓、拿破崙、盧梭、斯密亞丹之倫，所經營而講貫，今人所指為西政之最新者，吾二千年前之舊政，已發其端。」又說：「余書凡二卷（按實四卷），都四十篇，雖疏漏尙眾，而大致略具，漢儒不云乎，為治不在多言，顧力行何如耳，誠更張今法，集吾群力，而行之不疑，則此四十篇者，以致富強而有餘。」❷因此，孫詒讓的《周禮政要》一書，實際上是以古代傳統的經典，比附西方的政治制度，從而去寄託他對當時清廷政治改革的理想和規劃，以求有助於國家的振興，此一理想和規劃，在當時而言，確實也是彌足珍貴的。

㈡內容分析

孫詒讓所著之《周禮政要》一書，凡四卷四十篇，卷一有朝儀、冗官、重祿、達情、官

❷《周禮政要》，上海書店《叢書集成續編》影印《關中叢書》本，一九九四年六月，下引並同。

政、奄寺、吏胥、鄉吏、教胄等九篇，卷二有廣學、通藝、選舉、博議、廣報、通譯、觀新、治兵、巡察等九篇，卷三有圖表、會計、戶版、口稅、廛布、券稅、金布、券幣、漁征、度量、礦政等十一篇，券四有治金、水利、教農、樹藝、保商、同貨、考工、考醫、獄訟、論刑、收教等十一篇，一共凡四卷四十篇，至於此書內容，在孫氏而言，則是推本《周禮》而作，故此書之形式，四十篇之中，每篇議論，首先，皆引用《周禮》經文中之相關典制，以說明其立論之根源，其次，則緣引西方學說及各國政制規模，以與《周禮》相互印證，以表示西方學說及政制規模，在《周禮》之中，或古已有之，或與之暗合，然後，再提出針對當時朝政的各種舊弊，而作出更新改革之設計。例如《周禮政要．同貨》曰：

〈朝士〉：「凡民同貨財者，以國法行之，犯令者，刑罰之。」注：「鄭司農云，同貨財者，謂合錢共賈者也，以國法行之，司市爲節以遺之。」

在〈同貨〉篇中，孫詒讓依據《周禮》所記「朝士」的職務，將「民同貨財」、「合錢共賈」引申爲近代商會公司的起源，而發揮其合資經營商業的理念。又如《周禮政要．論刑》曰：

〈訝士〉：「掌四方之獄訟，諭罪刑于邦國。」注：「鄭司農云，四方諸侯之獄訟，告曉以麗罪及制刑之本意。」

在〈論刑〉篇中，孫詒讓依據《周禮》所記「訝士」的職務，將「掌四方之獄訟」、「告曉以麗罪及制刑之本意」，引申爲清廷與西人交涉司法問題時，期望能夠援用雙方法律的原理和判例，公平審訊，而發揮其免受西人治外法權拘束的理想。

在上舉的兩個例子中，孫詒讓只是各自援引了一條《周禮》的原典，去發揮他對於現實社會的改革意見，實則，在《周禮政要》其他的篇章中，孫氏往往援用了不止一條的《周禮》原文，去作爲支持他抒發新見解的歷史根源。例如在《周禮政要．廣報》中，他引用了《周禮》所記〈士訓〉、〈小史〉、〈外史〉、〈小行人〉等官員的職掌，去說明社會上廣開報館的重要。又如在《周禮政要．考醫》中，他引用了《周禮》所記〈醫師〉、〈食醫〉、〈疾醫〉、〈瘍醫〉等官員的職掌，去說明國家對於培養醫療人員的辦法。這些都是孫氏在《周禮政要》的篇章中，對於《周禮》一書的原文，引用較多的例子。另外，孫詒讓在《周禮政要》中所引申發揮的意見，與《周禮》原典中所蘊涵的意義，有些是比較接近的，有些則是比較遼遠的，其實，孫氏本人發揮的意見，與《周禮》原典中蘊涵的意義，是否密切配合，在孫氏而言，已經不是最爲重要的問題，因爲，孫詒讓撰寫《周禮政要》一書，他所關心的重點，是在「改制」，是在改革今制，「託古」對他而言，只是一種使人信服的依據而已。

《周禮政要》一書，主要是針對清廷當時亟需變改之事項，而提出的建議之言，擇其重點，試加歸納，約可區分爲革新內政、廣通民情、促進教育、充實財稅、開拓經貿、振興實業、發展科技、增強國防、安定社會等幾項。以下，即就前述各項，依次分析，所引此書各篇，是以分析孫氏所提出之改革意見爲主，至於援引《周禮》中各種典制以作依據的部份，爲省篇幅，則儘量予以簡化省約。

1.革新內政

在革新內政方面，孫詒讓以爲，最基本的是要先從更改傳統以來的「跪拜」之禮開始，《周禮政要・朝儀》曰：

> 古常朝之儀，有立有坐而無跪，有揖而無拜，今則有拜跪而無坐揖，此其異也。

又曰：

西國崇信基督，唯入堂禮拜有跪禮，此外，臣見君、子見親，亦無拜跪……乾隆十八年，嘉慶二十一年，英使兩次入覲，均以不能行禮被申飭，彼時我國勢方盛，猶不能強彼相從，而況於今乎？前者德主之弟亨利入覲，要索坐禮，華人駭為未見，實則彼國臣民及外國公使，見君得坐論，不以爲異，我以爲非常之異數，彼實以爲禮賓之恆儀也。

爲了適應世界的潮流，改革舊有的陋習，孫詒讓主張，盡廢跪拜之禮，在朝廷方面，則「明降諭旨，援據古禮，每日常朝，易拜爲揖，議政之頃，則一律賜坐，紓尊達情，既以新普天下之耳目，而霽威崇禮，亦不嫌外侮之要求」，在地方官署方面，「則凡官吏之聽民訟，亦令盡去拜跪之禮，而民情無不上通矣」，如此，才可以因時審勢，通變化裁，而符合因時制宜的禮制精神。

專制時代，政務悉決之於國君，此與近世以來，世界潮流不符，孫詒讓有鑒於此，特別主張倣效西方各國之議會制度，上下交議，以共謀國是，《周禮政要·博議》曰：

近代文明益進，議院林立，國都則有上議院下議院，各郡縣亦皆有議院，闢門而公議之。

又曰：

當放西國上議院之例，設大議院於京師，定議員之額數，半由特旨選派，半由內外各衙門公舉，又設中議院於各省會，亦半由督撫札充，半由各州縣紳民公舉，設小議院於各郡縣，半由守令諭充，半由紳耆公舉，凡公舉亦放西國，以投票多少爲憑，公派私舉，互相檢察，互相贊助，每旬會議一次，有大事則不拘期日，凡有意見不合者，准其自作說帖，付院公評其是非，並可自達政府。

孫氏主張，爲適應世界潮流，集思廣益，必需廣設議院，博採群議，使朝野上下，情意通達，則不但民心士氣，可伸之於下，且良法嘉猷，也可貢獻於上，以共策國家之進步富強。

另外，在內政的革新方面，孫詒讓還主張裁汰冗員，以節省財源，增加官俸，以獎掖效率，《周禮政要·冗官》曰：

周六官三百六十職，各有職掌，鄭注所謂各有所職而百事舉也，故有冗食無冗官，冗食者如常職而以更直食於公者也，後世設官猥多，而事之舉者轉少，故冗官之弊興，而今爲尤甚。

又曰：

夫冗員多，則賢者苦於牽制，而不得展其才，不肖者易於推諉，而得以藏其拙，職事叢脞，皆由於此。

因此，孫氏主張，政府的冗官，應大加刪簡，刪簡的途徑，可以由「兼職」、「減員」、「裁缺」等三個方向致力，苟能循此三途而努力，「則內外員缺，必可簡汰三分之一，而後妙簡賢俊，專其責成，則事無不舉」，「何憂富強之不可致哉」。相對於裁汰冗員，孫氏主張，所節省的財貨，應該用以增加官員們的俸祿，以獎勵官吏們奉公努力，增加行政的效率，《周禮政要·重祿》曰：

> 考之歐美各國，俸糈至豐，將相大臣，多者數千磅，下至末秩小吏，亦必量其身家食用之需，務使充裕，政法修明，實由於此。

不止歐美官員，薪水豐厚，就是近鄰日本，官員的俸給，也較中國遠勝，因此，孫氏主張，「中國設官太多，冗散無職事者約居三分之二，誠減兩冗員之費，以增一正官之俸，則祿增而度支不乏，祿既增，則內顧無憂，斯可以責其職事之修舉」，進而提升各級政府的行政效率，這正是中國古代以忠信重祿勸勵士風的用意。

2. 廣通民情

專制時代，帝王高居上位，人民心聲，難於上達，民間疾苦，朝廷也不易了解，因此，孫氏以為，政府應該廣開言路，使下情上達，才能針對弊病，加以改善，《周禮政要·達情》曰：

> 西國民氣最伸，自官吏以逮庶人，皆得親見國主自陳，國主有過，刑官亦得援律以治之，故自議院報館外，學士細民，咸得論抗政治得失，無所忌諱，故朝無竊弄威

福之大臣，外無受賕委法之令長，庶政清明，良由於此。

又曰：

無論內外文武官民，均許上封章，自到午門呈遞，直攻朝廷缺失，無庸由部院代奏，倘有阻格，即行從重治罪，更嚴諭各省督撫，以逮牧令，存問民間疾苦，凡獄訟有冤抑者，准其申訴，官吏不得阻遏，以廣開言路，勤求民隱，遠紹成周之舊典，近遵祖宗之彝訓，求言圖治，固救時之要務矣。

孫氏此一廣開言路，鼓勵臣民踴躍建言，希望朝廷採納大眾意見的建議，對於改革專制政體，適應世界民主潮流的趨勢而言，無疑是極爲大膽而又極爲可貴的設想。而廣開言路，使下情上達，則最直接的方式，便是發行報刊，報導新聞，《周禮政要．廣報》曰：

自與西國通商，閩粵上海，始有日報，皆西人主其事，近年各省士民，始有開館發報者，然爲數無多，又以恐干禁詰，或託名洋牌，數萬之縣，閱報者不及百一，弇陋固無由啓發，甚可慨也，竊謂當此更化之初，宜廣開官報局於京師，以次及於各直省府廳州縣，亦飭廣開報館，民間私報，亦盡弛其禁。

又曰：

每月部吏督撫，以公私報章，彙送軍機處，恭備乙覽，而各官署各學堂，亦各以本地所出之報，互相移送，擴充保護，務使暢行，外國著名各報，若英之太晤士、美之滴森令之屬，亦宜購譯，進呈御覽，並擇其要者，刊入官報，頒行各省，則上裨聖學，下開民智，於以察民智而通群情。

孫氏以爲，西方各國，「往往一國之內，報館以萬數，一館所出之報，以數萬紙計」，所以西方各國，「智巧日開，富強在握」，所以，孫氏主張，不僅在各級官府，廣開報館，發行報刊，同時，也獎勵民間刊行私報，以溝通上下之意見，更時時擇譯外國著名報刊之意見，以了解國際之局勢，能如此，則政府了解民意，可以知曉中外，然後可以配合潮流，順應情勢，而力圖富強。

3.促進教育

教育爲立國之根本，清代末年，不但政治腐敗，教育方面，也極爲落後，孫詒讓有見於此，他也提出振興教育的對策，《周禮政要·廣學》曰：

> 今西國定制，無論城鄉，三十户而設小學堂一，公私學堂，每國率以萬計，民自六七歲以上，無不入學者，不入學者責其父母，美國學校經費，歲至八千萬，每歲著書至萬餘種，英國大學生徒，至一萬餘，其民智之開可見。

又曰：

> 我國士不學而民無教，以四百兆之眾，而識字者不及百之一二，取士專重科目，以時文試帖之庸陋腐濫，爲多士進身之階，是率天下而趨於不學也。

孫氏以爲，教育的普及，國民知識的水準，直接關係到國家力量的提升，因此，他主張將各州府的縣學改爲小學堂，而在各省省會所在地設總學堂，在京城重開大學堂，以健全各級學校的制度，以推動教育的進展。在教育的內容方面，孫氏尤其強調科學的研習，以圖振興國力，《周禮政要・通藝》曰：

> 泰西一切政教理法，無不以數學爲根柢，故其研精闡微，微特九章周髀，芻狗已陳，即天元四元，中算造微之詣，亦不及幾何點線面體之賅，代數微分積分之捷。

在改革教育方面，孫氏不但主張廣設各級學校，加強科學教育，而且，他也指出傳統貴族宗親子弟的教育內容，僅以五經四書、時文試帖爲教，並不能使「教胄」適應時代的需要，通曉中外的國情，因此，他也主張王室子弟，一律進入各級學堂，研究有用之學，兼習外國語文，遊歷各國，以收觀摩之益，以備經世之要。他甚至以「俄主彼得，因造兵船不成，即易服作工人，自至英國遊學，閱視船廠」❸的故事，去激勵王室貴族的雄心偉略。

另外，醫學教育對於國民健康的維護，有極爲密切的關係，但是，中國醫師藥師的養成，

---

❸ 見《周禮政要・教胄》。

卻向來缺少完整的制度，孫詒讓有見於此，也提出了他對醫學教育的看法，《周禮政要・考醫》曰：

> 泰西醫有學堂學會，以專其研究，故凡爲醫者，必在學堂畢業，官察其術，果精善，乃給以文憑，准其以技行於世，始得以醫自名，違者罪之。

又曰：

> 華醫則不然，無學堂之教，無醫官之考驗，略誦歌訣，便挾其術以自衒鬻，京師太醫，以侍御內廷之重，而亦學術庸淺，往往循資校年，而擢爲長官，竊謂醫雖技術，然人命所繫，不當輕易如是，宜博徵天下名醫，以爲太醫院官，別於各省，廣開醫學學堂，采譯西國醫書，與中土古醫家書，互相校覈，以精究其說，學成，擇其最工者，以補太醫院屬官及學堂教習，其次，則給以畢業文憑，使得鬻醫自給，凡未經院長及學堂師考取者，不准行醫。

孫氏所提倡的醫學教育，主要是參酌中西醫藥之長，明訂正式學校制度，嚴格教學考試，給予文憑，然後方准行醫，如此，對於醫師藥師的養成，才能維持一定的水準，也才能保護國民身體的健康。

而且，除了一般的正規教育之外，針對社會上各種特殊的情況，孫詒讓在《周禮政要·收教》中也提出了各種照顧人民福利的組織，例如他倣效西方國家照顧老幼貧窮不能自存民眾的辦法，而主張設立各級「養貧局」和「教貧局」，加以照養，或教導謀生的技術，使其未來能夠自力爲生，對於社會上的遊民、乞丐，則設立各級「警惰院」，以督促其學習農工雜藝，對於社會上酗酒吸煙而成癖者，則設立各級「教遊院」，以督促改正其不良的習性，又倣效西方國家的盲聾啞學校，以凸字教盲，以聲器教聾，以手勢教啞的辦法，設立各級「教病院」，如此，針對社會上各種特殊人士的現象，而加以照養和教育，以謀取社會的安定和更多人民的幸福。

同時，孫氏也以爲，一切的改革，都應該以教育爲基礎，因此，不論在那一方面，只要是改革舊弊，建議新政，他都主張廣設那一方面的專門學堂，學習當時的最新知識，以求培養專門的人才，蔚爲國用，如此，才能從根本上挽救危亡，力求自強。

4.充實財稅

晚清時期，國勢衰弱，財賦艱困，而國家之財政制度，又不健全，孫詒讓參酌西方各國先進制度，而提出會計方面之改革設計，《周禮政要·會計》曰：

泰西理財之法，豫計一歲歲入賦稅之數，歲出經用之數，普告於眾，名曰預算，其既用之也，又總計其入出之都數，校其贏絀，亦普告於眾，名曰決算……其出納有常程，其支銷有實數，貪吏猾胥，無所行其隱匿侵蝕，而官成國計，一一布之議院，登之報館，於民一無所隱。

國家的財政，如能倣效西方國家，既有預算，又有決算，則其出納之際，訂有程序，其開銷支出，也有定數，如此，既可免於官吏的貪瀆中飽之弊，也可以使百姓周知國家財政的實況，《周禮政要·會計》曰：

今宜略放西制，令户部及各省市政司，各以一歲應入應出常用之數，備列簿冊，明

> 示官民，府廳州縣，則總賦稅之入，支用之出，會計之，榜示通衢。

孫氏以爲國家的財政收支，能夠一切公開，款項明白，使民眾通曉，則即使收支不均，追加稅收，百姓也會加以體諒而不會有所懷疑。

要之，國家能否富強，財政收入，是一項根本的因素，針對清廷政府當時財政制度的缺失，賦稅收入的拮据，孫詒讓提出了振興財政的方法，主要是從人口稅、房屋稅、交易稅、漁業稅及貨幣制度改良方面著手。在人口稅方面，孫氏以爲，西方各國，都有人口稅的征收，而中國人口眾多，因此，征收人口稅，對於改善財政，必有助益，《周禮政要·口稅》曰：

> 立丁稅之專條，先令八旗佐領及各省州縣，復編審之舊章，清查户口，著於冊籍，明制丁賦，户區三等，以無糧者爲下，糧少者爲中，糧多者爲上，今略取其法，亦分三等，中等依舊法，每丁歲征銀二錢，上等倍之，爲四錢，下等半之，爲一錢，其極貧丐户，爲不列等，免征，十五以下，及六十歲以上，亦免之，以四百兆三分去一，貧富相補，姑盡以中等計之，歲可得銀六千萬兩，爲數亦不爲少矣。

中國人口眾多，如能訂定辦法，合理征取，則對於國家的財政，應該有顯著的幫助。在房屋稅方面，《周禮政要·廛布》曰：

> 案周之制國用，以地征爲正供，而地征之中，其一爲廛布，即房屋之稅，管子所謂籍於室屋者也，廛布之目，又有三，一爲民宅，一爲市宅，一爲市肆。

又曰：

> 今泰西各國，宮室市肆，亦皆有征，如英國每年稅入房屋銀，至一千九百二十之兆磅是也，蓋以其租入之贏絀，及占地之廣狹，房屋之華樸，參酌爲稅法，與周次布廛布里布略同，今海疆各租界，亦有房間之捐，彼所謂工部局者，月使人按户收之，即以其所入爲修理道路及煤氣燈自來水以至警察之資，蓋征之民者，仍以用之民，故雖多取而民不怨。

因此，孫氏以爲，政府可斟酌情形，收取店舖房屋之稅，以彌補國家經費之不足。房屋稅之外，孫詒讓以爲，中國自古有「質劑」與「書契」之制，實即後世交易買賣中所謂之契券、票據之類，而西方國家，也早有印花稅法，通行甚廣，爲各國每年歲入之大宗，因此，主張倣效西方國家，推行此法，《周禮政要・券稅》曰：

> 竊謂宜飭户部於京師設廠，購外洋製印花紙機器，精製印花，紙中暗藏文理，蓋以印記，以防作僞，於各省府縣，各設分局，分給銀行舖户，俾繳價領給，民間一切賣契稅約貨單，錢票直二元以上者，皆令黏帖印花，不黏者皆作廢紙，經人告發，照例議罰，所黏印花，與額不符者，亦罰，無印花者，遇有詞訟，官不爲理，已黏者即塡寫鉤抹，以防再用及影射之弊，違者亦罰，其稅至輕，而罰至重。

孫氏主張，政府推行營業交易印花之稅，則所課之稅，雖不甚多，而對營業者而言，因保障甚大，則商民必然不願逃漏此稅，對於政府財稅收入而言，積少可以成多，實也不無小補。

另外，在《周禮政要・漁征》篇中，孫詒讓也提出了征收漁業稅之看法，他以爲「中國內而長江大河，百川交注，東南則濱大海，西北雖多山，陂澤塘泊之利，亦復不少」，如果能夠設立漁團，就其一年所獲，各爲征收賦稅，而官方對漁民也負擔應有的保障，則對於國家的財稅，也當有不少的助益。

5. 開拓經貿

自從西力東漸，外洋各國，挾其船堅砲利，以策動其通商經貿之利益，使其財力，更爲富裕，而中國受害，更趨貧窮，孫詒讓有見於此，乃主張保護商務，重視經貿之意見，《周禮政要・保商》曰：

> 今欲振中國之商務，竊謂宜以司市之職爲本，而旁采西法以輔之，首立商部，以執商務之總，凡商之教治禁令，咸掌於商部，而於各行省及商埠，廣開商務學堂，學成者以爲商部屬官，功效積著，得升爲部長，更廣開商務報館，譯西國商務有用之書，究西國商人習用之語言文字，以開其智而精其術，擇商家子弟開敏有才略者，遊歷各國，察訪百貨之盛衰，及異域之性情嗜好，以握其奇贏之柄，精察各國貨物銷售水陸轉運銀行保險出入稅則，互相比較，析及毫秒。

孫氏以爲，提振商務，拓展貿易，首先政府應設立商務部，各省應設立商務學堂，培養貿易人才，至於廣譯西方商務書刊，派遣人員前赴各國考察商務，分析商情，則都是切實可行的辦法，同時，孫氏也主張，不但政府應當設立商務主管部門，民間商賈，也應該集合力量，設立公司商會，群策群力，以謀求更多的商務經貿利益，《周禮政要・同貨》曰：

> 今泰西諸國，士農工皆有合群之會，而商之商會公司，則規模爲尤大，蓋一業也，其資本鉅而端緒繁者，一人不能獨舉，則合群力而爲公司，通力合資，相輔而成，自二人以上，聚而至於百人千人萬人，則天下無不能舉之事。

又曰：

> 宜俾各業，咸隨其力之大小，自集爲公司，又聯合各公司爲總商會，申明約章，互相贊助，周賤鬻貴，持以眾力。

孫氏認爲，國人力弱，在於眾力分散，不能團結，如能組織公司，聚合眾力，結爲商會，則凡「有大事，則由公司商會集議，達於商部，以國家之力，爲之保護」，則出洋經商貿易，可以不爲外人所欺，方可以與西方商賈作合理之競爭。

6. 振興實業

中國地大物博，產物富饒，可惜多未開發利用，孫詒讓有見於此，在振興實業方面，也特別留意，大略言之，可分爲開採礦產、講求冶金、振興水利、發展農林等，在開採礦產方面，《周禮政要・礦政》曰：

> 中國五金及煤礦之富，甲於五洲，徒以封禁錮塞，坐失大利，而制砲鑄錢，轉仰給洋鋼洋銅，不亦顛乎，比年西國礦師考察所得，如四川西藏之金礦銅礦，江西河南之銅礦金礦煤礦，雲南廣西之五金各礦，奉天吉林及新疆和闐之金礦，山東山西河南貴州之煤鐵礦，皆極富，而山西煤礦之品最佳，廣東及福建古田等處之鐵礦，質尤勝，皆遠過於西洋。

又曰：

> 今宜放西法，廣開礦學學堂，各省設礦務局，俾士民咸許籌集資本，考察礦苗，由局給以文憑，准其開採，官吏之不保護，士民之阻撓者，罪之不貸，又今各省勇營，星羅棋布，坐食徒糜糧餉，遣散又恐爲盜賊，計莫如調就有礦之處，令之開採，所得半以歸公，半以充賞，則彼自樂從，二者並行，則公私交利，再廣開鐵路，以便運載，廣鑄機器，以資利用，則大利日興，地不愛寶，上可強國，下可富民，足以雄視五洲。

孫氏以爲，中國礦藏富饒，自有之利，棄而不取，反招致外人的覬覦之心，以致列強環伺，豪取巧奪，爭相索我開礦之權，因此，主張開設礦學學堂，培養礦業人才，製定開礦辦法，鼓勵民間開採，又利用軍隊屯駐之便，合作經營採礦，加以廣鑄機器，廣建鐵路，以資開採運輸，如此，則國家富庶，指日可期。

中國礦產豐富，其中金屬礦產，攸關於國家強盛，尤爲重要，孫詒讓在《周禮政要·冶金》中，曾經提出「五金出礦，不能皆爲純質，故必百鍊，乃能得其精純」，而當製造輪船鐵軌槍砲之時，鍊鋼冶金之術，更是不可不加精深研究，因此，他主張在「化學礦學諸學堂中，專立鍊金一門，廣譯西國專門書籍，使士民精研博試」，以求致於實用。

至於振興水利，孫詒讓以爲，重在測量川瀆之深廣，水流之遲速，地形之高下，然後因勢而利導，孫氏在《周禮政要·水利》中曾經提出，「西人治大川，善決者多築遙隄，彼此相距數里，多者至三四重，兩隄之間，又築横隄以屬之，中成方罫，平時可稼穡，如今沿江之圩田，偶有潰決，水止能浸灌一方罫，即令更決而進，亦不過兩三方罫受其害，而內外左右，節節有隄，亦易於揵塞，不至浩蕩横流，一決千里」，因此，他主張宜設水利學堂，培育人才，教以精究測算，詳察工程，學成之後，分發各省，疏濬河川，振興水利，以福國裕民。

在拓展農林事業方面，孫詒讓主張更新農器，採用新式機械，以播種耘田，吸水灌溉，在《周禮政要·教農》中，曾經提出，仿效西方國家「以穀蔬分年更種，使地質不耗，而所獲倍增」的辦法，去增加生產，則以中國土地之大，「何必扼腕以憂貧賤哉」。在《周禮政要·樹藝》中，他主張於山地森林，「設官立禁，毋許戕伐」。道路修治，皆植樹木，蓋以中國地居溫帶，最宜種植，且「植物之根葉，能吸土膏，通水管，可以禦旱暵而肥田疇，又能納炭氣、吐養氣，可以弭沴癘而養人物」，故政府應該「懸蕃毓之賞，嚴刈伐之禁」，能如此，則十年之後，材木茂美，花果芬碩，則農林兩業，必將大有助於國計民生水準之提升。

7. 發展科技

十九世紀以來，西方工業革命以後，科技發展，一日千里，而清廷故步自封，罕有新知，相形之下，差異日大，國勢日弱，孫詒讓有見於此，因而也提出了鼓勵國人創新發明科學技術的辦法，《周禮政要・觀新》曰：

> 西國自數百年來，討究聲光化電之學，研精闡微，而通之於製造，故新法日出而不窮，而吾中國，凡百工藝器械，悉拘守舊法，彼巧而我安其拙，故以戰則敗，以商則折，此理勢所必至也。

又曰：

> 今當更法自強，必當采西國之制，懸厚賞尊爵，以厲工藝而利器械，如有人能講求汽學重學化學電學，興藝制器，與西人爭勝者，給與憑單，准其專利，倘有製成舟車槍砲，快利在西人之上者，錫世職以榮之，則智巧日出，學藝大昌，可翹足而待矣。

孫氏主張，推動科技發展，應該訂出獎掖的具體辦法，如准予專利，賜予官爵，以激勵民心，迎頭趕上，他並且舉出德國的克魯伯兵工廠和英人瓦特發明蒸氣機爲例，以爲只要國家訂出具體可行的辦法，則以中國人的聰明，發展科技，迎頭趕上西方國家，並非是絕不可行的奢望。《周禮政要・考工》也曰：

> 泰西工藝之巧，冠絕五洲，然原其根本，亦不外規矩準繩之用，至如以輪螺桿擺爲機，則重學也，以金石水氣爲用，則化學也，此皆有精義公理可推究，亦可擴充，初非有神斤鬼斧之奇，而中國必遜於彼者，彼求新而我守故，彼專精而我習楛耳。

又曰：

> 今既開算學、重學、化學諸學堂，以瀹民智，宜廣譯西國工藝之書，頒行天下，使咸誦習，再於各行省及商埠，廣開工學學堂及工藝院，精延工藝名師，俾之教習機器，凡大而造舟鑄砲，小而繅絲織布紡紗製罽，以及洋火洋紙捲煙罐貨之屬，一一精究而仿製之，或得新法便利勝舊，則給照專利，以勸利之。

孫氏以爲，發展科技，一方面，從開學堂、譯西書、延名師，學習基本理論著眼，一方面，也可以從精究西方機器而加以仿製入手，以便能夠提升實用的水準，加強學習的效率，以求迎頭趕上西方的科學與技術，中國想要在國際上與西洋各國並駕齊驅，爭一日之短長，而擺脫落後的狀況，這些意見，都不失爲是切實可行的具體辦法。

8. 增強國防

國家的強盛，與國防力量的強弱，有著極爲密切的關係，而兵役制度的良窳，則又是國防力量強弱的關鍵，孫詒讓以爲，西方各國及近鄰日本，已多實施徵兵制度，國家兵員，有常備預備及後備之分，而又厚其餉糈，使其足贍身家，平時可以訓練精良，分年更代，戰時則可以充實戰力，無虞匱乏，《周禮政要．治兵》曰：

> 中國舊唯有養兵，八旗綠營，額兵六十六萬一千六百人，自京師及各省駐防，又二十萬餘人，軍興以來，則專恃募兵，湘淮各軍，分布各直省，亦無慮百數十營焉，馬兵月餉銀二兩，步兵月餉一兩五錢，守兵月餉一兩，加以剋扣攤派，十去其二三，故兵往往貧窶，不足以贍衣食，而國已糜數千萬之餉矣。

因此，孫氏以爲，當時國家百餘萬之兵勇，而平素訓練不足，臨時幾無一人可用，因此，孫氏以爲，應該從兵役制度上去作大幅的改革。《周禮政要．治兵》又曰：

以中國四萬萬人，千人抽一，可得四十萬人，年二十而隸兵籍，月給十元，依常備兵例，練爲若干營，以各省武備學堂畢業生領之，三年練成，使歸里，自就其業，每年隨營調操一次，凡應調者，免其家之丁口稅以優之，四十五而脫籍，如此更迭徵練，十年而得精練之兵百二十萬。

孫氏以爲，國家改採徵兵之法，嚴加訓練，儲備管理，兵員之薪餉加厚，國家財務的負擔，反可因之減少，如此，「行之三十年，寰宇之內，人皆知兵」，則國富兵強，可以預期。

晚清時期，中國人口估計已達四億之多，但因疆域廣大，制度又完欠善，因此，確實人口數目，難於知曉，詳細的戶口記錄，也多付闕如，《周禮政要．戶版》曰：

西國亦最重户口，內而政府，外而郡縣，吏咸有丁户清冊，每年一校修，無論都邑城鄉，土着僑寄，凡一户一丁，無不著於冊，而兼詳其年貌事業，警察兵又以時查閱之，故盜賊不敢發，而逋逃無所容。

又曰：

今既立警察，行日稅，則清釐戶口，爲第一要義，竊謂宜每年令州縣各諭保甲鄉正，及大族族長等，各以所管之鄉戶口，造冊送縣，而制飭警察兵覆查，每歲終，鄉正以新生及死者報官，增減其數，有遷移者，亦報官更正，有隱漏者罪之，縣以冊上之府，府復爲冊上之行省，督撫亦爲冊上之戶部，咸每歲一修，戶口既審，則征賦徵兵，以及興學緝盜徵歛印稅諸端，皆可按籍以從事，無逃匿遺漏之患。

孫氏以爲，戶籍制度的改革健全，對於國家在教育、內政、財稅、國防等各方面，都有極其重要的影響，而尤其關係於國防實力的強弱，更加重要，因此，他希望朝廷能夠倣效西方的戶籍制度，建立完備的各級組織。

9. 安定社會

治國以安民爲本，安民之要，在社會秩序良好，盜賊姦宄無所用其技，孫詒讓以爲，中國無警察之法，故各大都市，宵小群聚，治安敗壞，爲外人所笑，雖京城首都，亦不能免，他也認爲，西方的警察，分爲行政警察及司法警察，其法最爲精密，因此，他主張建立各級警察制度，《周禮政要·巡察》曰：

亟宜放西法，於各府州縣縣城，設警察官，立警察學堂，采日本警察章程督課之，而廢營汛之制兵，除州縣之衙役，以其費爲警察學堂之用，酌選兵役之年，力強而略識字不吸煙者，入堂練之數月，先行之於城廂，以次及於鄉鎮。

又曰：

必先立警察署，而後防衛緝捕之事有所寄，而游勇惰民流爲盜賊，有警察以監制之，則亦可消患於未萌。

孫氏並以中國各通商海口之洋人租界爲例，舉出因有巡捕制度，故得以維持社會治安，因此，他主張治國安民，首要在於社會治安的良好，使百姓能夠安居樂業，無所恐懼爲主。

中國人口眾多，社會複雜，民間糾紛，法律訴訟，亦爲不可避免之現象，孫詒讓以爲，爲促使審判公正，獄訟公平，宜參照日本及西方國家之辦法，建立律師及陪審團之制度，《周禮政要．獄訟》曰：

> 日本以高等學堂法科畢業之人司法者，試給執照，許充律師，謂之辨護士，人納照費十圓，每年更易，無照而私充者有罰。

這是日本律師的制度，至於陪審團的辦法，《周禮政要．獄訟》曰：

> 周又有三訊之法，使群臣群吏萬民，咸得與議，合於疑獄與眾共之之義，今考西國刑官鞫獄，亦有是法，其情罪較重，或有疑不易決者，則由官爲延著名公正之十二人，作爲陪訊，官或商或民，皆可充選，示期集訊，陪訊官與司刑官，同鞫其獄辭，既退，則相與推勘證佐，斟酌情罪，以定其獄。

因此，孫氏主張，在訴訟案件情事較重大時，倣效西方國家陪審制度，以求審訊的公平與公正，《周禮政要・獄訟》又曰：

訊鞫之法，中國內則刑部，外則按察使，與郡縣有司主之，他人不得與，是非曲直，決於一人之口，故委法受賕者，得以恣行其私，亦不如西例設陪審官之公允，似可於各議院及律學學堂中，公舉議員或教習數人，令得陪訊，倘典獄有舛誤偏私，得以據律辨駁，以成信讞。

除了引進律師及陪審的制度，以便訴訟時力求公正公平之外，對於東西交通日繁，中外法律事件日多之際，孫詒讓在《周禮政要・論刑》中，也提出了設立「中西律法學堂」的意見，以便研究中西法律，搜集各國法律書籍條文，相互比較異同，權衡輕重，以便在與西人交涉訟案之時，能夠援引東西法律，持平公正，而求得自主的權利，而免受西人訊斷的不公平待遇。

㈢結　語

晚清時期，由於國勢日衰，朝野上下，變法圖強之議，也逐漸興起，到了甲午戰爭發生，以迄戊戌變法前後，全國各地，各種倡行新政的團體，如「強學會」、「蘇學會」、「南學會」、「興儒會」、「正學會」、「蜀學會」等，大量地成立，而各種鼓吹新知的報刊，如《國聞報》、《強學報》、《時務報》、《實學報》、《經世報》、《湘學報》、《嶺南報》等，也大量地出版❹，在這些學會和報刊中，都提出了不少改革的建議和對時政的看法，在這些學會和報刊中，影響力最大的，自然是以康有爲、梁啓超爲主要成員的「強學會」及《強學報》、《時務報》等。

晚清的變法圖強運動，到了戊戌年間，達到了最高潮，光緒帝接受康有爲等人的建議，決定變法，因此，在戊戌年間，尤其是在「百日維新」期中，康有爲向光緒帝所建議的改革事項，也最爲眾多，根據湯志鈞教授在《康有爲傳》一書中所作的歸納，康氏在改革方面的建議，約可分爲政治、經濟、軍事、文教四個方面。在「政治方面」，主要的建議是：擬定開制度局。尊孔聖爲國教，以孔子紀年。御門誓眾，力圖維新。立憲法、設議院。廢纏足陋習，禁止婦女纏足。開設制度局，議行新政。裁冗官，置散卿以廣登進。建設新京。議開懋勤殿以議制度。懲譚鍾麟，獎陳寶箴。在「經濟方面」，主要的建議是：勸勵工藝，獎募創

❹ 參王爾敏教授：〈清季學會彙表〉，載所著《晚清政治思想史論》，民國五十八年九月作者自印初版本。

新。立商政以開利源，而杜漏卮。開農學堂、地質局，以興農裕民，而富國本。廢漕運，裁撤釐金，改以漕款建築鐵路。統計全局，大籌巨款，行新政，築全國鐵路。在「軍事方面」，主要的建議是：停弓刀石武試，廣設武備學堂，仿德日制。裁綠營，放旗兵，改勇營爲巡警，仿德日兵制練兵。統籌全局，大籌巨款，以行新政，練海陸軍而強中國。在「文教方面」，主要的建議是：廢八股試帖楷法取士，改試策論，俟學校盡開，徐廢科舉。催舉經濟特科。譯日本書，派人留學。開學校，鄉設小學，縣設中學，省設專門高等學大學。改書院、廢淫祠。酌定各項考試策論文體，以一風氣而育人才。改《時務報》爲官報。請定中國報律[5]。

如果以康有爲在戊戌年間，「百日維新」時所提出來的改革建議，作爲是晚清變法圖強中最具代表性的改革意見，取之而與孫詒讓在《周禮政要》中的改革意見，作一粗略的比對，則可以發現一些現象：

1.孫詒讓的改革意見，提出的時間較晚，許多意見，相信都已參酌了不少前人的看法，而後提出了自己的綜合意見，當然，處在那一危急存亡的時代中，有許多意見，相信也是大家人同此心、心同此理的改革願望。

2.康有爲等人所主張的「立憲」目標，在孫詒讓的《周禮政要》之中，是無法見到的，

---

[5] 見湯志鈞教授：《康有爲傳》，台北，商務印書館初版，一九九七年十二月。

因此，較之康梁等人「立憲」「虛君」的主張，孫詒讓所規劃的改革意見，無疑是比較保守，也許，在戊戌變法失敗之後，孫氏也只能提出一些在當時體制之內的改革意見，在政治的體制上，便不敢有大規模的突破了。（一九九八年戊戌，康梁變法失敗，光緒帝已遭囚禁，一九〇二年壬寅，《周禮政要》成書，而西太后卒於一九〇八年。）

3.康有爲的改革意見，由於是在歷次上光緒帝的奏摺中，陸續地提出，故不免針對當時個別的需要，先後加以強調，因此，總體來說，意見也不免零星，欠缺系統，不如孫詒讓在《周禮政要》中的意見，較爲全面，系統較爲完密。

4.康有爲所提出的改革意見，理想性較高，也較爲激進，孫詒讓在《周禮政要》中所提出的改革意見，則較爲溫和，也較爲具體可行，較易獲得實踐的效果。

5.孫詒讓在《周禮政要》中，所提出的改革意見，也參酌了不少西方的制度與見解，其在今日視之，自然並無特殊新異之處，但在當時，則應該是相當具有「現代化」的觀點，在當時，已經不失爲是邁向「現代化」的起步工作了。

6.孫詒讓《周禮政要》一書，目的在改革舊弊，規劃新政，只是在形式上，卻又依附《周禮》的典制，尊崇舊籍，不免有「以西學緣附中學」之嫌，只是，托古改制，本來就是舊時士大夫慣用的手法❻，況且，改革舊制，推行新政，強調西制新政出於經典古籍，也不失爲是一種化解反對聲浪的辦法❼，則孫氏的改革意見，需要去依附《周禮》，也可能是有著某些不得已的苦衷。

總之，孫詒讓在晚清時代，本來是一位受舊傳統影響甚深的學者，在學術的統系上，他也是一位古文經學的大師，爲學的方向，注重訓詁名物的考訂，而與公羊今文經學的傳統，借經義以議論政事的作風，並不相同，但是，生當晚清時代，國事危殆之際，懍於國家的災禍，生民的艱難，孫氏能夠秉承知識分子的良知，改弦易轍，接納新知，貢獻所學，力圖挽救沈淪，推其用心，自然也是具有一種極爲可貴的情操存在，而其所撰著的《周禮政要》一書，雖然，後來也並未經清廷採用，但是，在晚清變法圖強的政治思想史中，仍然應當有其一定的地位存在。

❻ 參王爾敏教授：〈清季維新人物的託古改制論〉，載所著《晚清政治思想史論》。

❼ 參全漢昇教授：〈清末的「西學源出中國」說〉，載《嶺南學報》四卷二期，民國二十四年八月出版。

十一、〈儒行〉考證

(一)引　言

〈儒行〉爲今本小戴《禮記》四十九篇之一，篇內大義，記孔子對魯哀公之問，陳述儒者道德行爲之事，所述要旨，區爲十有五項，而終之以哀公既聞孔子之說，言加信，行加義，於是終身不敢以儒爲戲。

《禮記》一書，輯自孔門後學之手，[1]而〈儒行〉一篇，後世學者，或有疑其不類於儒家之言者，衛湜《禮記集說》卷一四七〈儒行篇〉引呂大臨之言曰：

[1] 《漢書·藝文志》六藝略禮類有「記百三十一篇」，班固《注》云：「七十子後學者所記也。」《禮記正義》引鄭玄〈六藝論〉云：「傳禮者十三家，唯高堂生及五傳弟子戴德、戴聖名在也，戴德傳記八十五篇，戴聖傳記四十九篇。」

此篇之說，有矜大勝人之氣，少雍容深厚之風，似與不知者力爭於一旦，竊意末世儒者，將以自尊其教，有道者不爲也。

程頤亦嘗言曰：

〈儒行〉之篇，此書全無義理，如後世遊說之士所爲誇大之說，觀孔子平日語言，有如是者否？❷

又曰：

禮記之文，多謬誤者，〈儒行〉、〈經解〉，非聖人之言也。❸

《朱子語類》卷八十七記朱熹曰：

❷ 見《河南程氏遺書》卷十七。

❸ 見《河南程氏粹言》卷一。

〈儒行〉、〈樂記〉，非聖人之書，乃戰國賢士爲之。

《宋史》卷四三三〈高閌傳〉曰：

時將賜新進士〈儒行〉、〈中庸〉篇，閌奏〈儒行〉詞說不醇，請止賜〈中庸〉，庶幾學者得知聖學淵源，而不惑於他說。

王夫之《禮記章句》卷四十一曰：

〈儒行〉一篇，詞旨誇誕，略與東方朔、楊雄俳諧之言相似，……蓋於《戴記》四十九篇之中，獨爲疵戾，而不足與《五經》之教，相爲並列。

杭世駿《續禮記集說》卷九十六〈儒行篇〉引姚際恒之言曰：

其篇中所言，輕世肆志，迂闊陂僻，鮮有合于聖人之道也。

上述諸人所論，雖則如是，然而夷考其實，則〈儒行〉所記，一十五儒，大體言之，亦誠無違於儒家孔孟之要義者，以下姑就所知，試爲辨證。

(二)〈儒行〉中有與孔孟之言極相符合者

〈儒行〉一十五儒，所記儒者「自立」、「容貌」、「備豫」、「近人」、「特立」、「剛毅」、「自立」、「出仕」、「憂思」、「寬裕」、「舉賢援能」、「任舉」、「特立獨行」、「規爲」、「交友」、「尊讓」等事，而歸本於「仁」者，大體言之，固無悖於孔孟之要義，至於其與儒家思想，尤相符合者，亦可條列於下，比較其大義，如〈儒行篇〉論儒者之「自立」曰：

> 儒有席上之珍以待聘，夙夜強學以待問，懷忠信以待舉，力行以待取。

此則《論語・里仁篇》所謂「不患無位，患所以立，不患莫己知，求爲可知也」，以及〈憲問篇〉所謂「不患人之不己知，患其不能也」之義也。又如〈儒行篇〉論儒者之「容貌」曰：

儒有衣冠中，動作愼，其大讓如慢，小讓如僞，大則如威，小則如愧。

此則《論語・堯日篇》所謂「君子正其衣冠，尊其瞻視，儼然人望而畏之，斯不亦威而不猛乎」之義也。又如〈儒行篇〉論儒者之「備豫」曰：

儒有居處齊難，其坐起恭敬，言必先信，行必中正。

此則《論語・顏淵篇》所謂「出門如見大賓，使民如承大祭」之義也。又如〈儒行篇〉論儒者之「近人」曰：

難得而易祿也，易祿也而難畜也，非時不見，不亦難得乎，非義不合，不亦難畜乎，先勞而後祿，不亦易祿乎。

論儒者之「容貌」曰：

其難進而易退也，粥粥若無能也。

此則《論語・子路篇》所謂「君子易事而難說也，說之不以其道，不說也，及其使人也，器之」之義也。又如〈儒行篇〉論儒者之「特立」曰：

儒有委之以貨財，淹之以樂好，見利不虧其義，劫之以眾，沮之以兵，見死不更其守。

論儒者之「剛毅」曰：

儒有可親而不可劫也，可近而不可迫也，可殺而不可辱也。

此則《論語・衛靈公篇》所謂「志士仁人，無求生以害仁，有殺生以成仁」，《孟子・滕文公篇》所謂「富貴不能淫，貧賤不能移，威武不能屈，此之謂大丈夫」之義也。又如〈儒行篇〉論儒者之「特立」曰：

往者不悔，來者不豫，過言不再，流言不極。

此則《論語．微子篇》所謂「往者不可諫，來者猶可追」，以及〈雍也篇〉所謂「不遷怒，不貳過」之義也。又如〈儒行篇〉論儒者之「憂思」曰：

讒諂之民，有比黨而危之者，身可危也，而志不可奪也，雖危，起居竟信其志，猶將不忘百姓之病也。

此則《論語．子罕篇》所謂「三軍可奪帥也，匹夫不可奪志也」，以及《孟子．離婁篇》所謂「禹思天下有溺者，由己溺之也，稷思天下有飢者，由己飢之也」之義也。又如〈儒行篇〉論儒者之「寬裕」曰：

禮之以和爲貴。

此則《論語．學而篇》所謂「禮之用，和爲貴」之義也。又如〈儒行篇〉論儒者之「特立獨行」曰：

同弗與，異弗非也。

此則《論語·子路篇》所謂「君子和而不同」之義也。

要之，上述所引〈儒行篇〉中文字，雖不盡同於《論語》、《孟子》，論其大義，則與孔孟所言，並無二致者，此其意義，實不悖於儒家基本之要旨也。

(三)〈儒行〉中有意義涉於可疑者

〈儒行篇〉中，大體而論，雖多符合於孔孟之思想，然而，其意義去儒家稍遠，而涉於疑似之間者，亦尚有之，如〈儒行篇〉論儒者之「特立」曰：

鷙蟲攫搏，不程勇者，引重鼎，不程其力，往者不悔，來者不豫，過言不再，流言不極，不斷其威，不習其謀。

此文所述，王夫之以爲「所言皆剛愎冒昧之行」❹，姚際恒以爲「皆不合義理之言」❺。然而孔子以六藝爲教，射之與御，孰非武事，儒者達德，亦必言勇，是儒者之行，剛健不息，本兼具任俠之風，孔穎達謂此文乃「明儒者之行，挺特而言，有異於眾之事」❻，本非以常理計之也，晏光謂此文「鷙鳥而攫搏之，人皆以爲勇，吾則不程計其勇，爲其暴虎者，尙勇而不尙義也，重鼎而能引之，人皆以爲有力，吾則不程計其力，爲其扛鼎者，尙力而不尙德也」❼，所釋最爲得要，蓋儒者之行，其養勇也，配義與道，一往無前，然亦絕非血氣之剛決而已，陸奎勳以爲此文所述，「即夫子不與暴虎馮河之意」❽，其說實具見解。又如〈儒行篇〉論儒者之「剛毅」曰：

儒有可親而不可劫也，可近而不可迫也，可殺而不可辱也，其居處不淫，其飲食不

---

❹ 見所著《禮記章句》卷四十一。
❺ 引見杭世駿《續禮記集說》卷九十六。
❻ 見所著《禮記正義》卷五十九。
❼ 引見衛湜《禮記集說》卷一四七。
❽ 同注❺。

辱，其過失可微辨而不可面數也。

此文所述，呂大臨以為「其過失可微辨而不可面數也，此一句疑尚氣好勝之言，於義理有所未合也」，「子路聞過則喜，孔子幸人之知過，成湯改過而不吝，推是心也，苟有過失，雖怨罵且將受之，況面數乎」❾，王夫之亦以為「其云過失不可面數，尤為謬妄」❿。今案改過遷善，為孔孟所恒言，此文謂人之過失，不宜面數，故論者以為非儒家之旨也，然此節論儒者「剛毅」之行，儒者有過，非不欲人之忠告而善導之也，乃不欲人之以盛氣面數，而近於凌辱也。此文之義，方愨以為，「微辨者，諷諭之也，面數者，指斥之也，凡此皆所體者剛，所用者毅然也」⓫，熊十力以為「人不能無過失，儒者能容人之微辨，則未嘗怙過而阻人之忠告也，面數則以盛氣凌人，意氣纔動，自有苛求過深處，有誣且辱之嫌，故儒者不受

❾ 同注❼。

❿ 同注❹。

⓫ 同注❼。

也」⓬，所論要亦不誣，蓋人之稟賦，各有不同，聞過則喜，自非大聖，孰能為之，子游不云乎，「事君數，斯辱矣，朋友數，斯疏矣」⓭，此論儒者剛毅之行，不受面數，亦人情之常耳，似亦無可致疑者。又如〈儒行篇〉論儒者之「寬裕」曰：

舉賢而容眾，毀方而瓦合。

此文所述，姚際恒以為「毀方瓦合，全是鄉原本領，不合義理之言」⓮。姜兆錫亦以為「或疑毀方句似非聖人之言」⓯。今案毀方瓦合，乃譬喻之辭，自來釋此文者，多以陶瓦方圓之意說之，不免求之過深，蓋此節所述，即儒者以「寬裕」存心，善與人同之意也，鄭玄以為此即「去己之大圭角，下與眾人小合也」⓰，張載以為此即「毀圭璧之圭角，以與瓦礫合也」

⓬ 見所著讀《經示要》卷一。

⓭ 見《論語・里仁篇》。

⓮ 同注❺。

⓯ 同注❺。

⓰ 見《禮記・儒行篇》注。

[17]，方苞以爲此即「儒者內方以自守，外微曲以和眾，似此」[18]，趙良澍以爲「此非和光同塵之謂也，毀己之方，以爲瓦合，亦欲引其人以進於賢，使之有所遷改耳，倘必嚴顏厲氣，圭角凜然，彼必畏而不敢進，故仲尼不爲已甚，雖互鄉童子，亦可見也」[19]，說皆當理，無庸於此，別致懷疑也。

凡上數節，〈儒行篇〉中，其意義似有涉於可疑者，經釐析疏解之後，亦不復別有疑慮存焉，然則上述〈儒行〉之言，雖或稍顯特殊，而其大義，實皆不悖於孔孟之要旨也。

(四)自思想演進上推測〈儒行〉著成之時代

討論〈儒行篇〉著成之時代，此擬就其思想演進，學術發展，先作推測，然後就其名物典制，古今文字，更作考察。

---

[17] 引見衛湜《禮記集說》卷一四八。

[18] 同注[5]。

[19] 見所著《讀禮記》卷十二。

〈儒行〉之篇，論者或以爲成於漆雕氏之儒者所作[20]，考《韓非子·顯學篇》曰：

世之顯學，儒墨也，儒之所至，孔丘也，墨之所至，墨翟也，自孔子之死也，有子張之儒，有子思之儒，有顏氏之儒，有孟氏之儒，有漆雕氏之儒，有仲良氏之儒，有孫氏之儒，有樂正氏之儒。

又曰：

漆雕之議，不色撓，不目逃，行曲則違於臧獲，行直則怒於諸侯，世主以爲廉而禮之。

今案《史記·仲尼弟子列傳》，有漆雕開字子開，《索隱》謂少孔子十一歲，韓非所謂漆雕氏之儒，當即其人，考《孟子·公孫丑》記北宮黝之養勇也，「不膚撓，不目逃，思以一毫

[20] 見章炳麟〈儒行大意〉，載《國學商兑》一卷一期，此引見於劉百閔《經學通論》頁五八二。

挫於人，若撻之於市朝，不受於褐寬博，亦不受於萬乘之君，視刺萬乘之君，若刺褐夫，無嚴諸侯，惡聲至，必反之」，又記孟施舍之養勇也，「曰，視不勝猶勝也，量敵而後進，慮勝而後會，是畏三軍者也，舍豈能爲必勝哉？能無畏而已矣」，故孟子以爲孟施舍似曾子，北宮黝似子夏。《孟子》又記曾子謂子襄之言曰：「子好勇乎，吾嘗聞大勇於夫子矣，自反而縮，雖褐寬博，吾不惴焉，自反而縮，雖千萬人，吾往矣。」則孟子所述北宮黝之勇，與韓非所述漆雕氏之勇㉑，誠然相若，豈北宮黝即漆雕氏之儒者後學歟㉒？而孟子謂北宮黝似子夏㉓，孟施舍之守氣似曾子，夫曾子之自反守約，千萬人吾往，孟子之養浩然之氣，配義與道，上溯孔子之「勇者不懼」㉔之言，似皆能先後相承者，然則儒家思想之中，實亦本有

㉑《漢書·藝文志》諸子略儒家有漆雕子十三篇，班固《注》云：「孔子弟子漆雕啓後。」其書已佚，馬國翰《玉函山房輯佚書》輯有《漆雕子》一卷。

㉒翟灝《四書考異》嘗疑漆雕爲北宮黝之字，說不可信。

㉓《韓詩外傳》卷六記子夏云：「所貴爲士者，上攝萬乘，下不敢敖乎匹夫，外立節矜，而敵不侵擾，內禁殘害，而君不危殆，是士之所長，君子之所致貴也。」略可窺見子夏所論之勇。

㉔見《論語·子罕篇》。

此剛勇狷狂之一脈，爲無疑也，「世有大儒，固舉俠士而並包之」㉕，亦無待取資於墨家之任俠矣。

如就年世先後論之，則孔子生於周靈王二十一年，當西元前五五一年，漆雕開生於周景王五年，當西元前五四〇年，子夏生於周敬王十三年，當西元前五〇七年，曾子生於周敬王十五年，當西元前五〇五年，孟子生於周烈王四年，當西元前三七二年㉖，其間思想承傳，自有影響，從可知也，而〈儒行篇〉中所述儒者剛毅勇決之行，規爲憂思之志，實足以繼軌孟軻、曾參，上承子夏、漆雕、孔子，而有以光大之者，故郭斌龢以爲，〈儒行〉「全篇所述，光明俊偉，剛而無虐，與儒家所提示之理想人格，大體不甚相違，斷爲孔子學說中應有之義蘊，七十子相傳之遺訓，則可無疑耳。」㉗是以若就思想發展言之，則〈儒行〉之作，其當在孟子之後矣。

周威烈王二十三年，當西元前四〇三年，韓、趙、魏三家分晉，訖於秦始皇二十六年，

㉕ 見章炳麟《旭書·儒俠》第六，章氏又云：「漆雕氏最與游俠相近。」

㉖ 此據姜亮夫《歷代人物年里碑傳綜表》，以下所述人物生卒年代，所據並同。

㉗ 見所撰〈讀儒行〉一文，載《思想與時代》月刊第十一期。

兼併六國，一統天下，時當西元前二二一年，二百年間，是爲戰國時代，然而〈儒行〉之作，如在孟子（西元前三七二年）之後，則在戰國之初葉矣。

陳澔《禮記集說》卷四十一引李氏曰：

〈儒行〉非孔子之言也，蓋戰國豪士，所以高世之節耳。

孫希旦《禮記集說》卷五十七〈儒行篇〉曰：

此篇不類聖人之氣象，先儒多疑之，而哀公爲人多妄，卒爲三桓所逐，其於孔子，則生不能用，沒而誄之，所謂言加信，行加義，終沒吾世，不敢以儒爲戲者，亦夸大之辭爾，蓋戰國時儒者見輕於世，故爲孔子之學者，託爲此言，以重其道，其辭雖不粹，然其正大剛毅之意，恐亦非荀卿以下之人所能及也。

熊十力《讀經示要》卷一曰：

〈儒行〉一篇，其七十子後學當戰國之衰而作乎。

日人武內義雄嘗撰〈兩戴記考〉㉘一文，以《大戴記》中之「哀公問五義」、「哀公問於孔子」及《小戴記》中之「儒行」，合爲一組，加以研究，所得結論，乃曰：

王肅《孔子家語》，分析此三篇之文，而爲〈大昏解〉、〈儒行解〉、〈問禮〉、〈五儀解〉四篇，而連聚於一處。

又曰：

此三篇，雖非出於同時一手之筆，亦可想其爲同學派之著作，《家語》接續此三篇之文，其次第當有所據，此三篇之製作年次雖不明，其思想殆略先於荀子。後世一般奉孔子之學者爲儒，孟子以前，治異端之學者，譏孔門之徒爲儒，而孔門之徒，

㉘ 載江俠庵所譯《先秦經籍考》，商務印書館出版。

無自己標儒之目者，至荀子始極口說儒效，蓋儒字有儒弱儒媛之義，孔門之學，實有缺點，則攻異端之道者，譏孔子之徒爲儒，當爲命名之初，而儒以道藝教民之美名，當在荀子以後，〈儒行篇〉：「今眾人之命儒也妄，常以儒相詬病。」此暗示儒不得爲美名之時代，可以想像此三篇，在荀子以前之作者，亦同一之理由也。

熊十力謂〈儒行〉之作，當在戰國之衰，孫希旦、武內義雄，則謂〈儒行〉著成，略先於《荀子》，荀子生於趙武靈王十三年，當西元前三一三年，〈儒行篇〉之著成，設其時代略先於《荀子》，則亦當在戰國之中期矣。儒字是否有弱緩之義，本屬可疑，又〈儒行篇〉中，雖則曰「眾人之命儒也妄，常以儒相詬病」，《荀子》亦嘗盛推「大儒之效」，然而以此一端，即論定〈儒行〉著成於《荀子》之前，似亦未可取信於人者，且孔子之告子夏也，明謂「女爲君子儒，毋爲小人儒」㉙，夫子已自命弟子爲儒矣，豈得謂「孔門之徒，無自己標儒之目者」？亦不得謂〈儒行篇〉乃攻異端之道者，「譏孔子之徒爲儒」，且以此即「爲命名之初」也。

㉙ 見《論語・雍也篇》。

然而，荀卿爲傳經之儒，《荀子》書與《禮記》關係之密切，自不待言㉚，即就〈儒效〉而論，其與〈儒行〉，兩篇義蘊，亦多可以相通之處，如〈儒效〉言「君子務修其內而讓之於外，務積德於身而處之以遵道」，此與〈儒行〉所言「儒有席上之珍以待聘，夙夜強學以待問，懷忠信以待舉，力行以待取」之義相當；又如〈儒效〉言「雖窮困凍餒，必不以邪道爲貪，無置錐之地，而明於社稷之大義」，此與〈儒行〉所言「儒有委之以貨財，淹之以樂好，見利不虧其義，劫之以眾，沮之以兵，見死不更其所」之義相當；又如〈儒效〉言「君子無爵而貴，無祿而富，不言而信，不怒而威，窮處而榮，獨居而樂」，此與〈儒行〉所言「儒有忠信以爲甲冑，禮義以爲干櫓，戴仁而行，抱義而處」之義相當；又如〈儒效〉言「彼大儒者，雖隱於窮閻漏屋，無置錐之地，而王公不能與之爭名」，此與〈儒行〉所言「儒有上不臣天子，下不事諸侯」，「砥厲廉隅，雖分國，如錙銖」之義相當；蓋〈儒效〉之與〈儒行〉，皆所以明儒者之行徑者也，兩篇大義，既多相似，撰者時代，當亦相近，然則就其思想演進發展言之，則〈儒行〉之作，其上限當與《荀子》著成之時代，約略相近，爲其準繩。

㉚ 汪中〈荀卿子通論〉云：「荀卿之學，出於孔氏，而尤有功於諸經。」又云：「荀卿所學，本長於禮。」

㈤自名物文字上考察〈儒行〉著成之時代

以上先就思想演進學術發展上，推測〈儒行篇〉撰著之時代，以下再自名物典制古今文字上，更作考察，〈儒行篇〉論儒者之「出仕」有曰：

儒有一畝之宮，環堵之室，篳門圭窬，蓬戶甕牖，易衣而出，並日而食。

今考秦漢以前載籍，凡言「宮」字，其數數見之者，如

《左傳》僖公二十八年：「令無入僖負羈之宮。」

《詩．豳風．七月》：「我稼既同，上入執宮功。」

《易．繫辭下傳》：「上古穴居而野處，後世聖人，易之以宮室。」

《禮．曲禮》：「君子將營宮室，宗廟爲先。」

《論語．子張》：「譬之宮牆，賜之牆也及肩，窺見室家之好，夫子之牆數仞，不

得其門而入。」

《孟子．滕文公上》：「舍皆取諸其宮中而用之。」

前引載籍，尋繹上下文義，則知「宮」字之義，均屬泛稱，民間皆得用之，而不爲帝王居宅之專名也，《說文》云：「宮，室也」，《爾雅．釋宮》：「宮謂之室，室謂之宮。」陸德明《爾雅．釋宮．釋文》云：「古者貴賤同稱宮，秦漢以來，唯王者所居稱宮焉。」邢昺《爾雅注疏》亦云：「古者貴賤所居，皆得稱宮，故《禮記》曰，自命士以上，父子皆異宮，又〈喪服傳〉，繼父爲其妻前夫之子築宮廟，是士庶人皆有宮稱也，至秦漢以來，乃定爲至尊所居之稱。」桂馥《說文義證》云：「宮室一也，秦以來，尊者以爲帝號，乃避之耳。」論者多謂，自始皇以後，「宮」字始爲帝王之專稱，然則「儒有一畝之宮」，正可以見〈儒行〉之作，出於始皇以前也，且〈儒行篇〉論儒者之「規爲」有曰：「儒有上不臣天子，下不事諸侯。」又曰：「雖分國，如錙銖，不臣不仕。」其言「不臣天子，不事諸侯」，言「分國」，皆約略可見此當爲秦一統天下以前之稱謂，否則，如秦既一統天下，則已無「諸侯」可事，已無「國」之可分，雖欲「不臣天子」，又將焉往？以此推之，〈儒行〉之作，其時代之下限，要當在秦之一統天下以前，從可知也。

復次，〈儒行篇〉論儒者之「舉賢援能」有曰：

儒有內稱不辟親，外舉不辟怨。

今考內稱外舉，不避親怨之事，古籍率多記之，《左傳》襄公三年曰：

祁奚請老，晉侯問嗣焉，稱解狐，其讎也，將立之而卒，又問焉，對曰：「午也可。」於是羊舌職死矣，晉侯曰：「孰可以代之？」對曰：「赤也可。」於是使祁午為中軍尉，羊舌赤佐之，君子謂祁奚於是能舉善矣，稱其讎，不為諂，立其子，不為比，舉其偏，不為黨。

《國語．晉語》七曰：

祁奚辭於軍尉，公問焉，曰：「孰可？」對曰：「臣之子午可，人有言曰，擇臣莫若君，擇子莫若父。」

《韓非子·外儲說左下》曰：

中牟無令，晉平公問趙武曰：「中牟，晉國之股肱，邯鄲之肩髀，寡人欲得其良令也，誰使而可？」武曰：「邢伯子可。」公曰：「非子之讎也？」曰：「私仇不入公門。」公文問曰：「中府之令，誰使而可？」曰：「臣子可。」故曰，外舉不避讎，內舉不避子。

《韓非子·說疑》曰：

聖王明君則不然，內舉不避親，外舉不避仇。

《呂氏春秋·去私》曰：

晉平公問於祁黃羊曰：「南陽無令，其誰可而為之？」祁黃羊對曰：「解狐可。」平公曰：「解狐非子之讎邪？」對曰：「君問可，非問臣之讎也。」平公曰：「善。」

遂用之，國人稱善焉，居有間，平公又問祁黃羊曰：「國無尉，其誰可而為之？」對曰：「午可。」平公曰：「午非子之子邪？」對曰：「君問可，非問臣之子也。」平公曰：「善。」又遂用之，國人稱善焉。孔子聞之曰：「善哉，祁黃羊之論也，外舉不避讎，內舉不避子，祁黃羊可謂公矣。」

上引載籍，就其先後言之，則《左傳》所記祁奚之事，爲時最早，亦當爲此舉讎舉子諸說之根源，茲須加以考明者，則〈儒行篇〉中內稱外舉皆作「辟」，而《韓非》、《呂覽》皆作「避」，用字有「辟」「避」之異，此則可以留意者也。考《說文》云：「辟，法也。」段玉裁《注》云：「或借爲避。」徐灝《說文解字注箋》云：「按退避字，古但作辟，如〈曲禮〉旋辟辟拜是也。」朱駿聲《說文通訓定聲》亦謂辟假借爲避，則「辟」「避」二字，爲「古今字」矣，「辟」爲古有之本字，「避」爲累增之今字，夫「古今者，不定之名也，三代爲古則漢爲今，漢魏晉爲古則唐宋以下爲今。」31所謂古今字者，蓋「字有不加偏旁而義已足者，則其偏旁爲後人遞加也，其加偏旁而義遂異者，是爲分別文」，「其加偏旁而義不

---

31 見段玉裁〈廣雅疏證序〉。

異者，是謂累增字」㉜，其累增之字與古有之字，即「古今字」之關係也㉝，故就文字發展演進言之，古當先有「辟」字，其字實兼具躲藏之義矣，後人爲求辨晰明確，於是乃加辵爲偏旁形符，更成「避」字，以專其躲藏之義，此則「辟」「避」古今字產生之經過也。然則，就「辟」「避」二字推之，「辟」先於「避」，是〈儒行篇〉之著成，亦當在《韓非》、《呂覽》之前矣。而《荀子》書中，凡稱躲藏之義，亦多用「辟」字，不用「避」字者，如

《荀子·榮辱》：「不辟死傷。」楊倞《注》：「辟，讀為避。」

《荀子·彊國》：「負三王之廟而辟於陳蔡之間。」楊倞《注》：「辟，讀為避」。

《荀子·解蔽》：「辟耳目之欲。」楊倞《注》：「辟，屏除也。」

《荀子·大略》：「大夫之臣，拜不稽首，非尊家臣也，所以辟君也。」楊倞《注》：「辟，讀為避。」

《荀子·君道》：「辟此三惡。」梁啟雄《柬釋》云：「辟、避古今字。」

㉜ 見王筠《說文釋例》卷八，釋「分別文」、「累增字」。

㉝ 古今字之意義，王了一《古代漢語》有較明確之解說。

古今字與通假字，略有不同，通假字者，鄭康成云：「其始書之也，倉卒無其字，或以音類比方，趨於近之而已。」㉞王引之亦云：「許氏《說文》論六書之假借曰，本無其字，依聲託事，令長是也，蓋本無字而後假借也，此謂造作文字之始也。至於經典古字，聲近而通，則有不限於無字之假借者，往往本字見存，而古本則不用本字而用同聲之字，學者改本字讀之，則怡然理順，依借字讀之，則以文害辭，是以漢世經師作注，有讀爲之例，有當作之例，皆由聲同聲近者，以意逆之，而得其本字，所謂好學深思，心知其意也。」㉟然則通假字與古今字，就其產生之原因而言，兩者實不相類也。段玉裁嘗曰：「凡傳注言讀爲者，皆易其字也」㊱，又云：「讀爲讀曰者，易其字也，易之以音相同之字」㊲。《荀子》中凡躲藏義作「辟」者，蓋其時無「避」字耳，自後人視之，則「辟」「避」爲古今字，不當爲正假字，楊倞以「辟」爲「避」之通假字，是猶未達一間耳。

荀卿卒於楚考烈王二十五年，當西元前二三八年，呂不韋卒於秦始皇十二年，當西元前

㉞ 引見陸德明《經典釋文·序》。

㉟ 見所著《經義述聞》卷三十二，〈論經文假借〉。

㊱ 見所著《說文解字注》卷一上桼字注。

㊲ 見所著《周禮漢讀考·序》，載《經韻樓集》卷二。

二三五年，韓非卒於秦始皇十四年，當西元前二三三年。《呂氏春秋》之撰著，在秦始皇七年[38]，當西元前二四〇年，《韓非子》之單篇著成，雖或較早，而其全書之成，或當稍晚於《呂氏春秋》[39]，而《荀子》之書，因內容駁雜，部份篇章，彙集於荀子後學之手，然而書中主要部份，出自荀卿自撰者，其著成年代，必當在《呂氏春秋》以前，爲無疑矣[40]。然則由是推之，〈儒行篇〉之著成，其當與《荀子》時代，略相先後，其年代下限，則又必當在《韓非子》與《呂氏春秋》成書以前，亦即在秦始皇一統天下之前也。

㈥結　論

綜合以上所論，約有數端，分述如下：

[38] 此據錢穆先生《先秦諸子繫年》中〈呂不韋著書考〉所論定者。

[39] 《史記．韓非傳》云：「人或傳其書至秦，秦王見〈孤憤〉〈五蠹〉之書曰，嗟乎，寡人得見此人，與之游，死不恨矣，李斯曰，此韓非所著書也。」《四庫提要》云：「疑非所著書，本各自爲篇，非歿之後，其徒收拾編次，以成一帙。」

[40] 《荀子》書中關於荀卿自著之篇目問題，胡適之先生《中國哲學史大綱》、楊筠如《荀子研究》，皆有討論，可資參稽。

其一，或疑〈儒行〉所述，非儒家本義者，考《說文》云：「儒，柔也，術士之稱。」後人惑於許君以柔訓儒之說，是以討論儒學起源，多以儒緩柔弱爲說[41]，馴至以視〈儒行篇〉中有關剛毅果決之行，皆疑爲不合於儒者之行徑，鄭康成注〈儒行篇〉嘗云：「儒之言優也和也，言能安人，能服人也。」儒能安人服人，則儒者不必皆爲柔弱之人矣[42]，程頤謂〈儒行〉「全無義理」，高閌謂〈儒行〉「詞說不醇」，此蓋宋人以儒緩迂柔視儒者，以心性之教爲儒行，自不免視〈儒行〉爲不合於聖人之義理也。熊十力嘗云：「兩宋理學，大抵不脫迂謹，末流遂入鄉愿。」又云：「宋明諸儒，本無晚周儒者氣象，宜其不解〈儒行〉也。」又云：「十五儒，顯晦異跡，而行事皆出乎中正，不審伊川何故斥爲虛誇也。」[43]然則宋人之深斥儒行者，亦道不同不相爲謀之意也。

---

[41] 近人討論儒字之原始意義及儒學之起源者甚多，而以章炳麟〈原儒〉、胡適之〈說儒〉、馮友蘭〈原儒墨〉、錢穆〈駁胡適之說儒〉、饒宗頤〈釋儒〉、戴君仁〈儒的來源推測〉等較爲重要。

[42] 饒宗頤先生〈釋儒——從文字訓詁學上論儒的意義〉一文，載《東方文化》一卷一期，即以「安」之觀點詮釋「儒」字之原始意義，所論頗爲切要。

[43] 同注[12]。

其二，或疑〈儒行〉所記，非出於孔子之言者，然而《禮記》輯成於七十子後學之手，其所記言語，一一求其必皆出於孔子之口，亦大難也。陸世勳嘗云：「《戴記》中〈表記〉、〈緇衣〉之屬，孰非漢儒所推衍者，何獨于〈儒行〉而疑之。」❹❹莊有可亦云：「雖非孔子之言，然學者果能實踐之，亦庶幾無愧於儒者。」❹❺呂大臨雖謂〈儒行篇〉「有矜大勝人之氣，少雍容深厚之風」，然亦謂「其言儒者之行，不合於義理者殊寡。」❹❻是則〈儒行〉要旨，果有可取，其合於孔子之用心，足矣，亦不必字字定出於孔子之口也。❹❼

其三，〈儒行〉之作，其著成之時代，則上限當在孟子以後，下限當在秦始皇一統天下以前，而約略與荀卿之時代，適相先後也。

其四，〈儒行〉所記，意義正大，雖則不無微瑕，然亦多能契合於孔孟剛健自強之要旨，而尤近於孔門狂狷之一脈❹❽，王夫之謂其「略與東方朔、楊雄俳諧之言相似」，姚際恒謂其

---

❹❹ 同注❺。

❹❺ 見所著《禮記集說》卷四十一。

❹❻ 同注❼。

❹❼ 章炳麟《國學略說・經學略說》云：「二《戴記》中〈哀公問〉、〈儒行〉、〈仲尼燕居〉、〈孔子閒居〉、〈王言〉諸篇，皆孔子一人之言，七十子後學者所記。」

❹❽ 《明儒學案》卷六十〈東林學案〉三，記顧涇凡之言云：「學問須從狂狷起腳，然後能從中

「鮮有合於聖人之道」者，過矣。章炳麟嘗云：「〈儒行〉記十五儒，皆剛毅特立者」，「今之世，資於孔氏之言者寡也，資之，莫若十五儒。」㊾熊十力嘗云：「奇偉節行之提倡，〈儒行〉一篇，觸處皆是。」㊿郭斌龢嘗云：「〈儒行〉大旨，在激厲志節」，「所說十五儒，大抵發揚蹈厲，堅苦卓絕，不柔弱，不侈靡」，「〈儒行〉所重，乃在提倡行己有恥，見危授命之氣節」，「當喪亂污濁之世，立身應變，〈儒行〉所言，似更親切有味。」51然則今日究心孔學者，尤當取資於〈儒行〉，俾得掃落頹靡，強毅果決，莊敬不已，以重光儒門剛健之德也。

（本文原刊於《書目季刊》第十八卷第四期「屈翼鵬院士逝世六週年紀念專號」，民國七十四年三月出版）

行歇腳，近日之好為中行，而每每墮入鄉愿窠臼者，只因起腳時，便要做歇腳事也。」此說移以與〈儒行〉篇相印證，其義旨尤相契合。

㊾ 同注㉕。

㊿ 同注⑫。

51 同注㉗。

十二、引史證經　義取鑑戒
——楊萬里《誠齋易傳》試探

(一)引　言

楊萬里字廷秀，號誠齋，江西吉水人，生於南宋高宗建炎元年，卒於寧宗開禧二年，當西元一一二七年至一二〇六年，享年八十三歲。楊氏於高宗紹興二十四年，進士及第，歷官太常博士，吏部侍右郎官，寶謨閣學士。❶

楊萬里爲著名之詩人，然亦精於《易》學，撰有《誠齋易傳》一書，大旨本於程頤《易傳》，而多引史事，加以證發，全祖望曾評論其書云：「《易》至南宋，康節之學盛行，鮮

❶ 楊氏生平，見《宋史》卷四三三〈儒林傳〉。

有不眩其說，其卓然不惑者，則誠齋之《易傳》乎？其於圖書九十之妄，方位南北之譌，未嘗有一語及者，得意忘象，得象忘言，清談娓娓，醇乎其醇，眞潦水盡而寒潭清之會也，中多以史事證經學，尤爲洞達，予謂明輔嗣之傳，當以伊川爲正脈，誠齋爲小宗，胡安定、蘇眉山諸家不如也。」❷全氏以爲，《易》學之傳，自王弼掃象之後，唯有程子《易傳》，最能承繼王弼《易》學之精神，闡發義理，程子以下，則全氏最爲推崇楊萬里《誠齋易傳》以史證經之方式，以爲最能洞達易理之應用，《四庫提要》批評楊氏此書曾云：「是書大旨本程氏，而多引史傳以證之，初名《易外傳》，後乃改定今名，宋代書肆曾與《程傳》並刊以行，謂之《程楊易傳》。」又云：「舍人事而談天道，正後儒說《易》之病，未可以引史證經病萬里也。」對於楊書引史證經之特色，也給予了適當的評論。

楊萬里在《誠齋易傳》的〈自序〉中曾云：「《易》之爲言變也，《易》者，聖人通變之書也。」又云：「萬事之變方來，而變通之道先立，變在彼，變在此，得其道者，蚩可哲，惡可淑，青可福，危可安，亂可治，致身聖賢，而躋世泰和，猶反手也。」楊氏以爲，《周易》乃教人通變之書，世間萬事之變化，其先皆有將變之道理存在，讀《易》者，即貴在能

---

❷ 見全祖望、黃百家：《宋元學案・趙楊諸儒學案》，台北，世界書局，民國八十年。

見微知著，察知先機，把握變化之方向，而能轉危爲安，化災爲福，所以，楊氏解《易》，重在引用較爲明著之歷史事件，及歷史人物，以與《周易》原理，加以印證，俾使讀者，明白易曉，進而體悟經義，獲取教訓。

(二)探析

程頤《易傳》，重在闡明義理，常推天道，以明人事，故於釋《易》之際，也偶或引用歷史事件，以印證經義，例如在《周易・乾卦》之中，於「九二，見龍在田」，程子曰：「以聖人言之，舜之田漁時也」，於「九三，君子終日乾乾」，程子曰：「舜之玄德升聞時也」，於「九四，或躍在淵」，程子曰：「舜之歷試時也」，可見一斑，楊萬里則在《誠齋易傳》之中，將程子此種引史證經之方式，充分發揮，而形成楊氏釋《易》的特色。

楊萬里於《誠齋易傳》之中，率多先釋《易》義，然後廣泛引用歷史人物之重要史事，以與經義相印證，大約分析，其引用史事以證卦辭、卦象、彖辭者較少，以證爻辭爻象者最多，以下則試加列舉，以見其餘。

例如《周易・屯卦》曰：

屯，元亨利貞，勿用有攸往，利建侯。

《誠齋易傳》曰：

氣始交未暢曰屯，物句萌未舒曰屯，世多難未泰曰屯。物屯求亨，時屯亦求亨，然時屯求亨，其道有三：惟至正，爲能正天下之不正，故曰利貞，惟不欲速，爲能成功之速，故曰勿用有攸往，惟多助，爲能克寡助，故曰利建侯。漢高帝平秦項之亂，除秦苛法，爲義帝發喪，得屯之利貞，不王關中，而王之蜀漢，隱忍就國，而不敢校，得屯之勿用有攸往，會固陵，而諸侯不至，亟捐齊梁，以王信越，得屯之利建侯。二帝三王亨屯之三道，高帝未及也，而亨屯之功如此，而況及之者乎！❸

今按屯卦䷂，震下坎上，震義爲動，坎義爲險，動於險中，以象事物初生草創，遭遇艱難之情況，楊氏分析此卦卦辭意義，分爲三項重點，「惟至正，爲能正天下之不正」，「惟不欲速，爲能成功之速」，「惟多助，爲能克寡助」，然後取漢高祖不稱王於關中、亟封韓信彭

❸ 楊萬里：《誠齋易傳》，台北，中華書局影印《中華國學叢書》本，下引楊氏書並同。

越、終於戡平項羽之歷史事實，以與此卦卦辭中「利貞」、「勿用有攸往」、「利建侯」相喻，以證經義，以爲鑑戒。此爲楊氏引史事以證卦辭之例。

又如《周易・否卦》曰：

> 否之匪人，不利，君子貞，大往小來。

〈彖〉曰：

> 否之匪人，不利，君子貞，大往小來，則是天地不交，而萬物不通也，上下不交，而天下无邦也。

《誠齋易傳》曰：

> 《易》中極亂之辭，未有痛於否之〈彖〉者，匪人一用，何遽至於天地不交而萬物不通，上下不交而天地无邦乎？萬物不通，則舉天下而爲墟，天下无邦，則舉國家而

爲墟，小人之禍，何若是烈也！蓋秦亡於李斯上書之日，漢替於張禹談經之時，咸陽之煨燼，始皇之塗炭，何必見而後悟哉！

今按否卦䷋，坤下乾上，乾爲天，坤爲地，天氣上，地氣下，故爲上下不交，陰陽不合之象，故此卦〈彖辭〉，指爲天地不能相會，萬物不能通暢，上下不能相合，天下不能成國之象，陰爲小人居內，陽爲君子居外，故指爲小人之道漸長，君子之道漸消之象，楊氏推闡此卦〈彖辭〉，以爲「小人之禍，何若是烈也！」因舉秦始皇三十四年，李斯上書，「請諸有文學詩書百家語者，蠲除去之，令到滿三十日弗去，黥爲城旦」爲例。又舉漢成帝時，日蝕地震頻繁，吏民多上書言災異，以譏切王莽專政，成帝敬重張禹，親赴張禹之第相詢，又問王莽之事，張禹自見年老，子孫又弱，不敢直言王莽之非，反引春秋之際，地震日蝕，災變之異，深遠難見，以對，成帝因而不疑王莽，致生大亂爲例。而並指爲小人亡人國家，災禍之烈，以證經義。此爲楊氏引史事以證彖辭之例。

又如《周易．需卦》曰：

需，有學，光享貞吉，利涉大川。

〈象〉曰：

雲上於天，需，君子以飲食宴樂。

《誠齋易傳》曰：

升而未降，則天下望雲而徯雨，蘊而未施，則君子藏器以待時，待時者，夫何爲哉？飲食以自養，宴樂以自怡而已。此顏子簞瓢陋巷之日，謝安游宴東山之時也，雖然，飲食宴樂以須其時，惟有德之君子而後能也，不然，含哺之氓皆顏，酒荒之士皆謝矣。

今按需卦䷄，乾下坎上，乾爲天，坎爲水，水在天上，有成雲成雨，待時而動之象，楊氏闡釋此卦大象，以之比喻君子，引顏回居陋巷而修省，謝安游東山而自勵之史事爲證，皆蓄德藏器，待時而動之義。此爲楊氏引史事以證大象之例。

又如《周易．師卦》曰：

九二，在師，中吉，无咎，王三錫命。

〈象〉曰：

在師中吉，承天寵也，王三錫命，懷萬邦也。

《誠齋易傳》曰：

九二以陽剛之才，專將帥之任，不患其不及也，患其過耳，惟中則吉而无咎。過勇則輕，李陵是也，過智則姦，侯君集是也，過威則離，張飛是也，過強則驕，李光弼是也，過專則僭，王敦蘇峻是也。惟中則勇而怯，智而愚，威而惠，強而謙，專而順，皇甫嵩郭子儀是也。承天寵者，稟君命而不專，懷萬邦者，慰民心而不忮，爲將如是，非特才將也，賢將也，功彌高，心彌下，身彌退，爵彌進，宜其王三錫命而未已也。

今按師卦䷆，坎下坤上，坎爲水，坤爲地，地中有水，有蓄眾之象，故取義爲軍眾，用兵擇帥，必以守正爲主，此卦九二爻，特言爲將之道，尤在持中爲主，方能得吉，方能受君倚重，以安邦定國。楊氏於九二爻，闡發其任將用兵之道，歷舉史上名將，如李陵、候君集、張飛、李光弼、王敦、蘇峻等，才性各有所偏，各有所過，故鮮克善終，惟皇甫嵩與郭子儀，能守其中，故用兵多吉，得享富貴壽考，而以之證成經義。

又如《周易・大有卦》曰：

> 六五，厥孚交如，威如，吉。

〈象〉曰：

> 厥孚交如，信以發志也，威如之吉，易而無備也。

《誠齋易傳》曰：

六五爲大有盛治之君，離明而晦之以陰，虛中而執之以柔，專任誠信，故能感發其下之志，愧服其下之心，下感發，則君臣之孚，不約而自交，下愧服，則道德之威，不猛而自洽。信以發志，以我之誠信，發彼之誠信也。易而無備，以我之和易，徹彼之周防也。武帝信霍光，託以周公之事，昭烈信孔明，至有君自取之之語，然二臣者，終身不忍負二主之託，又焉用周防也哉！然必如大有之群賢，然後可，始皇信斯高，順帝信梁冀，易而無備，可乎？

今按大有卦☲☰，乾下離上，乾爲天，離爲火，火在天上，如日照四海，萬物昌盛，欣欣向榮，可大有所獲之象，六五一爻，以陰柔而居尊位，眾陽相應，有君臣孚信，交相感發之象。楊氏於六五一爻，既闡釋其意義，又引用漢武帝與昭烈帝，託孤霍光及諸葛亮之史事，用以印證君臣交相互信之義，否則，如秦始皇之信任李斯趙高，漢順帝之信任梁冀，則是臣無孚信，君受蒙蔽之例。並以之抒發經義。

又如《周易·剝卦》曰：

六四，剝牀以膚。

〈象〉曰：

剝牀以膚，切近災也。

《誠齋易傳》曰：

五，君位也，其象身也，剝牀及膚，災近於身，小人近尊，災切於君，四陰自下而進，黨日衆，勢日成，災其君必矣。其當莽、卓、憲、冀、林甫、國忠權盛之日乎！

今按剝卦䷖，坤下艮上，五陰在一陽之下，陰盛而陽衰，故以牀爲象，六爻自下而上，取義剝落，五爻君位，其象爲身，六四陰爻近身，故楊氏以爲「剝牀及膚，災近於身」，象徵四陰之小人，權勢日盛，妨礙其君，故楊氏在此爻中，舉王莽、董卓、竇憲、梁冀、李林甫、楊國忠等奸佞之臣，權傾其君之時爲喻，以證經義。

又如《周易·旅卦》曰：

六二，旅即次，懷其資，得童僕，貞。

〈象〉曰：

得童僕，貞，終无尤也。

《誠齋易傳》曰：

六二，公侯大臣之顯者，喪而在旅者也，然能柔順以下人，中正以立己，故所至有次舍，安焉，即之而不危，所挾有資用，退然懷之而不露，所從有臣僕，翕然得其心而不離，雖曰爲旅，而无悔尤矣。晉文公之奔也，見秦伯則拜，見野人亦拜，不曰柔順以下人乎？文而有禮，好學而不貳，凡十九年，守志彌篤，不曰中正以立己乎？廣而儉懷，安而能遷，不曰懷其資而不露乎？其貞正如此，故至楚，楚饗之，楚送之，至齊秦，齊秦妻之，秦納而歸之，可謂旅即次矣。腹心則子犯子餘，股肱則魏犨賈佗，紀綱則秦之三千人，可謂得童僕矣，豈惟在旅而无悔哉？旅而歸而霸，孰禦焉！

今按旅卦䷷，艮下離上，艮爲山，離爲火，火在山上，逐草而行，勢不久留，故爲旅居之象，此卦六二爻，象徵行旅止宿於客舍之中，又備有充足之貲財，攜有忠心之童僕，力行正道，故能賓至如歸，無所怨尤於心。楊氏於六二爻，舉晉文公出亡在外十九年，遍歷諸國，流浪異鄉，以其能持正而行，得隨行者之擁護，終能獲得各國諸侯之協助，返回晉國，完成霸業之例，以證經義。

以上，皆爲楊氏引史事以證爻辭爻象之例。

(三)結　語

《易》學研究，發展至於宋代，著重以義理闡釋人事，其中最爲重要者，自屬程頤所撰之《易傳》，楊萬里繼承程氏治《易》之精神，在《誠齋易傳》中，大批引用歷史事件，以之闡釋經義，同時，也希望讀者汲取歷史的教訓，體悟經義的要旨，從而明瞭國家治亂興衰的原理，人事變化得失的軌跡，以之作爲人生方向的南針。

前節之中，對於楊萬里《誠齋易傳》一書，試作分析之後，尚有幾點意見，記述於下。

1.楊萬里闡釋《周易》，大旨多本於程子《易傳》，程子說《易》，承王弼掃象之緒，不解象數，楊氏解《易》，也多加沿襲，唯程氏說《易》，義理深宏，楊氏解《易》，則較淺近，然程子說《易》，多明人事之理，楊氏解《易》，多引史事證經，人事之理，敘述較繁，引用史事，則較顯豁，讀者也易於了解經義。

2.以史證經，程子《易傳》，早加應用，此一方式，及至楊氏，更加充分運用，既藉史事說明經中治亂興衰之理，又從《易》內闡明史事得失是非之道，兩相配合，相得益彰。

3.楊氏引史證經，所引史事，有與《易》中經義，頗爲切合者，如前文所舉〈屯卦〉之例，也有所引史事，與《易》中經義，關涉較少者，如前文所舉〈旅卦〉之例，但是，歷史名人與史上重要事件，善可爲法，惡可爲戒，皆可使讀者明了經中之理趣，記取歷史之教訓，進而惕勵自警。

4.《誠齋易傳》一書，據楊氏之子進狀所稱，自草創至脫稿，前後達十七年之久，楊氏平生精力，盡萃於此，深値後世讀者，善加珍惜循覽。

（此文原刊於國立中興大學《興大人文學報》三十二期，民國九十一年六月出版）

十三、俞樾〈周易互體徵〉平議

(一)引　言

易學家解釋《周易》，有「互體」之說，「互體」之說，始於漢代京房，所謂「互體」，指《周易》一卦六爻，其中二至四爻，或三至五爻，可另成一原卦，如蠱卦☶☴，《京房易傳》曰：「內互悅而動。」指其卦二至四爻，互體成兌☱，爲悅，三至五爻，互體成震☳，爲動❶，由此，《周易》每卦六爻，原爲上下二體，得「互體」之說，又可增加二體，基本上，一卦即可衍生爲四體。

京房之後，漢人鄭玄、荀爽注《易》，也都曾言及「互體」，至於三國時代，虞翻注

---

❶ 京房：《京氏易傳》，何允中《漢魏叢書》本。

《易》，更是廣推「互體」之說。❷

清人俞樾，撰有〈周易互體徵〉❸一文，他以爲，「《易》有互體，乃古法也」，並引「《春秋》莊二十二年《左傳》，載陳侯之筮，遇觀之否，曰，風爲天，於土上，山也。注曰：自二至四，有艮象，艮爲山」，而以之爲證，以爲，「是在孔子未贊《周易》之前，已有互體之說」的明證，由是，俞氏觀察《周易》之「爻象」，「多有取之互體者」，因此，他才收集《周易》中「明白可據者」，撰成〈周易互體徵〉一文。

〈周易互體徵〉一文，從《周易》中，一共覓得了三十一個卦中的「互體」現象，並加以解釋，對於《周易》「互體」之說，俞氏此文，可以稱得上是重要的代表性作品，只是，個人閱讀了該篇之後，心中仍然有一些疑惑，寫在下面，以就正於同好。

❷ 參屈萬里先生：《先秦漢魏易例述評》，台灣，學生書局，民國五十八年四月。

❸ 俞樾：〈周易互體徵〉，見《俞樓雜纂》卷二，俞氏《春在堂全書》本，下引〈周易互體徵〉並同。

(二)〈說卦傳〉之形成與分析

俞樾〈周易互體徵〉一文，從《周易》內，一共覓得三十一卦，以爲其中具有「互體」的現象，這三十一卦，依次是〈屯〉、〈蒙〉、〈師〉、〈小畜〉、〈履〉、〈泰〉、〈否〉、〈同人〉、〈謙〉、〈豫〉、〈隨〉、〈觀〉、〈噬嗑〉、〈賁〉、〈咸〉、〈遯〉、〈大壯〉、〈晉〉、〈明夷〉、〈睽〉、〈萃〉、〈革〉、〈震〉、〈漸〉、〈歸妹〉、〈豐〉、〈巽〉、〈渙〉、〈節〉、〈中孚〉、〈小過〉等，俞氏在此三十一卦之中，幾乎毫無例外的，都是以〈說卦傳〉作爲依據，去解釋「互體」中取象的由來，但是，據〈說卦傳〉去解釋爻象，是否絕對可行，也應格外謹慎。

《周易》有經傳之分，所謂「經」，包括六十四卦之卦形，以及每卦之卦辭與爻辭。所謂「傳」，包括〈文言傳〉、〈彖傳〉上下篇、〈象傳〉上下篇、〈繫辭傳〉上下篇、〈說卦傳〉、〈序卦傳〉、〈雜卦傳〉等十篇，亦稱之爲「十翼」。

《周易》古經，舊說爲伏羲畫八卦，文王重之爲六十四卦，並作卦辭、爻辭，《易傳》，舊說爲孔子所作。《周易》經傳的作者，其他異說尚多，迄至近代，學者多以爲《周易》古經成於春秋以前，《易傳》成於秦漢之際，要之，《周易》經傳之作者與時代，雖不能確指，但是，「經」在前，「傳」在後，「傳」爲釋「經」而作，則是一致肯定的看法。

〈說卦傳〉之作，主要在於解釋乾、坤、震、巽、坎、離、艮、兌八經卦的性質及其象徵意義，其象徵意義，基本上，是取材於八經卦的卦爻之辭，但也有許多象徵意義，不見於八經卦的卦爻辭中，而爲〈說卦傳〉作者自行推衍出來的象徵意義。

高師仲華教授，曾經撰有〈易象探原〉❹一文，在討論〈說卦傳〉時，曾經說道：「《周易》六十四卦，三百八十四爻，卦有卦象，爻有爻象，然皆出八卦之象，故〈說卦傳〉於八卦之象，特詳言之。」他將〈說卦傳〉中所言八卦之象，分爲以下八類：（《十三經注疏》本《周易》中之〈說卦傳〉一篇，不標章節，茲爲方便起見，以下討論，依據朱熹《周易本義》，分〈說卦傳〉爲十一章）

1.**言八卦本體之象**——以〈說卦傳〉第三章「天地定位，山澤通氣，雷風相薄，水火不相射……」屬之。

2.**言八卦養物之象**——以〈說卦傳〉第四章「雷以動之，風以散之，雨以潤之，日以烜

---

❹ 高明先生：〈易象探原〉，載《孔孟學報》十五期，民國五十七年九月。

之，艮以止之，兌以說之，乾以君之，坤以藏之」屬之。

3.言八卦始終之象——以〈說卦傳〉第五章「帝出乎震，齊乎巽，相見乎離，致役乎坤，說言乎兌，戰乎乾，勞乎坎，成言乎艮……」屬之。

4.言八卦運動成萬物變化之象——以〈說卦傳〉第六章「神也者，妙萬物而爲言者也，動萬物者莫疾乎雷，橈萬物者莫疾乎風，燥萬物者莫熯乎火，說萬物者莫說乎澤，潤萬物者莫潤乎水，終萬物始萬物者莫盛乎艮……」屬之。

5.言八卦取於禽獸之象——以〈說卦傳〉第八章「乾爲馬，坤爲牛，震爲龍，巽爲雞，坎爲豕，離爲雉，艮爲狗，兌爲羊」屬之。

6.言八卦取於人身之象——以〈說卦傳〉第九章「乾爲首，坤爲腹，震爲足，巽爲股，坎爲耳，離爲目，艮爲手，兌爲口」屬之。

7.言八卦取象於人倫之象——以〈說卦傳〉第十章「乾，天也，故稱乎父，坤，地也，故稱乎母……」屬之。

8.廣言八卦之象——以〈說卦傳〉第十一章「乾爲天、爲圜、爲君、爲父、爲玉、爲金、爲寒、爲冰、爲大赤……坤爲地、爲母、爲布、爲釜、爲吝嗇、爲均、爲子母牛……震爲雷、爲龍、爲玄黃……」屬之。

高教授以爲，以上八類，前四類（〈說卦傳〉中三至六章），出自於八經卦卦爻辭之中，「皆可就卦爻之辭，彖象之傳，以證驗之」，後四類（〈說卦傳〉中八至十一章），「則多爲作〈說卦傳〉者推衍而出之象」，而於《周易》八經卦中無徵者。

針對上文後四類所言之象，高授曾經舉出不少之例證，證明〈說卦傳〉中八至十一章中所言之象，多不與《易經》八經卦卦爻辭之「象」，相互應合。

因此，依據〈說卦傳〉的三至六章，解釋六十四卦的卦象爻象，以其多於八經卦的卦爻辭中有徵，自然可信的程度較高，反之，依據〈說卦傳〉的八至十一章，解釋六十四卦的卦象爻象，其可信的程度，似乎就相對地降低。

三俞樾據〈說卦傳〉解釋爻象之檢討

俞樾所撰〈周易互體徵〉一文，從《周易》中，一共覓得了三十一卦，以爲其中具備了「互體」的現象，以下，我們即根據高仲華教授對於〈說卦傳〉的分析，試對俞樾所指出的「互體」現象，加以檢討。

1. 謙卦

《周易・謙卦》曰：

九三，勞謙，君子有終，吉。

俞樾〈周易互體徵〉曰：

按自三至五（當作「二至四」），互坎，坎，勞卦也，故曰勞謙。

今按謙卦䷎，艮下坤上，二至四爻，互體成坎，「勞乎坎」，坎，「勞卦也，萬物之所歸也」，見於〈說卦傳〉第五章，以坎之方位爲北，時爲冬至，萬物當勞倦而歸藏，故俞氏即取「互體」之坎，以釋〈謙卦〉九三「勞謙」之象。

2. 明夷卦

《周易・明夷卦》曰：

六四，入于左腹。

俞樾《周易互體徵》曰：

按〈明夷〉，上體坤也，坤爲腹，故有腹象，自三至五，互震，震，東方之卦也，故爲左腹。

今按明夷卦☷☲，離下坤上，三至五爻，互體成震，「震，東方也」，見於〈說卦傳〉第五章，古來方位，以東方爲左，西方爲右，故俞氏即取「互體」之震，以釋〈明夷〉六四「左」象，又配合「坤爲腹」（見〈說卦傳〉第九章）之象，以釋爻辭「左腹」之象。

3. 小過卦

《周易・小過卦》曰：

六五，自我西郊。

俞樾〈周易互體徵〉曰：

按自三至五，互兑，兑，西方之卦也，故爲西郊。

今按小過卦䷽，艮下震上，三至五爻，互體成兌，「兌，正秋也」，爲西方之卦，見於〈說卦傳〉第五章，故俞氏即取「互體」之兌，以釋〈小過〉六五「西郊」之象。

4.同人卦

《周易・同人卦》曰：

九三，伏戎于莽，升其高陵。

俞樾〈周易互體徵〉曰：

按〈同人〉下體，離也，離爲戈兵，故稱戎，離在下，故曰伏戎于莽，自二至四互巽，巽爲高，故升其高陵也。

今按同人卦䷌，離下乾上，二至四爻，互體成巽，「離爲戈兵」、「巽爲高」，皆見於〈說卦傳〉十一章，故俞氏即取「互體」之巽，以釋〈同人卦〉九三「高陵」之象。

5. 履卦

《周易·履卦》曰：

六三，眇能視，跛能履。

俞樾〈周易互體徵〉曰：

按自二至四，互離，自三至五，互巽，離爲目，故能視，巽爲股，故能履，其下卦兌也，兌爲毀折，故眇且跛。

今按履卦䷉，兌下乾上，二至四爻，互體成離，三至五爻，互體成巽，「離爲目」、「巽爲股」，見於〈說卦傳〉第九章，「兌爲毀折」，見於〈說卦傳〉十一章，故俞氏即取「互體」之離與巽，以釋〈履卦〉六三爻中之「目」與「股」之象。

6. 中孚卦

《周易·中孚卦》曰：

九二，鳴鶴在陰。

俞樾〈周易互體徵〉曰：

按自二至四，互震，震於馬也，爲善鳴，二爻言鳴，四爻言馬，並震象也。

今按中孚卦䷼，兌下巽上，二至四爻，互體成震，震，「其於馬也，爲善鳴」，見於〈說卦傳〉十一章，故俞氏即取「互體」之震，以釋〈中孚卦〉九二之「鳴」象。然〈中孚卦〉曰：

「九二，鳴鶴在陰」。又曰：「六四，月幾望，馬匹亡，無咎。」九二言鶴，不言馬，而俞氏以爲，「二爻言鳴，四爻言馬，並震象也」，以鳴與馬，相互牽合，以釋「互體」之象。但是，〈說卦傳〉第八章言「離爲雉」，十一章言「（艮）爲黔喙之屬」，皆與〈中孚卦〉之「鶴」義相近，俞氏不取以相釋，只因「互體」中但有「馬」象而無「鶴」象，故不得不遷就互體之象。

從以上所舉的六個例子中，可以見出，前三例，俞氏據以解釋爻象的「互體」，都是屬於高仲華教授分析〈說卦傳〉所得的前四類，可以就八經卦卦爻之辭加以證驗的象徵意義，而後三例，俞氏據以解釋爻象的「互體」，卻都是屬於高教授分析〈說卦傳〉所得的後四類，屬於是作〈說卦傳〉者自行推衍而出的象徵意義。

俞樾在〈周易互體徵〉一文中，舉出了三十一個易卦，一共有四十七次，利用「互體」現象，去解釋爻辭的爻象。稍作統計，其中除了兩次「互體」現象是依據〈巽卦〉彖辭「重巽以申命」爲釋，兩次「互體」現象是依據〈繫辭上傳〉「坤道成女」爲釋，另兩次「互體」現象是依據虞翻所說之外，其餘四十一次「互體」的解釋，依據〈說卦傳〉第五章作解釋的共有五次，依據〈說卦傳〉第七章作解釋的有一次，依據〈說卦傳〉第八章作解釋的有兩次，依據〈說卦傳〉第九章作解釋的有九次，依據〈說卦傳〉第十章作解釋的有兩次，依據〈說卦傳〉十一章作解釋的有二十二次，數目最多。要之，分析之下，可以見出，俞樾在〈周易互體徵〉中解釋「互體」現象，所依據的〈說卦傳〉，其於八經卦卦爻辭中「有徵」的，只有五次，而於八經卦卦爻辭中「無徵」的，卻有三十六次之多。這種現象，值得留意。

㈣從俞樾未曾指爲「互體」之卦中作考察

「互體」之說，指《周易》六十四卦中之某卦，由上下兩經卦組成，一卦六爻，其中二至四爻，或三至五爻，皆可另成一三爻之經卦，因此，在理論上，既然一卦可由「互體」衍生二經卦，則理應每卦皆可擁有兩重「互體」經卦，並且與爻象之義，一一都能相符相應。

俞樾〈周易互體徵〉一文，從《周易》之中，一共覓得了三十一卦，認爲其中具有「互體」現象，而用以去解釋爻象。在此三十一卦之中，有二十五卦，俞氏指出，其中具有單一的「互體」，如前節所舉出的〈謙卦〉。另有六卦，俞氏指出，其中具有兩重的「互體」，如前節所舉出的〈履卦〉。

從理論上說，六十四卦之任一某卦，經由「互體」，皆可衍生另外兩經卦，並且與該卦爻象之義，也當一一相符相應。則從此一角度而言，俞樾〈周易互體徵〉一文，至少可以反映出另外的兩個訊息。首先，俞氏在所舉出的三十一卦之中，只有六個卦（〈蒙〉、〈履〉、〈泰〉、〈豫〉、〈睽〉、〈豐〉）中，具備了兩重「互體」，其餘的二十五卦，都僅只具備了單一「互體」。其次，在俞氏所舉出的三十一卦之外，《周易》另外的三十三卦，俞氏都不認爲其中具有單一或兩重的「互體」存在。

以下，我們試就以上所提出的兩個問題，加以舉例研討。

1.噬嗑卦

《周易・噬嗑卦》曰：

上九，何校滅耳。

俞樾〈周易互體徵〉曰：

按自三至五，互坎，坎爲耳，上九一爻，居坎耳之上，故有滅耳之象。

今按「坎爲耳」，見於〈說卦傳〉第九章，然而，噬嗑卦䷔，震下離上，二至四爻，互體成艮，〈噬嗑卦〉曰：「六二，噬膚，滅鼻。」又曰：「六三，噬腊肉，遇毒。」又曰：「九四，噬乾胏，得金矢。」則皆與艮象無涉，故俞氏不指爲「互體」現象。

2. 大壯卦

《周易・大壯卦》曰：

九三，羝羊觸藩。

俞樾〈周易互體徵〉曰：

自三至五，互兑，兑爲羊，故有羊象。六五、上六，言羊，並兑象也。

今按「兑爲羊」，見於〈說卦傳〉第八章，然而，大壯卦䷡，乾下震上，二至四爻，互體成乾，〈大壯卦〉曰：「九二，貞吉。」又曰：「九四，藩決不羸，壯于大輿之輹。」則皆與乾象無涉，故俞氏不指爲「互體」現象。〈說卦傳〉第七章曰：「乾，健也」，如不嫌傅會，豈不可與「壯」「大」之義相應？

3. 晉卦

《周易·晉卦》曰：

九四，晉如碩鼠。

俞樾〈周易互體徵〉曰：

按自二至四，互艮，艮爲鼠，故有碩鼠之象。

今按「艮爲鼠」，見〈說卦傳〉十一章，二至四爻，互體成艮，然而，晉卦䷢，坤下離上，三至五爻，互體成坎，〈晉卦〉曰：「六三，眾允，悔亡。」又曰：「九四，晉如碩鼠。」又曰：「六五，悔亡，失得勿恤。」皆與坎象無涉，故俞氏不指爲「互體」現象。

以上所舉三卦，皆見於俞氏〈周易互體徵〉文中。

4. 咸卦

《周易》咸卦䷞，艮下兌上，此卦二至四爻，互體成巽，三至五爻，互體成乾，〈咸卦〉曰：「六二，咸其腓。」又曰：「九三，咸其股。」又曰：「九四，憧憧往來，朋從爾思。」又曰：「九五，咸其脢。」今按據〈說卦傳〉，巽無腓、股、憧憧之象，乾無股、憧憧、脢之象，故俞樾不舉此卦爲「互體」之例。

5. 井卦

《周易》井卦䷯，巽下坎上，此卦二至四爻，互體成兌，三至五爻，互體成離，〈井卦〉曰：「九二，井谷射鮒。」又曰：「九三，井渫不食。」又曰：「六四，井甃。」又曰：「九五，井洌。」今按據〈說卦傳〉，兌無鮒、井渫、井甃之象，離無井渫、井甃、井洌之象，故俞樾不舉此卦爲「互體」之例。然而，〈說卦傳〉十一章曰：「〈離〉爲鱉、爲蟹、爲蠃（螺）、爲蚌、爲龜。」若不嫌牽合，豈不可與「井」義相應？

6. 鼎卦

《周易》鼎卦䷱，巽下離上，此卦二至四爻，互體成乾，三至五卦，互體成兌，〈鼎卦〉曰：「九二，鼎有實。」又曰：「九三，鼎耳革。」又曰：「九四，鼎折足。」又曰：「六五，鼎黃耳，金鉉。」今按據〈說卦傳〉，乾無實有、耳革、折足之象，兌無耳革、折足、黃耳金鉉之象，故俞樾不舉此卦爲「互體」之例。然而，〈說卦傳〉十一章曰：「（兌）爲毀折。」若不嫌牽合，豈不可與折足之義相應？

以上所舉三卦，皆不見於俞氏〈周易互體徵〉文中。

從以上所舉的六個卦例之中，可以見出，前三卦，俞樾在〈周易互體徵〉中，皆只指爲是具有單一的「互體」現象，卻不指爲是具有兩重的「互體」現象。後三卦，則俞氏皆未指爲具有任何「互體」現象，也不見於〈周易互體徵〉一文之中。

一種理論，如果能具有普遍性的涵蓋面，自然也更加接近眞理，一種理論的應用，如果能六通四闢，其運無所不在，處處可通，無所滯礙，自然也更加圓滿週遍，因此，「互體」之說，如果是「眞實存在」，也「合理存在」於《周易》之中，則六十四卦的每一卦中，不但應該具有兩重「互體」的「象」，也應該具有兩重「互體」的「義」，才算是普遍週遍的事實。（其實，「互體」之義，本取之於兩經卦之交互，如僅有一經卦，則難當互體交互之名。）因此，即使俞樾所指出的「互體」三十一卦之例，都可以憑信，然而，以單一「互體」與兩重「互體」在三十一卦中的比率而言，則二十五比六，六仍然是少數，不到四分之一，則「互體」理論「合理存在」的普遍性，仍然太低，其屬於偶然相合的可能性也越高。

另外，在《周易》六十四卦之中，俞樾舉出其具有兩重「互體」而「合理存在」的例子，只有六卦，在六十四卦中的比率，六十四比六，六更是極少數，不到十分之一，則「互體」理論「合理存在」的普遍性，更是太低。

(五)結　語

對於俞樾〈周易互體徵〉一文，分析檢討之後，約有幾點意見，略述如下：

1.《周易》六十十四卦，每卦由陰陽符號六爻組成，顯示形象，顯示意義，每卦每爻，便具有了象徵與意義，及至附加卦辭與爻辭，用以釋象，辭以明象，象以明意，每一卦中六爻的「辭」與「象」與「意」，本身便存在著相符相應的關係，只是這種相符相應的關係，可以透過靈活的象徵方式，去加以體會，卻不必一一拘執卦爻辭的文字，求其吻合。因此，像〈乾卦〉六爻，以龍爲喻，〈咸卦〉六爻，以人身爲喻，〈井卦〉六爻，以井爲喻，〈鼎卦〉六爻，以鼎爲喻，都是爻辭與爻象較爲密切的象徵，其他卦中，爻辭與爻象，即使不能都像上述四卦一樣地密切，但也都可由靈活的象徵中，求其爻辭與爻象的關係與意義。因此，六十四卦，以本身的卦辭爻辭去解釋卦象爻象，即已是一種常態行爲。

2.《周易》六十四卦，每卦由陰陽符號六爻組成，上下兩經卦之外，若取其中二至四爻，三至五爻，即可另成兩經卦，從爻象而言，本是很自然的現象，問題是，解釋一卦六爻的象徵意義，以每一爻辭去解釋爻象之外，是否必需運用到「互體」？「互體」現象，是否能與卦中的爻象，一一吻合？甚至，以「互體」去取代本卦爻辭對爻象的解釋？

3.俞樾在〈周易互體徵〉一文中，依據〈說卦傳〉去解釋「互體」中八經卦的意義，所依據的，絕大多數，都是〈說卦傳〉作者自行推衍而來的象徵意義，絕大多數，都是不見於八經卦卦爻辭中的象徵意義，因此，依據〈說卦傳〉作者這些推衍過遠的象徵意義，去解釋爻象，任意引申，則其可徵可信的程度，自然就相對地降低。

4.「互體」之說，本來是指一卦六爻之中，由二至四爻，三至五爻，可以交互而出現兩經卦，用以解釋爻象之義，但是，從俞樾〈周易互體徵〉一文之中，可以見出，其運用兩重「互體」經卦，數量極低，這也可以反映，俞氏對於「互體」的運用，只是「通其可通」，「徵其可徵」，而不能全通，也不能全部有所徵，只是一種易卦中的「特殊現象」，而不是「普遍現象」，頂多只能作爲解釋爻象時的一種輔佐作用，而不是解釋爻象時必需運用的通則通例。

5.《左傳》莊公二十二年，記載陳厲公生子敬仲，史官之筮，遇觀卦䷓之否卦䷋，觀卦下坤上巽，否卦下坤上乾，觀卦變爲否卦，所變者爲第四爻，陰變爲陽，史官因而說：「坤，土也。巽，風也。乾，天也。風爲天於土上，山也。」指由觀卦「風於土上」之象，變爲否卦「風爲天於土上」之象，杜預注曰：「自二至四有艮象，艮爲山。」俞樾據此，以爲「是在孔子未贊《周易》之前，已有互體之說」的證明，其實，觀卦六四，爻位居坤之上，坤爲土地，高居土地之上，已有山之象在，變爲否卦，其象爲乾爲天，其象愈高，因此史官所言，並不涉及「互體」❺，杜預晉入，遠在京房之後，以「互體」爲說，

---

❺ 高享先生：〈左傳國語的周易說通解〉一文，引〈說卦〉巽爲高，乾爲圜，而以爲坤上有巽有乾，是土地又高又圜之象，這是山上之土，所以說：「風爲天於土上，山也。」也不取「互體」之說。

當受京房影響。而且，這種情形，在《左傳》、《國語》的筮例之中，也僅此一見，不能視爲是經常現象。

十四、春秋「鞌」之戰析論

春秋二百四十二年之中，戰爭頻仍，其中許多重要的戰役，對於當時及後世，都曾產生不少深邃的影響，「鞌」之戰，雖然不像「城濮」之戰一樣，確立了晉文公的霸業，也不像「邲」之戰一樣，成就了楚莊王的稱雄，但是，其重要性，卻也並不在小，足與「韓原」之戰，「殽」之戰，「鄢陵」之戰，相提並論。

以下，即就「鞌」之戰的各種情形，試作分析。

(一)戰爭原因

「鞌」之戰，是以晉國與齊國爲主的重要戰爭。

春秋早期，北方中原一帶，齊國與晉國，先後稱霸，齊桓公與晉文公，更是有名的霸主，因此，爲了爭奪霸主的地位，領導的權力，齊國和晉國，早就被視爲是世仇，因此，「鞌」之戰的發生，其遠因可以追溯到齊晉的相互爭奪霸權。

春秋中期，齊國與晉國的力量，已經中衰，晉景公即位之後，力圖恢復霸業，西邊擊敗秦軍之後，又試圖向東邊齊國進兵，擴展勢力，而齊國自從桓公稱霸以後，降及後世，國力已衰，也想藉此機會，重圖霸業，爭衡天下。《左傳》成公二年（西元前五八九年）記曰：

> 二年春，齊侯伐我北鄙，圍龍。頃公之嬖人盧蒲就魁門焉，龍人囚之，齊侯曰：「勿殺，吾與而盟，無入而封。」弗聽，殺而膊諸城上。齊侯親鼓，士陵城，三日取龍，遂南，侵及巢丘。❶

魯成公二年春天，齊頃公帥師進攻魯國北部邊境，包圍龍邑，齊侯所寵幸之大臣盧蒲就魁攻城，爲龍邑之人俘虜囚禁，龍邑之人不理齊侯之請，殺就魁，齊侯因而進軍，三日內攻佔龍邑，並揮師南侵魯邑巢丘，《左傳》成公二年記曰：

> 衛侯使孫良夫、石稷、寧相、向禽將侵齊，與齊師遇。

---

❶《左傳注疏》，台北，藝文印書館影印阮刻《十三經注疏》本，下引《左傳》並同。

衛穆公聞齊侯伐魯，乃命孫良夫等四人帥師攻齊以救魯，與齊軍相遇於新築，衛軍失敗，孫良夫由於衛邑新築之大夫仲叔于奚的援救，才免於被俘，因此，齊侯侵略魯衛，是導致「鞌」之戰的近因。《左傳》成公二年記曰：

> 孫桓子還於新築，不入，遂如晉乞師，臧宣叔亦如晉乞師，皆主郤獻子。

孫良夫自新築還至衛都，未嘗入城，即轉赴晉國乞求軍援，而魯國大夫臧宣叔也赴晉國乞求軍援，二人皆居於晉大夫郤克家中。《左傳》宣公十七年（西元前五九二年）記曰：

> 十七年春，晉侯使郤克徵會於齊，齊頃公帷婦人，使觀之，郤克登，婦人笑於房，獻子怒，出而誓曰：「所不此報，無能涉河。」

《公羊傳》成公二年記曰：

> 前此者，晉郤克與臧孫許同時而聘于齊，蕭同姪子者，齊君之母也，踊于棓而闚客，

則客或跛或眇，於是使跛者迓跛者，使眇者迓眇者，二大夫出，相與踦閭而語，移日，然後相去，齊人皆曰：「患之起，必自此始。」二大夫歸，相與率師爲之戰。❷

《穀梁傳》成公元年記曰：

季孫行父禿，晉郤克眇，衛孫良夫跛，曹公子手僂，同時而聘於齊，齊使禿者御禿者，使眇者御眇者，使跛者御跛者，使僂者御僂者，蕭同姪子處臺上而笑之，聞於客，客不說而去，相與立胥閭而語，移日不解，齊人有知之者，曰：「齊之患，必自此始矣。」❸

晉大夫郤克等人報聘於齊，《左傳》與《公羊傳》、《穀梁傳》之記載雖有差異，而齊君母子以各國使臣身體上的缺陷，作爲取笑的對象，而使各國使臣受辱的情形則相同，此一事件，

❷ 《公羊傳注疏》，台北，藝文印書館影印阮刻《十三經注疏》本，下引《公羊傳》並同。

❸ 《穀梁傳注疏》，台北，藝文印書館影印阮刻《十三經注疏》本，下引《穀梁傳》並同。

也成爲「鞌」之戰所以發生的原因之一。

㈡戰前準備

《左傳》成公二年記曰：

> 孫桓子還於新築，不入，遂如晉乞師，臧宣叔亦如晉乞師，皆主郤獻子。晉侯許之七百乘，郤子曰：「此城濮之賦也，有先君之明，與先大夫之肅，故捷。克於先大夫，無能爲役。」請八百乘，許之。郤克將中軍，士燮佐上軍，欒書將下軍，韓厥爲司馬，以救魯衛，臧宣叔逆晉師，且道之，季文子帥師會之。

衛國大夫孫良夫，魯國大夫臧宣叔，皆赴晉國乞求軍援，晉景公答應出動七百輛戰車的兵力，郤克卻以爲，七百輛戰車，只是當年（魯僖公二十八年，西元前六三二年）晉文公擊敗楚軍於城濮的兵力，郤克不敢自比當年晉軍大將先軫、狐毛、狐偃等人的英勇，自然也暗示景公不似當年文公的英明，因此，要求八百輛戰車，而獲得許可。春秋時代，以車戰爲主，一乘戰車，一車四馬，乘載勇士三人，每輛戰車，再配合步卒若干人，則八百輛戰車，總共的兵力，當已近於萬人。晉軍大將郤克、士燮、欒書，分領上中下三軍，韓厥爲司馬，與魯大夫臧宣叔、季文子所率領的兵力會合，往救魯國和衛國。《左傳》成公二年記曰：

及衛地，韓獻子將斬人，郤獻子馳將救之，至，則既斬之矣，郤子使速以徇，告其僕曰：「吾以分謗也。」師從齊師於莘。

晉軍至於衛地，司馬韓厥執行軍法，將斬殺部下，郤克救之不及，乃命以罪人巡行示眾，以爲韓厥分擔怨謗，此在戰爭之前，已見晉軍之相互協同，一致對外，進擊齊師，至於齊境莘地，此與戰爭之勝負，也不無相當之關係存在。

(三)戰爭經過

《春秋》成公二年記曰：

六月，癸酉，季孫行父、臧孫許、叔孫僑如、公孫嬰齊帥師，會晉郤克、衛孫良夫、曹公子手，及齊侯戰于鞌，齊師敗績。

《左傳》成公二年記曰：

六月壬申，師至於靡笄之下，齊侯使請戰，曰：「子以君師，辱於敝邑，不腆敝賦，詰朝請見。」對曰：「晉與魯衛，兄弟也，來告曰：『大國朝夕釋憾於敝邑之地。』寡君不忍，使群臣請於大國，無令輿師，淹於君地，能進不能退，君無所辱命。」齊侯曰：「大夫之許，寡人之願也，若其不許，亦將見也。」

六月壬申，晉國大軍至於齊地靡笄山下，齊侯使人請戰，郤克與之對答，相互之間，言辭雖然謙和婉轉，各申理由，而內容卻針鋒相對，強悍不讓。《左傳》成公二年記曰：

齊高固入晉師，桀石以投人，禽之，而乘其車，繫桑本焉，以徇齊壘，曰：「欲勇者，賈余餘勇。」

兩國大軍，尚未交鋒，而齊軍勇士高固，欲激怒晉軍，挫其軍威，因而衝入晉軍之中，舉石擊人，擒之登車，更繫桑樹於戰車之後，再快速駕車，繞行齊軍軍營，耀武揚威，以示其勇武多力。《左傳》成公二年記曰：

> 癸酉，師陳於鞌，邴夏御齊侯，逢丑父爲右。晉解張御郤克，鄭丘緩爲右。齊侯曰：「余姑翦滅此而朝食。」不介馬而馳之。

齊高固入晉師，耀武揚威，雖能顯示其勇武多力，也不免顯示齊軍之驕傲輕敵，至於兩國大軍接戰，齊侯不爲朝食，枵腹作戰，又不爲戰馬披妥鎧甲，即疾驅應敵，輕率驕狂之態，已經畢露無遺。《左傳》成公二年記曰：

> 郤克傷於矢，流血及屨，未絕鼓音，曰：「余病矣！」張侯曰：「自始合，而矢貫余手及肘，余折以御，左輪朱殷，豈敢言病？吾子忍之！」緩曰：「自始合，苟有險，余必下推車，子豈識之？然子病矣！」張侯曰：「師之耳目，在吾旗鼓，進退從之，此車，一人殿之，可以集事，若之何其以病，敗君之大事也？擐甲執兵，固

> 即死也，病未及死，吾子勉之！」左并轡，右援枹而鼓，馬逸不能止，師從之。齊師敗績，逐之，三周華不注。

兩軍對陣，大軍交鋒，晉軍主將及御者與車右勇士，皆各受重傷，卻都能各忍傷痛，互相勉勵，力疾從公，爲國奮戰，而主帥郤克之御者解張，尤其能夠奮不顧身，身兼二用，并轡在手，鼓聲不斷，引導大軍，進擊齊師，而取得勝利，追逐齊兵，三次周繞華不注大山。《左傳》成公二年記曰：

> 韓厥夢子輿謂己曰：「且避左右。」故中御而從齊侯，邴夏曰：「射其御者，君子也。」公曰：「謂之君子而射之，非禮也。」射其左，越於車下，射其右，斃於車中。綦毋張喪車，從韓厥曰：「請寓乘。」從左右，皆肘之，使立於後，韓厥俛定其右，逢丑父與公易位，將及華泉，驂絓於木而止。

在戰爭之前，晉軍司馬韓厥，曾夢見其父子輿告知，作戰之際，宜避開車上左右的位置，因此，在戰爭開始，韓厥即避開大將原該站立之車上左方位置，而立於戰車中間，代替御者而親自駕駛，兩軍接戰，齊軍大敗，韓厥勇往直前，駕車追逐齊侯，車上左右勇士，已被射殺，晉國大夫綦毋張喪失戰車，要求乘載上車，韓厥雙目注視前方齊侯，不及言語，僅用手肘，推使綦毋張勿立於左右，而使立於己身之後，接著，韓厥低首彎腰，將已被射死倒於車中之車右屍體，加以扶定，勿使搖晃，同時之際，而前面齊侯車中，逢丑父已與齊侯互易位置，而韓厥也因之未能覺察其間之變易。《左傳》成公二年記曰：

> 丑父寢於轏中，蛇出於其下，以肱擊之，傷而匿之，故不能推車而及。韓厥執縶馬前，再拜稽首，奉觴加璧以進曰：「寡君使群臣爲魯衛請，曰：『無令輿師，陷入君地。』下臣不幸，屬當戎行，無所逃隱，且懼奔辟，而忝兩君，臣辱戎士，敢告不敏，攝官承乏。」丑父使公下如華泉取飲，鄭周父御佐車，宛茷爲右，載齊侯以免。韓厥獻丑父，郤獻子將戮之，呼曰：「自今無有代其君任患者，有一於此，將爲戮乎？」郤子曰：「人不難以死免其君，我戮之不祥，赦之以勸事君者。」乃免之。

《公羊傳》成公二年記曰：

> 師還齊侯，晉郤克投戟逡巡再拜稽首馬前，逢丑父者，頃公之車右也，面目與頃公相似，衣服與頃公相似，代頃公當左，使頃公取飲，頃公操飲而至，曰：「革取清者。」頃公用是佚而不反，逢丑父曰：「吾賴社稷之神靈，吾君已免矣。」郤克曰：「欺三軍者，其法奈何？」曰：「法斮。」於是斮逢丑父。

《左傳》記載，晉齊大戰，逢丑父與齊頃公於車上易位，適逢韓厥俛首扶定其車右，由於此一關鍵時刻之巧合，故韓厥雖能虜及對方之戰車，卻誤以逢丑父爲齊侯，另外，《公羊傳》記載，逢丑父與齊頃公面貌衣服，並皆相似，故郤克誤以逢丑父爲齊侯，所記雖有差異，逢丑父之下場，也有不同，但是，「鞌」之戰役，齊侯萬般僥倖，方能免於被虜，則是相同之結果。《左傳》成公二年記曰：

> 齊侯免，求丑父，三入三出，每出，齊師以帥退，入於狄卒，狄卒皆抽戈楯冒之，以入於衛師，衛師免之。遂自徐關入，齊侯見保者曰：「勉之！齊師敗矣。」辟女子，女子曰：「君免乎？」曰：「免矣。」曰：「銳司徒免乎？」曰：「免矣。」曰：「苟君與吾父免矣，可若何？」乃奔。齊侯以爲有禮，既而問之，辟司徒之妻也，

予之石窌。

齊侯脫險之後，爲了營救逢丑父，多次進出晉軍，帥齊師退後，及至入於狄人衛人之軍中，也受到狄衛人之護衛，及至徐關進入齊地，有女子問及國君及其父皆已脫險，方始奔逃而去，於此也見齊侯雖敗，而威儀孚信猶存，仍深受齊人之尊敬與愛戴。

㈣戰後措施

《春秋》成公二年記曰：

秋，七月，齊侯使國佐如師，己酉，及國佐盟于袁婁。

《左傳》成公二年記曰：

晉師從齊師，入自丘輿，擊馬陘。齊侯使賓媚人賂以紀甗、玉磬、與地，不可，則聽客之所爲。賓媚人致賂，晉人不可，曰：「必以蕭同叔子爲質，而使齊之封內，盡東其畝。」對曰：「蕭同叔子非他，寡君之母也，若以匹敵，則亦晉君之母也。吾子布大命於諸侯，而曰必質其母以爲信，其若王命何？且是以不孝令也，《詩》曰：『孝子不匱，永錫爾類。』若以不孝令於諸侯，其無乃非德類也乎？先王疆理天下，物土之宜，而布其利，故《詩》曰：『我疆我理，南東其畝。』今吾子疆理諸侯，而曰盡東其畝而已，唯吾子戎車是利，無顧土宜，其無乃非先王之命也乎？反先王則不義，何以爲盟主？其晉實有闕。四王之王也，樹德而濟同欲焉，五伯之霸也，勤而撫之，以役王命，今吾子求合諸侯，以逞無疆之欲，《詩》曰：『布政優優，百祿是遒。』子實不優，而棄百祿，諸侯何害焉？不然，寡君之命使臣，則有辭矣，曰：『子以君師，辱於敝邑，不腆敝賦，以犒從者，畏君之震，師徒橈敗。吾子惠徼齊國之福，不泯其社稷，使繼舊好，唯是先君之敝器土地不敢愛。子又不許，請收合餘燼，背城借一，敝邑之幸，亦云從之，況其不幸，敢不唯命是聽！』」

晉軍進入齊境，追擊齊師，齊侯使大夫賓媚人致賂求和，晉人不可，而要求以晉侯之母蕭同叔子爲人質，並將齊國境內之田埂道路，盡改爲東西方向，以便利晉軍兵車之出入。賓媚人乃以君王治國，宜以孝道為先，耕作土地，宜顧及土壤特性，作為回答，並以「收合餘燼，背城借一」，不惜決一死戰，作為萬一談判決裂之辭。《公羊傳》成公二年記曰：

齊師大敗，齊侯使國佐如師，郤克曰：「與我紀侯之甗，反魯衛之侵地，使耕者東畝，且以蕭同姪子為質，則吾舍子矣。」國佐曰：「與我紀侯之甗，請諾。反魯衛之侵地，請諾。使耕者東畝，是則土齊也。蕭同姪子者，齊君之母也，齊君之母，猶晉君之母也，不可。請戰，壹戰不勝，請再，再戰不勝，請三，三戰不勝，則齊國盡子之有也，何必以蕭同姪子為質？」揖而去之。

《穀梁傳》成公二年記曰：

郤克曰：「反魯衛之侵地，以紀侯之甗來，以蕭同姪子之母為質，使耕者皆東其畝，然後與子盟。」國佐曰：「反魯衛之侵地，以紀侯之甗來，則諾。以蕭同姪子之母為質，則是齊侯之母也，齊侯之母，猶晉君之母也，晉君之母，猶齊侯之母也。使耕者盡東其畝，則是終土齊也，不可。請一戰，一戰不克，請再，再不克，請三，三不克，請四，四不克，請五，五不克，舉國而授。」

《公羊傳》及《穀梁傳》所記晉齊議和之辭，雖不盡同，其大義則並無差異。《左傳》成公二年記曰：

魯衛諫曰：「齊疾我矣，其死亡者，皆親暱也。子若不許，仇我必甚，唯子則又何求？子得其國寶，我亦得地，而紓於難，其榮多矣。齊晉，亦唯天所授，豈必晉？」晉人許之，對曰：「群臣帥賦輿，以爲魯衛請，若苟有以藉口而復於寡君，君之惠也，敢不唯命是聽！」

郤克接受魯衛大夫的諫勸，與齊國大夫議和訂盟，《公羊傳》成公二年也記：「郤克眣魯衛之使，使以其辭而爲之請，然後許之，逮于袁婁而與之盟。」《穀梁傳》成公二年也記：「於是而與之盟。」晉齊「鞌」之戰後，雙方大國，終於議和。

《左傳》成公三年記曰：

十二月甲戌，晉作六軍，韓厥、趙括、鞏朔、韓穿、荀騅、趙旃皆爲卿，賞鞌之功也。齊侯朝于晉，將授玉，郤克趨進曰：「此行也，君爲婦人之笑辱也，寡君未之敢任。」晉侯享齊侯，齊侯視韓厥，韓厥曰：「君知厥也乎？」齊侯曰：「服改矣。」韓厥登，舉爵曰：「臣之不敢愛死，爲兩君之在此堂也。」

鞌之戰結束以後，次年，齊頃公往訪晉國，與晉景公會面行禮，將要奉贈玉器之時，郤克在旁，直言齊侯此行受辱，全拜婦人在朝譏笑各國大臣之賜，以見郤克於昔日在齊受譏，仍耿耿於懷，未能遺忘於心。另外，齊頃公在朝廷之上，接受晉景公的享宴，目視階下的韓厥，似極面熟，韓厥上庭申問，齊頃公才覆以服裝已經改換，故一時未能明察，韓厥因而舉爵敬酒，答之以辭。齊晉兩國，大戰之後，兩君相會，而昔日疆場勁敵，今日宴席重晤，彼此各有一番滋味，在於心頭，也算是大戰後的另一段插曲。

㈤戰爭影響

春秋之際，周室力量，已經中衰，各國諸侯，相互爭衡，二百餘年之間，大小戰役，頻仍不斷，其中尤以齊、晉、秦、楚等國，武力最爲強大，先後相繼稱霸。

齊國自桓公即位，得管仲輔佐，實行尊王攘夷的政策，於葵丘之地，大會諸侯，尊崇周天子，在各國之中，最早成爲盟主。

晉國自獻公之後，文公繼立，勵精圖強，城濮一戰，大敗楚軍，確立霸業，也使得邊鄙地區的楚國，未能得逞於中原。

齊晉二國，自桓公、文公之後，國力漸衰，齊國至於頃公，力圖振作，進攻魯衛等國，想要加以兼併，而晉國至於景公，也想重復霸業，於是才有「鞌」地之戰的發生。景公之後，晉厲公又大敗楚軍於「鄢陵」，晉國的勢力，由是也再次達到全盛的境地。

要之，「鞌」地的戰役，使得晉國的霸業，因此而得到復興的機會，而齊國的力量，也步上難以重振的地步，因此，「鞌」之戰，對於春秋時代，齊晉兩大國家力量的消長興衰，確實有著關鍵性的影響，值得研究春秋史事的學者們，加以留意探索。

十五、試論《春秋公羊傳》中「借事明義」之思維模式與表現方法

《春秋》中有「借事明義」之實例，本文之作，旨在探討《春秋》「借事明義」的原因、表現方法、以及表現方法背後所依緣的思維模式等相關問題，全文分爲六節。

第一節，引論。此節說明本文探討的幾項重點。

第二節，《春秋》「借事明義」之原因。此節探討《春秋》所以要「借事明義」的原因，主要在於孔子以平民的身份，想要爲人倫社會建立是非標準，卻不便於明顯地直陳其說，所以，才筆削《春秋》，借著春秋的歷史事件，進行褒貶，因而彰明他所想要傳達的意義。

第三節，《春秋公羊傳》「借事明義」之第一種表現方法。此節探討《公羊傳》對於《春秋》所作的闡釋，以爲「借事明義」的第一種表現方法，主要是借用春秋歷史中的信史事件，去彰明其中的意義，對於此種表現方法，本節之中，引用實例，去加以說明。

第四節，《春秋公羊傳》「借事明義」之第二種表現方法。此節探討《公羊傳》對於《春秋》所作的闡釋，以爲「借事明義」的第二種表現方法，主要是所借用的歷史事件，卻與春秋的信史不相符合，《春秋》卻借用此種不符信史的事件，去彰明其中的意義。對於此種表現方法，本節之中，也引用實例，去加以說明。

第五節，《春秋公羊傳》中「借事明義」之思維模式。此節探討《春秋公羊傳》中「借事明義」的兩種表現方法，其內在所依緣的思維模式，究竟有何不同，及其所以不同的原因。

第六節，結語。此節主要在於說明，《春秋公羊傳》「借事明義」所以會有第二種表現的方法，主要的原因，仍在「《春秋》是經，不是歷史」，經可曲折達義，史必據事直書，《春秋》主要是爲萬世制法，不是爲後代紀實。

(一)引　言

《春秋》本屬魯國歷史之名，孔子假之以爲《經》書之稱，《孟子·滕文公上》曰：「世衰道微，邪說暴行有作，臣弒其君者有之，子弒其父者有之，孔子懼，作《春秋》，《春秋》，天子之事也，是故孔子曰，知我者，其惟《春秋》乎！罪我者，其惟《春秋》乎！」《孟子·

離婁下》曰：「王者之跡熄而《詩》亡，《詩》亡，然後《春秋》作，晉之《乘》，楚之《檮杌》，魯之《春秋》，一也，其事，則齊桓晉文，其文，則史；孔子曰：其義，則丘竊取之也。」孟子以爲，天下淆亂，王者之道不彰，是以孔子乃藉著魯國史書而作《春秋》，以布衣而行天子褒貶之事，以爲天下儀表，故《春秋》之中，有「事」有「文」有「義」，《春秋》之中，如所記齊桓晉文等國諸侯之事，其文字記錄，皆係歷史，而《春秋》之中，又別有孔子所寄寓之意義存在，是以《春秋》雖係「史」「事」之記錄，而所重尤在其「義」。

《春秋》雖然重「義」，可是，《春秋》所重之義，卻又需要藉著《春秋》中的歷史事件，而加以顯現，因此，「借事明義」，便成爲《春秋》褒貶的常則，也成爲人們理解《春秋》之「義」的門徑，而《春秋》中「借事明義」之事例，經過《公羊傳》的闡釋，也更加清晰而明確。

在此，有幾個問題，是需要去探討的，首先，孔子作《春秋》，所重既然在「義」，則何不直陳其義？卻又要去「借事明義」呢？其次，《春秋》「借事明義」的表現方法，究竟如何實施？也應經由實例，加以佐證，再次，《春秋》「借事明義」，其表現方法的背後，所依據的思維模式，究竟如何？原因何在？這些，都是值得探究的問題。

本文之作，即在針對前述的幾項問題，試加探索，分別討論如下。

(二)《春秋》「借事明義」之原因

孔子作《春秋》，既然所重在「義」，則何不直接陳述其義？卻要借著歷史中的「事」，以彰明其「義」呢？司馬遷《史記．太史公自序》曰：

太史公曰，余聞董生曰：「周道衰廢，孔子爲魯司寇，諸侯害之，大夫壅之，孔子知言之不用、道之不行也，是非二百四十二年之中，以爲天下儀表，貶天子，退諸侯，討大夫，以達王事而已矣。」子曰：「我欲載之空言，不如見之行事之深切著明也。」夫《春秋》上明三王之道，下辨人事之紀，別嫌疑，明是非，定猶豫，善善惡惡，賢賢賤不肖，存亡國，繼絕世，補敝起廢，王道之大者也。[1]

太史公轉述董仲舒之言，說明孔子是由於己道不被實行，因而依據春秋時代二百四十二年之

[1] 司馬遷：《史記》台北，鼎文書局，民國八十二年四月，下引《史記》並同。

間的歷史事實，而寄託了自己的理想治道，以求因事而明其義，以爲如此表達心義，較之徒託空言，直接陳述意旨，更能使人印象深刻，明白易曉，《史記．十二諸侯年表．序》曰：

> 孔子明王道，干七十餘君，莫能用，故西觀周室，論史記舊聞，興於魯，而次《春秋》，上記隱，下至哀之獲麟，約其文辭，去其繁重，以制義法。

孔子以平民的的身份，想要爲人倫社會政理，建立是非的標準，卻不便於明顯地直陳其說，所以，才筆削《春秋》，借著春秋的歷史事件，進行褒貶，因而彰明他所想要傳達的義旨，《史記．孔子世家》又曰：

> 子曰：「弗乎！弗乎！君子病歿世而名不稱焉，吾道不行矣，吾何以自見於後世哉？」乃因史記，作《春秋》，上自隱公，下訖哀公十四年，十二公，據魯親周故殷，運之三代，約其文辭而指博。……孔子在位，聽訟文辭，有可與人共者，弗獨有也，至於爲《春秋》，筆則筆，削則削，子夏之徒，不能贊一辭。弟子受《春秋》，孔子曰：「後世知丘者以《春秋》，而罪丘者亦以《春秋》」。

也已說明，孔子雖明王道，而莫能見用，於是藉著魯國史書，撰作《春秋》，以求寄託己道，以求自見於後世，以求為後世建立人倫政治是非價值之準則，是以「借事明義」，實為孔子筆削《春秋》，假以見義之基本方法。

《漢書·藝文志》於〈六藝略〉著錄《春秋古經十二篇》，又記載說《春秋》之著述有《左氏傳》、《公羊傳》、《穀梁傳》、《鄒氏傳》、《夾氏傳》五種，班固曰：「鄒氏無師，夾氏未有書。」❷是以《春秋》一《經》，僅存三《傳》，三《傳》之中，《左傳》以記事為主，記事則力求其備，期能詳述歷史之事實，《公羊傳》與《穀梁傳》，以解《經》為主，解《經》則所重在義，期能闡發《春秋》之微言大義。

孔子筆削《春秋》，賦予大義微言之後，而對歷史事件，行其褒貶之實，不免多所忌諱，不得不以口說流傳，因此，「七十子之徒，口受其《傳》指，為有所刺譏褒諱挹損之文辭，不可以書見也」❸，因此，《春秋》之大義微言，多存於歷代經師口耳相傳之間，《公羊傳》傳自孔子弟子子夏，「子夏傳與公羊高，高傳與其子平，平傳與其子地，地傳與其子敢，敢

❷ 班固：《漢書·藝文志》，台北，世界書局，民國五十二年四月。

❸ 見《史記·十二諸侯年表·序》。

傳與其子壽，至漢景帝時，壽乃與其弟子胡毋子都著於竹帛」❹，《公羊傳》著於竹帛，記錄成爲文字之後，在西漢即曾立爲博士，列於學官，至於《春秋》一《經》，文字簡約，則以《公羊傳》最能闡發《春秋》之微言大義，也最能彰明《春秋》一《經》「借事明義」之要旨。

《春秋》「借事明義」之要旨，自孟子以下，歷代學者，如董仲舒、司馬遷、何休、徐彥、孔廣森、皮錫瑞、熊十力等，多能抒發其義❺，其中，則以皮錫瑞所論次者，分析較爲詳細，皮錫瑞《經學通論》曰：

> 借事明義，是一部《春秋》大旨。

又曰：

---

❹ 見徐彥：《公羊傳注疏》引〈戴宏序〉，台北，藝文印書館影印阮刻《十三經注疏》本，下引《公羊傳注疏》並同。

❺ 董仲舒說見《春秋繁露》，司馬遷說見《史記》，何休說見《公羊傳解詁》，徐彥說見《公羊傳注疏》，孔廣森說見《公羊通義》，皮錫瑞說見《經學通論》，熊十力說見《讀經示要》。

董子曰：「孔子知時之不用，道之不行也，是非二百四十二年之中，以爲天下儀表，貶天子，退諸侯，討大夫，以達王事而已矣。」（孔子）曰：「我欲載之空言，不如見之行事之深切著明也。」錫瑞案，董子引孔子之言，與孟子引孔子之言，皆《春秋》之要旨，極可信據，載之空言，不如見之行事，後人亦多稱述，而未必人人能解，《春秋》一書，亦止是載之空言，如何說是見之行事？即後世能實行《春秋》之法，見之行事，亦非孔子之所及見，何以見深切著明？此二語看似尋常之言，有令人百思而不得其解者，必明於《公羊》借事明義之旨，方能解之，蓋所謂見之行事，謂託二百四十二年之行事，以明褒貶之義也，孔子知道不行，而作作《春秋》，斟酌損益，立一王之法，以待後世，然不能實指其用法之處，則其意不可見，即專著一書，說明立法之意如何，變法之意如何，仍是託之空言，不如見之行事，使人易曉，猶今之大清律，必引舊案以爲比例，然後辦案乃有把握，故不得不借當時之事，以明褒貶之義，即褒貶之義，以爲後來之法。❻

❻ 皮錫瑞：《經學通論》卷四《春秋通論》頁二十，台北，河洛圖書出版社，民國六十三年十二月，下引皮氏《經學通論》並同。

皮錫瑞指出，孔子所說的「見之行事」，並非見於後世之事，而是見之於春秋二百四十二年中之行事，因此，孔子乃係借用春秋歷史中之「事」，以寄託一己之理想法度，以彰明己所褒貶之「義」，如此而「借事明義」，因爲有歷史中事實可資評斷，因此，褒貶之義，也格外易於明了，其爲後世所建立的法度準則，也更加易於踐行，所以，皮氏強調，「必明於《公羊》借事明義之旨」，方能了解孔子撰作《春秋》的要旨，所以，皮氏也更加強調，「借事明義，是一部《春秋》大旨。」

《春秋》文字簡約，其義隱而不顯，得《公羊傳》之闡釋，然後其辭方易於詮解，而《春秋》中「借事明義」之義旨，得《公羊傳》之闡發，也更加易於曉悟，所以，本文即從《公羊傳》之立場，討論《春秋》中「借事明義」所呈現的微言大義，至其春秋二百四十二年中之歷史事實，則多依據《左傳》的記錄，而加以說明。

(三)《春秋公羊傳》「借事明義」之第一種表現方法

《春秋》「借事明義」的施行方法，需要從《春秋》的實例中，去加以了解，也需要以《公羊傳》所作的闡釋，去作爲佐證，因此，本文所稱《春秋公羊傳》，即已包含《公羊傳》

對於《春秋》所作之闡釋在內。以下，即略舉其例，以見一斑。

1. 借宋萬弒君以明大臣不畏彊禦之義

《春秋》莊公十二年（西元前六八二年）記曰：

秋，八月，甲午，宋萬弒其君捷及其大夫仇牧。

《左傳》記曰：

十二年，秋，宋萬弒閔公于蒙澤，遇仇牧于門，批而殺之，遇太宰督于東宮之西，又殺之，立子游，群公子奔蕭，公子御說奔亳，南宮牛猛獲帥師圍亳。[7]

《公羊傳》記曰：

---

[7] 見《左傳注疏》，台北，藝文印書館影印阮刻《十三經注疏》本，下引《左傳》並同。

及者何？累也，弒君多矣，舍此無累者乎？孔父荀息，皆累也，舍孔父荀息，無累者乎？曰，有，有則此何以書？賢也，何賢乎仇牧？仇牧可謂不畏彊禦矣，其不畏彊禦奈何？萬嘗與莊公戰，獲乎莊公，莊公歸，散舍諸宮中，數月，然後歸之，歸反爲大夫於宋，與閔公博，婦人皆在側，萬曰：「甚矣，魯侯之淑，魯侯之美也，天下諸侯宜爲君者，唯魯侯爾。」閔公矜此婦人，妒其言，顧曰：「此虜也，爾虜焉故，魯侯之美惡乎至？」萬怒，搏閔公，絕其脰，仇牧聞君弒，趨而至，遇之于門，手劍而叱之，萬臂摋仇牧，碎其首，齒著乎門闔，仇牧可謂不畏彊禦矣。❽

宋萬弒其君閔公，又殺其大夫仇牧，《左傳》記載此事，較爲簡略，《公羊傳》記載此事，較爲詳密，以爲宋萬被俘釋歸，與宋閔公奕棋，而盛稱魯莊公之德，閔公妒而譏笑宋萬被虜，宋萬因怒而弒閔公，又殺仇牧。仇牧被宋萬殺之事，《左傳》與《公羊傳》的記載，大略相同，但是，《公羊傳》卻以爲，閔公被弒，仇牧遭到連累，雖死事慘烈，仍不失爲是賢者的行徑，因此，才借著宋萬弒君、仇牧遭受牽連而英勇死難的事實，而特別強調了社稷大臣應

❽ 《公羊傳注疏》，台北，藝文印書館影印阮刻《十三經注疏》本，下引《公羊傳》並同。

該不畏強梁，以身殉國的理想意義。

2.借齊魯會盟以明諸侯守信之義

《春秋》莊公十三年（西元前六八一年）記曰：

冬，公會齊侯盟于柯。

《左傳》記曰：

冬，盟于柯，始及齊平也。

《公羊傳》記曰：

何以不日？易也，其易奈何？桓之盟不日，其會不致，信之也，其不日何以始乎此？

莊公將會乎桓，曹子進曰：「君之意何如？」莊公曰：「寡人之生，則不若死矣。」

曹子曰：「然則君請當其君，臣請當其臣。」莊公曰：「諾。」於是會乎桓，莊公升壇，曹子手劍而從之，管子進曰：「君何求乎？」曹子曰：「城壞壓竟，君不圖與？」管子曰：「然則君將何求？」曹子曰：「願請汶陽之田。」管子顧曰：「君許諾。」桓公曰：「諾。」曹子請盟，桓公下，與之盟，已盟，曹子摽劍而去之。要盟可犯，而桓公不欺，曹子可讎，而桓公不怨，桓公之信，著乎天下，自柯之盟始焉。

魯莊公與齊桓公於柯地結盟，《左傳》僅記載魯國與齊國開始建立和平關係，《公羊傳》則詳細地記載了曹沫以勇力脅迫齊君的經過。要之，齊魯國君，結盟於柯，建立和平之事，《左傳》與《公羊傳》的記載，詳略雖有不同，結果卻並不相異。但是，《公羊傳》解釋《春秋》齊魯「盟于柯」，而不記錄結盟日期的原因，以爲是齊魯兩君結盟，彼此能夠坦然相對，桓公也能誠信待人，是值得稱許的行徑，所以不必詳記結盟日期，因此，儘管「要盟可犯」，「曹子可讎」，而齊桓公能夠不欺不怨而信守盟約的內容，因此，《公羊傳》才借著齊魯兩國在柯地結盟的事實，而特別賦予了諸侯行爲應該誠信不欺的理想意義。

3.借臧孫辰告糴以明謀國裕民之義

《春秋》莊公二十八年（西元前六六六年）記曰：

冬，築微，大無麥禾，臧孫辰告糴于齊。

《左傳》記曰：

冬，饑，臧孫辰告糴于齊，禮也。

《公羊傳》記曰：

告糴者何？請糴也，何以不稱使？以爲臧孫辰之私行也，曷爲以臧孫辰之私行，君子之爲國也，必有三年之委，一年不熟告糴，譏也。

莊公二十八年，魯國農穀不熟，禾麥盡皆歉收，饑荒嚴重，冬天，執政大夫臧孫辰前往齊國購買糧食，對於此事，《左傳》與《公羊傳》的記載，大略相同。但是，《公羊傳》卻以爲，臧孫辰身爲執政的大臣，平日謀國治政，即當早爲規劃，使國家至少應該具有三年存糧的準備，以備不時之需，俾使百姓免於饑饉之苦，而臧孫辰既不能謀計於先，雖係奉莊公之命，前往齊國，《春秋》仍然不稱其爲使臣，以見臧孫辰赴齊購糧，似爲私人之行徑，以譏刺其爲政謀國的失策。孔廣森《公羊通義》曰：「蓋以爲《春秋》之文，非徒見刺譏而已，將使後之王者，觀於告糴之譏，知未荒而備之有道。」❾要之，《公羊傳》借著魯國饑荒，臧孫辰前往國外緊急購買糧食的事實，而特別顯示了在朝大臣，謀國之政，應該要廣儲民食，以免百姓遭受饑饉之苦的理想意義。

4.借毛伯求金以明君王貴德賤利之義

《春秋》文公九年（西元前六一八年）記曰：

❾ 孔廣森：《公羊通義》，台北，藝文印書館影印《皇清經解》本，下引《公羊通義》並同。

毛伯來求金。

《左傳》記曰：

九年，春，毛伯衛來求金，非禮也，不書王命，未葬也。

《公羊傳》記曰：

毛伯者何？天子之大夫也，何以不稱使？當喪未君也，踰年矣，何以謂之未君？即位矣，而未稱王也，未稱王，何以知其即位，以諸侯之踰年即位，亦知天子之踰年即位也。……毛伯來求金，何以書？譏，何譏爾？王者無求，求金，非禮也，然則是王者與？曰，非也，非王者，則曷爲謂之王者？王者無求，曰，是子也，繼文王之體，守文王之法度，文王之法無求，而求，故譏之也。

魯文公八年，周襄王崩，周頃王繼立，文公九年，周大夫毛伯奉王命至魯國，索求貢金，《左傳》與《公羊傳》記載此事，內容相同，對於周頃王以天子之尊，而向諸侯私索貨財，《左傳》與《公羊傳》，也同樣表示了「非禮」的看法。只是，《公羊傳》對於此事，一則表示周頃王當襄王之喪，雖已即位，卻未嘗稱王，故於毛伯前來魯國，《春秋》只稱其名，而不稱之爲天王使臣，另外，則針對周頃王未能遵守周文王所建立的「王者無求」的法度，而對於毛伯求金的行爲，作出了譏刺的批評，要之，《公羊傳》借著毛伯求金於諸侯之邦的事實，而強調了君王施政，應當特崇道德，輕賤貨利的意義，陳立《公羊義疏》引《說苑．貴德》篇曰：「故爲人君者，明貴德而賤利以道下。」[10]含義也正是希望爲人君者，要樹立一個良好的行爲準則，以作爲人臣效法的榜樣。

5.借葬許悼公以明恕道存心之義

《春秋》昭公十九年（西元前五二三年）記曰：

夏，五月，戊辰，許世子止弒其君買。……冬，葬許悼公。

❿ 陳立：《公羊義疏》，台北，中華書局《四部備要》本。下引《公羊義疏》並同。

《左傳》記曰：

夏，許悼公瘧，五月，戊辰，飲太子止之藥，卒，太子奔晉，書曰：「弒其君。」

君子曰：「盡心力以事君，舍藥物可也。」

《公羊傳》記曰：

賊未討，何以書葬？不成于弒也，曷爲不成于弒？止進藥而藥殺也，止進藥而藥殺，則曷爲加弒焉爾？譏子道之不盡也，其譏子道之不盡奈何？曰，樂正子春之視疾也，復加一飯，則脱然愈，復損一飯，則脱然愈，復加一衣，則脱然愈，復損一衣，則脱然愈，止進藥而藥殺，是以君子加弒焉爾，曰，許世子止弒其君買，是君子之聽止也，葬許悼公，是君子之赦止也，赦止者，免止之罪辭也。

許悼公（名買）因瘧疾之病，世子（名止）進藥，悼公飲藥，藥力無效，悼公遂卒，《左傳》與《公羊傳》的記載，結果大略相同。只是，《左傳》借君子的評論，以爲世子盡心事奉君親，即使不進湯藥，也不能算是不孝，進奉湯藥，反易招致弒君的嫌疑。《公羊傳》則以爲，爲人子女，侍奉親疾，總是希望父母之病，能夠迅速痊癒，因此，一飯一衣的添減，都不免是小心翼翼，謹愼從事，（如同樂正子春視親之病一般），許世子進藥無效，《公羊傳》以爲，《春秋》明書「弒其君買」，是責備許世子事君不週之罪，但是，《春秋》明書「葬許悼公」，也已清晰地寬恕了許世子的過失，因爲，君弒，賊不討，《春秋》是不書「葬」的⓫，孔廣森《公羊通義》曰：「書葬者，起非實弒也。」要之，《公羊傳》借著許悼公飲藥而卒的事實，而特別表達了對人行事的評斷，應該要以恕道存心的理想意義。

　從以上五個例子中，可以了解到《春秋》「借事明義」的表現方法，同時，在以上的例子中，也可以見出，這一種「借事明義」，所借之「事」，是歷史上眞實存在的事，而所明之「義」，只是將所借「事」中具含的意義，特別加以強調凸顯而已。

⓫《公羊傳》隱公十一年記曰：「《春秋》君弒，賊不討，不書葬」。

㈣《春秋公羊傳》「借事明義」之第二種表現方法

在上一節中，可以見到，《春秋》「借事明義」，所借之「事」，是歷史上眞實存在的事，所明之「義」，也是此一眞實史事之「義」。可是，在《春秋》之中，還有另外一種「借事明義」的方法，所借之「事」，卻不是歷史上眞實存在的事，然後卻去借此與史實不符之事，去明其中之「義」，皮錫瑞《經學通論》曰：「借當時之事，以明褒貶之義，即褒貶之義，以爲後來之法，如魯隱非眞能讓國也，而《春秋》借魯隱公之事，以明讓國之義。祭仲非眞能知權也，而《春秋》借祭仲之事，以明知權之義。齊襄非眞能復讎也，而《春秋》借齊襄之事，以明復讎之義。宋襄非眞能仁義行師也，而《春秋》借宋襄之事，以明仁義行師之義。」⑫又曰：「《春秋》借事明義，且非獨祭仲數事而已也，存三統，張三世，亦當以借事明義解之，然後可通。」⑬，然則，孔子在《春秋》之中，何以要借此不符史實之事，

⑫ 皮錫瑞：《經學通論》卷四《春秋通論》頁二十一。
⑬ 皮錫瑞：《經學通論》卷四《春秋通論》頁二十二。

而去明其心中之義呢？我們不妨即從皮錫瑞所舉出來的幾個比較明顯的例子，去作考察。

1. 借魯隱公居攝以明讓國之義

《左傳》於隱公元年（西元前七二二年）以前記曰：

> 惠公元妃孟子，孟子卒，繼室以聲子，生隱公。宋武公生仲子，仲子生而有文在其手，曰「爲魯夫人」，故仲子歸于我，生桓公而惠公薨，是以隱公立而奉之。

《春秋》隱公元年（西元前七二二年）記曰：

> 元年，春，王正月。

《左傳》記曰：

> 元年，春，王周正月，不書即位，攝也。

根據《左傳》記載，魯惠公的元配夫人，是宋國的女子孟子（子姓，居長，故名孟子），孟子死後，惠公續娶聲子，聲子是孟子嫁於惠公時從嫁的女子，所以不能算是正室，不能稱爲夫人，聲子稍後生下息姑（後來之隱公）。宋國武公，先前生女仲子，仲子生而手心有「爲魯夫人」四字，因此，仲子長大，宋國即將仲子嫁予魯惠公，仲子後來生下允（後來之桓公）。惠公死後，隱公繼立爲君，《左傳》以爲，隱公繼立，只是暫時假攝政事，並未眞正即位，所以，《春秋》才不書即位。但是《公羊傳》卻記曰：

公何以不言即位，成公意也，何成乎公之意？公將平國而反之桓，曷爲反之桓？桓幼而貴，隱長而卑，其爲尊卑也微，國人莫知，隱長又賢，諸大夫扳隱而立之，隱於是焉而辭立，則未知桓之將必得立也，且如桓立，則恐諸大夫之不能相幼君也，故凡隱之立，爲桓立也，隱長又賢，何以不宜立？立適以長，不以賢，立子以貴不以長，桓何以貴？母貴也，母貴則子何以貴？子以母貴，母以子貴。

《公羊傳》以爲，《春秋》不記隱公繼立，主要是想成就隱公讓位於桓公的心意，因爲，桓公是惠公夫人所生之子，所以年雖幼而地位尊貴，隱公是惠公繼室所生之子，所以年雖長而地位較卑，這種尊卑的關係，魯國人民並不十分清楚，惠公死後，由於隱公年長而賢，所以被朝中大夫擁立爲君，隱公如果推辭君位，桓公未必定能繼立，即使繼立，也恐怕朝廷大臣不願輔佐年幼的桓公，所以認爲，「凡隱之立，爲桓立也」，隱公的暫攝君位，是爲了未來能夠讓位給桓公而作出的不得已的決定。其實，檢討一下《公羊傳》的說法，首先，「立適以長，不以賢」，隱公雖然不是惠公夫人孟子所生，但孟子並未生子，則就惠公而言，隱公仍爲長子，其次，「立子以貴，不以長」，桓公之母仲子，雖爲惠公夫人，但是，隱公二年，《春秋》記載：「十有二月，乙卯，夫人子氏薨」，子氏是隱公之母聲子，《春秋》明稱其爲夫人，又稱其死爲薨，同於諸侯，是《春秋》並不以隱公之母聲子爲卑於桓公之母仲子。因此，桓公母貴的說法，是不能成立的。另外，隱公之立，雖然《左傳》稱之爲「攝」，隱公十一年，《左傳》也記載隱公之言說：「爲其少故也，吾將授之矣。」說是將讓位給桓公，要之，隱公是否眞心居攝，無法求證，但是，一直到隱公被弒去世，他並沒有明顯可信的讓位之意，也更無任何明顯的讓國行爲，由是可知，《公羊傳》「凡隱之立，爲桓立也」的說法，並不符合事實的眞相。

實則，儒學思想中最重謙讓，堯舜所以被儒者尊爲聖君，主要也在他們能夠具備禪讓的美德，《尚書．堯典》稱頌堯的仁德，便強調了「允恭克讓」的精神，《春秋》之中所論「克讓」之事，不止一端，像吳國的季札，也有讓國之行（見襄公二十九年《公羊傳》），頗爲受人尊敬，但是，《公羊傳》卻在《春秋》之始，借著魯隱公居攝的事實，而賦予了「讓國」的理想意義，孔廣森《公羊通義》曰：「《春秋》撥亂之教，以讓爲首。」確是深得《公羊》的義旨。

2.借祭仲廢君以明行權之義

《春秋》桓公十一年（西元前七〇一年）記曰：

九月，宋人執鄭祭仲。

《左傳》記曰：

鄭昭公之敗北戎也，齊人將妻之，昭公辭，祭仲曰：「必取之，君多內寵，子無大援，將不立，三公子皆君也。」弗從。夏，鄭莊公卒，初，祭封人仲足有寵於莊公，莊公使爲卿，爲公娶鄧曼，生昭公，故祭仲立之。宋雍氏女於鄭莊公，曰雍姞，生

> 厲公，雍氏宗有寵於宋莊公，故誘祭仲而執之，曰：「不立突，將死。」亦執厲公而求賂焉，祭仲與宋人盟，以厲公歸而立之。

根據《左傳》的記載，鄭莊公有四子，分別是忽（後來之鄭昭公）、突（後來之鄭厲公）、亹、儀，鄭莊公死後，祭仲擁立鄭莊公的長子忽，是爲鄭昭公，但是，宋國的雍氏族人，因受宋莊公的寵信，利用機會，將祭仲誘往宋國，而威脅祭仲改立宋國雍氏女子所生之突，又拘禁了突而要求厚賂，祭仲於是與宋國之人盟誓，使突回鄭國，立以爲君，是爲鄭厲公，鄭昭公只好出奔衛國。從記載看來，鄭昭公（忽）能夠率兵大敗北戎，又能夠堅拒大國的婚姻，並說出「人各有耦，齊大，非吾耦也」（事見桓公六年《左傳》）的話語，不失爲是一位有作爲有志氣的世子，而鄭厲公（突），則較爲平庸，至於祭仲，既是鄭莊公之寵臣，又勸鄭昭公（忽）聯婚於齊，以求大國的外援，卻又接受宋國的誘迫，而改立國君，以致使鄭昭公出亡在外，如此看來，祭仲並不是什麼賢德之人，似乎《左傳》對他，也有貶意。所以，杜預在《左傳注》中說：「祭、氏，仲、名，不稱行人，聽迫脅以逐君，罪之也。」但是，《公羊傳》卻記曰：

祭仲者何？鄭相也，何以不名？賢也，何賢乎祭仲？以爲知權也，其爲知權奈何？古者鄭國處于留，先，鄭伯有善于鄶，公者，通乎夫人，以取其國而遷鄭焉，而野留，莊公死，已葬，祭仲將往省于留，塗出于宋，宋人執之，謂之曰：「爲我出忽而立突。」祭仲不從其言，則君必死，國必亡，從其言，則君可以生易死，國可以存易亡，少遼緩之，則突可故出，而忽可故反，是不可得則病，然後有鄭國，古人之有權者，祭仲之權是也，權者何？權者反於經，然後有善者也，權之所設，舍死亡無所設，行權有道，自貶損以行權，不害人以行權，殺人以自生，亡人以自存，君子不爲也。

《公羊傳》卻以爲，《春秋》不稱祭仲之名（祭仲名足），而只稱他的排行「仲」，是由於祭仲的賢能，以爲他能通權達變，因爲，祭仲如果不聽從宋人之言，則國君（當指昭公）必然會死，國家必然會亡。如果聽從宋人之言，則國君即可改死爲生，國家也可以改亡爲存。經過一段寬緩的時日之後，則厲公必然會出亡，而昭公也必定會返國，因此，《公羊傳》便特別稱讚祭仲廢國君昭公，改立新君厲公，是通權達變的行爲。其實，當祭仲被執在宋，昭公仍在鄭國之內，祭仲即使不從宋人之言，昭公未必定死，鄭國未必定亡，當祭仲聽從宋人之言時，他也未必能夠斷定將來昭公出亡之後，能夠重返鄭國（《春秋》記載，桓公十五年，「鄭世子忽復歸于鄭」），清人朱元英在《左傳拾遺》中曰：「祭仲盟宋，而逐去忽立突者，非權也，陽辟其害而陰利之也。」[14]也許還比較接近事實的真相。但是，《公羊傳》解釋《春秋》，雖然了解祭仲並不知「權」的事實，卻借著祭仲廢君的事件，而寄託了「知權」的理想意義，推崇了凡人行事，能夠通權達變的理想行爲。孔廣森在《公羊通義》中曰：「《春秋》之於祭仲，取其詭詞從宋，以生忽存鄭，爲近於知權耳。」又曰：「成仲之權，可使爲後法，故假祭仲以見行權之道。」因此，孔廣森才說：「《春秋》非記事之書，明義之書也。」

3. 借齊襄公滅紀以明大復讎之義

《春秋》莊公三年（西元前六九一年）記曰：

秋，紀季以酅入于齊。

---

[14] 引見傅隸樸：《春秋三傳比義》頁一一六，台灣商務印書館，民國七十二年五月。

《左傳》記曰：

秋，紀季以酅入于齊，紀於是乎始判。

《春秋》莊公四年（西元前六九〇年）記曰：

紀侯大去其國。

《左傳》記曰：

紀侯不能下齊，以與紀季，夏，紀侯大去其國，違齊難也。

在春秋時代，紀國是鄰近齊國的一個小國，根據《左傳》記載，在魯莊公三年，紀侯之弟紀季，將紀國的酅邑土地，併入齊國，接受齊國的保護，紀國因此分裂爲二，魯莊公四年，紀侯由於不願接受事奉齊國的屈辱，乃將紀國另外一半的土地，也一併交付紀季，到了夏天，紀侯斷然離開紀國，以避免再次受到齊國之壓迫。因此，《左傳》說明「紀侯大去其國」，是紀侯自己主動遠離紀國。可是，《公羊傳》卻記曰：

> 大去者何？滅也，孰滅之？齊滅之，曷爲不言齊滅之？爲襄公諱也，《春秋》爲賢者諱，何賢乎襄公？復讎也，何讎爾？遠祖也，哀公亨乎周，紀侯譖之，以襄公之爲於此焉者，事祖禰之心盡矣，盡者何？襄公將復讎乎紀，卜之曰：「師喪分焉。」「寡人死之，不爲不吉也。」遠祖者，幾世乎？九世矣，九世猶可以復讎乎？雖百世可也，家亦可乎？曰，不可，國何以可？國君一體也，先君之恥，猶今君之恥也，今君之恥，猶先君之恥也，國君何以爲一體？國君以國爲體，諸侯世，故國君爲一體也，今紀無罪，此非怒與？曰，非也，古有明天子，則紀侯必誅，必無紀者，紀侯之不誅，至今有紀者，猶無明天子也，古者諸侯必有會聚之事，相朝聘之道，號辭必稱先君以相接，然則齊紀無說焉，不可以並立乎天下，故將去紀侯者，不得不去紀也，有明天子，則襄公得爲若行乎？曰，不得也，不得，則襄公曷爲爲之？上無天子，下無方伯，緣恩疾者可也。

《左傳》以爲，「紀侯大去其國」，是紀侯不願受到齊國的壓迫，而自動離開紀國的土地，可是，《公羊傳》卻以爲，「紀侯大去其國」，是齊襄公滅亡了紀國，紀侯才不得不永遠逃亡國外，因此，「紀侯大去其國」，並不是出之於紀侯的自動自發，而齊襄公的滅亡紀國，也不必是爲了復祖先之讎的原因，同時，《公羊傳》以爲，「《春秋》爲賢者諱」，可是，在事實上，齊襄公卻並不是一個眞正的賢者，滅人之國，也是一種令人疾惡的行爲，《左傳》記載魯桓公十八年，桓公與夫人文姜（齊襄公之妹）前往齊國，齊襄公卻與其妹文姜私通，又令公子彭生殺死魯桓公，及至魯國抗議，齊襄公又殺死彭生，襄公一生，爲惡多端，魯莊公八年，襄公爲大臣公孫無知所弑，才引出公子小白與公子糾出亡在外而爭相返國的事件，雖然，在事實上，齊襄公並不是一位賢者，也並不是實踐了「復讎」的目標。但是，《公羊傳》卻放開齊襄公滅人之國的惡行，反而借著齊襄公滅亡紀國的事實，去寄託去稱頌「復讎」行爲的高尙，《公羊傳》以爲，齊襄公滅亡紀國，是能夠作出「復讎」的行爲，是能夠報復九世以前齊哀公被紀侯所譖，以致被烹於周的仇恨，（齊自哀公以後，經過胡公、獻公、武公、厲公、文公、成公、莊公、僖公，至襄公，共爲九代）是値得褒揚的行爲，所以，才諱言齊襄公滅紀的事實，甚至以爲，「今紀無罪」，紀侯即使無罪被齊滅亡，齊襄公的滅亡紀國，也不算是遷怒的行爲，以爲，齊紀兩國，既有世讎，「不可以並立乎天下」，以爲復讎是符合正義的行爲，所以，才「賢襄公爲諱者，以復讎之義，除滅人之惡」（《公羊傳》何休《注》語），因此，《公羊傳》才借著齊襄公「滅亡紀國」的事實，而賦予了強調了後世子孫能夠爲國家「復讎」的理想意義。

4.借宋襄公作戰以明仁義行師之義

《春秋》僖公二十二年（西元前六三八年）記曰：

冬，十有一月，己巳，朔，宋公及楚人戰于泓，宋師敗績。

《左傳》記曰：

楚人伐宋以救鄭，宋公將戰，大司馬固諫曰：「天之棄商久矣，君將興之，弗可，赦也已。」弗聽，冬，十一月，己巳，朔，宋公及楚人戰于泓，宋人既成列，楚人未既濟，司馬曰：「彼眾我寡，及其未既濟也，請擊之。」公曰：「不可。」既濟而未成列，又以告，公曰：「未可。」既陳，而後擊之，宋師敗績，公傷股，門官殲焉，國人皆咎公，公曰：「君子不重傷，不禽二毛，古之爲軍也，不以阻隘也，寡人雖亡國之餘，不鼓不成列。」子魚曰：「君未知戰，勍敵之人，隘而不列，天贊我也，阻而鼓之，不亦可乎？猶有懼焉，且今之勍者，皆吾敵也，雖及胡耇，獲則取之，何有於二毛？明恥教戰，求殺敵也，傷未及死，如何勿重？若愛重傷，則如勿傷，愛其二毛，則如服焉，三軍以利用也，金鼓以聲氣也，利而用之，阻隘可也，聲盛致志，鼓儳可也。」

根據《左傳》記載，魯僖公十八年，「鄭伯始朝於楚，楚子賜之金」，是鄭國自行依附楚國，二十二年三月，「鄭伯如楚，夏，宋公，伐鄭」，是宋襄公先行伐鄭，然後「楚人伐宋以救鄭」，才導致了宋楚兩國在泓水的戰爭，對於泓水之戰，宋襄公主張「不重傷，不禽二毛」，《左傳》借子魚之言，「君未知戰」，批評宋襄公不了解戰爭中求取勝利的本質，才召致了戰爭失敗的結果。可是，《公羊傳》記載此事卻曰：

偏戰者日爾，此其言朔何？《春秋》辭繁而不殺者正也，何正爾？宋公與楚人期戰于泓之陽，楚人濟泓而來，有司復曰：「請迨其未畢濟而擊之。」宋公曰：「不可，吾聞之也，君子不厄人，吾雖喪國之餘，寡人不忍行也。」既濟，未畢陳，有司復曰：「請迨其未畢陳而擊之。」宋公曰：「不可，吾聞之也，君子不不鼓不成列。」已陳，然後襄公鼓之，宋師大敗，故君子大其不鼓不成列，臨大事而不忘大禮，有君而無臣，以爲雖文王之戰，亦不過此也。

《左傳》批評宋襄公「不知戰」，《公羊傳》卻以爲，宋楚兩國交戰，是正規的戰爭，所以，《春秋》才特別書寫交戰的時日「已巳，朔」，以彰顯戰爭的正當性，同時，對於宋襄公也稱贊他「臨大事而不忘大禮」，以爲宋襄公的行事，「雖文王之戰」，也不能超越宋襄公正大光明的作爲，對宋襄公作出了極高的評價，對於宋襄公戰事失利的結果，也只是以「有君而無臣」，將責任推卸到宋國的大臣身上。董仲舒《春秋繁露．俞序》曰：「善宋襄公不由其道而勝，不如由其道而敗，《春秋》貴之，將以變習俗而成王化也。」⑮即在說明，宋襄公雖然戰事失利，《春秋》反而「貴之」，主要在於宋襄公能「由其道」，遵循「仁義行師」之道，這種作風，足以成爲典範，從而產生「變習俗而成王化」的影響，所以才加以褒揚。

⑮ 蘇輿：《春秋繁露義證》卷六，台北，河洛圖書出版社，民國六十三年三月。

皮錫瑞《經學通論》曰：「當其時，戰禍亟矣，獨有一宋襄公能明王道，絀詐力，故《春秋》特褒之，而借以明仁義行師之義，以爲後之用兵者，能如宋襄之言，則戰禍少紓，民命可保焉。」⑯便是強調了在事實上，宋襄公並不眞正能夠「仁義行師」，但爲了特別褒揚「仁義行師」的可貴，以爲「仁義行師」理應如此行事，所以，《公羊傳》才對宋襄公之行爲，予以理想化的解釋，而作出了稱贊之詞。

5.借三世現象以明進化之義

《春秋》隱公元年（西元前七二二年）記曰：

公子益師卒。

《左傳》記曰：

⑯ 皮錫瑞：《經學通論》卷四《春秋通論》頁九十二。

> 眾父卒，公不與小斂，故不書日。

根據《左傳》的解釋，公子益師名眾父，是魯孝公之子，當益師死時，因爲魯隱公並未參加加衾衣小斂之禮，所以，《春秋》不記錄益師死亡的日期。但是，《公羊傳》卻記曰：

> 何以不日？遠也，所見異辭，所聞異辭，所傳聞異辭。

《公羊傳》以爲，公子益師之死，因爲在時間上，距離《春秋》的作者孔子，已經過於久遠，所以，《春秋》便因此而不書寫益師死亡的日期。由於時間有遠近的不同，所以，就孔子所處的時代而言，所見、所聞、所傳聞的事件，便有了不同的說法。對於所見、所聞、所傳聞，何休《公羊解詁》曰：

> 所見者，謂昭、定、哀，己與父時也。所聞者，謂文、宣、成、襄，王父時事也。

所傳聞者，謂隱、桓、莊、閔、僖，高祖曾祖時事也。⓱

《春秋》十二公，起於隱公，經歷桓公、莊公、閔公、僖公、文公、宣公、成公、襄公、昭公、定公，終於哀公，何休以爲，孔子所能見到的，是昭、定、哀三公之事，凡六十一年。所聽到的，是文、宣、成、襄四公之事，凡八十五年。所聽到傳說的，是隱、桓、莊、閔、僖五公之事，凡九十六年。一共二百四十二年之事。何休又曰：「於所傳聞之世，見治起於衰亂之中。」又曰：「於所聞之世，見治升平。」又曰：「至所見之世，著治太平。」⓲這就是所謂的「三世」之說，而「三世」之說，由「衰亂」到「升平」，再到「太平」，由混亂到安治，是一種人類社會文明漸趨興盛的歷史「進化」現象。然而，就歷史演進的事實來看，春秋二百四十二年之中，社會狀況，卻是愈來愈混亂，戰爭愈來愈頻繁，戰爭的規模，也愈來愈龐大，民眾的苦通，也愈來愈深沉，因此，春秋二百四十二年之間，從整個社會的演變而論，確實是一種文明「退化」的情況，那麼，爲什麼《春秋》及《公羊傳》，卻要違

⓱ 何休：《公羊傳解詁》，台北，中華書局《四部備要》本。

⓲ 同注⓱。

反歷史事實，以文明的「退化」情形，而視以爲是「進化」的現象呢？徐彥《公羊注疏》曰：「至所見之世，著治太平，云當爾之時，實非太平，但《春秋》之義，若治之太平於昭、定、哀也。猶如文、宣、成、襄之世，實非升平，但《春秋》之義，而見治之升平。」[19]因此，非太平而視以爲太平，非升平而視以爲升平，必定有其充分的理由存在。劉逢祿在《春秋公羊經何氏釋例・張三世第一》中曰：「分十二世以爲三等，有見三世，有聞四世，有傳聞五世，於所見，微其辭，於所聞，痛其禍，於所傳聞，殺其恩，由是辨內外之治，明王化之漸，施詳略之文，魯愈微而《春秋》之化愈廣，內諸夏、不言鄭疆是也，世愈亂而《春秋》之文益治，譏二名、西狩獲麟是也。」[20]，劉逢祿以爲，孔子身當亂世，希望撥亂返正，因此，「愀然以身任萬世之權，灼然以二百四十二年，著萬世之治」，假借春秋十二公，表示希望社會文明愈來愈更興盛的理想，垂爲人類社會進化的典範，因此，才將愈來愈亂的春秋時代，寫成爲愈來愈進步的文明社會，才將愈來愈衰微的二百四十二年，寫成是愈來愈興旺的文化現象。

---

[19] 同注[8]。

[20] 劉逢祿：《春秋公羊經何氏釋例》，《皇清經解》本。

皮錫瑞在《經學通論》中曰：「隱公非受命王，而《春秋》於隱公託始，即借之以為受命王，哀公非太平世，而《春秋》於哀公告終，即借之以為太平世。」又曰：「《春秋》三世大義，《春秋》始於撥亂，即借隱、桓、莊、閔、僖為撥亂世，中於升平，即借文、宣、成、襄為升平世，終於太平，即借昭、定、哀為太平世，世愈亂而《春秋》之文愈治，其義與時事正相反，蓋《春秋》本據亂而作，孔子欲明馴致太平之義，故借十二公之行事，為進化之程度，以示後人治撥亂之世應如何，治升平之世應如何，治太平之世應如何，義本假借，與事不相比附。」又曰：「孔子生於昭、定、哀世，豈不知其為治為亂？公羊家明云世愈亂而《春秋》之文愈治，亦非不知其為治為亂也。」㉑解釋都極為清晰明白。

在以上所舉的五個例子中，可以了解到，《春秋公羊傳》「借事明義」的第二種表現方法，那就是借用歷史事件，卻又先對歷史事件，加以虛飾化，理想化，然後再就此一虛飾化理想化之歷史事件（而非事實），去借其事而明其義。

㉑ 皮錫瑞：《經學通論》卷四《春秋通論》頁二十三。

㈤《春秋公羊傳》「借事明義」中之思維模式

在前兩節文字中，我們可以了解，《春秋公羊傳》中的「借事明義」，有兩種明顯不同的表現方法，第一種是，所借用的歷史事件，在歷史中，是眞實存在的信史，《公羊傳》借此信史，去表現其所希望彰明的意義。第二種是，所借用的歷史事件，在歷史中，卻並不是眞實存在的信史，而《公羊傳》借此非信史，去表現其所希望彰明的意義。

在此節中，主要所討論的，是第二種的表現方法，我們需要探究的是，《公羊傳》「借事明義」，爲何在借用歷史事件時，卻又先對該一歷史事件，加以虛飾化及理想化，然後再就此一虛飾化及理想化的非信史事件，去借其事而明其義呢？皮錫瑞《經學通論》曰：

> 孔子知道不行而作《春秋》，斟酌損益，立一王之法，以待後世，然不能實指其用法之處，則其意不可見，即專著一書，說明立法之意如何，變法之意如何，仍是託之空言，不如見之行事，使人易曉，猶今之大清律，必引舊案，以爲比例，然後辦案，乃有把握，故不得不借當時之事，以明褒貶之義，以爲後來之法。

又曰：

所謂見之行事，深切著明，孔子之意，蓋是如此，故其所託之義，與其本事，不必盡合，孔子特欲借之以明其作《春秋》之義，後之讀《春秋》者，曉然知其大義所存，較之徒託空言而未能徵實者，不益深切而著明乎！三《傳》惟《公羊》家能明此旨，昧者乃執《左氏》之事，以駁《公羊》之義，謂其所稱祭仲齊襄之類，如何與事不合，不知孔子並非不見國史，其所以特筆褒之者，止是借當時之事，做一樣子，其事之合與不合，備與不備，本所不計，孔子是為萬世作經，而立法以垂教，非為一代作史，而紀實以徵信也。㉒

皮氏提出，孔子借用春秋當時之史事，以彰明一己所作《春秋》之意義，主要是「借當時之事，做一樣子」，以加深讀者的印象，以便於讀者的易於曉悟其「義」，至於「其事之合與不合，備與不備，本所不計」，因為，「孔子是為萬世作經」，不是「為一代作史」，經者

㉒ 皮錫瑞：《經學通論》卷四《春秋通論》頁二十一。

常道，《春秋》是孔子希望借之爲後世在人倫事理方面，建立常經大法，垂此爲教，而不是記錄歷史事實，以求取信於人。

要之，孔子作《經》，既然懸此立法垂教的理想，在表現方法上，他又需要「借事明義」，那麼，當歷史事件不能滿足於他理想中的「義」時，他便對於歷史事件進行「虛飾化」及「理想化」的使之「非信史化」的工作，以便使得該一歷史事件，能夠在「借事」的過程中，能充份地滿足他所賦予的理想化的「義」，這應該便是《公羊傳》認爲孔子《春秋》爲什麼要假借並不存在的「非信史」以明「義」，甚至於是去創造歷史事件以明「義」的理由了。

如果借一個例子來作譬喻，也許能將《公羊傳》所以要借用「非信史」的「事」去彰明其「義」的方法，敘說得比較清楚。

陳壽的《三國志》是歷史、是信史，羅貫中的《三國演義》是歷史演義小說，《三國演義》的史實部分，大體上，不能不依據《三國志》的史實，至少也不能過於違背《三國志》的史實，但是，《三國演義》的作者羅貫中，吸收了裴松之《三國志注》，以及宋元以下的《三國志平話》等資料，積累前人之功，而寫成的《三國演義》，卻免不了有許多虛構的情節，有許多與「正史」不完全相符的人物描繪，主要的目的，則在特別突出某些人物的形象，彰顯出某些事件情節所代表的價值意義。[23]

例如關羽，在《三國志》的〈關羽傳〉以及其他相關的傳記中，確實記載了諸如「力斬顏良，解白馬圍」、「封官留書，千里尋兄」、「刮骨療傷，言笑自若」、「水淹七軍，威震華夏」等詳略不同的事蹟。[24]但是，《三國演義》在描述關羽的行事時，不僅對於前述事蹟，描繪得更加生動活潑之外，同時，更增加了「桃園結義」、「掛印封金」、「過五關斬六將」、「華容道義釋曹操」、「單刀赴會」等許多情節。[25]因此，關羽的事蹟，《三國志》書中原有的記錄，是「信史」的部分，《三國志》中未見，而《三國演義》中出現的情節，則是羅貫中添加進去的「非信史」部分，羅貫中所以要添加許多「非信史」的部分，其目的，只是要格外彰顯出關羽個人的「忠義形象」，塑立一種「忠義典型」的價值意義，去作爲社會人倫效法的準則。

又如諸葛亮，在《三國志》的〈諸葛亮傳〉以及其他相關的傳記中，確實記錄了諸如「隆

---

[23] 參胡楚生：〈略論《三國演義》與裴松之《三國志注》之關係〉，載《古典文學》第三期，台北，學生書局，民國七十年十二月。

[24] 陳壽：《三國志》，台北，鼎文書局，民國八十年四月。

[25] 羅貫中：《三國演義》，台北，老古文化公司，民國八十六年二月。

中策劃」、「計救劉璋」、「遊說孫權」、「赤壁破曹」、「六出祁山」、「木牛流馬」等詳略不同的事蹟。但是，《三國演義》卻增加了「草船借箭」、「祭東風」、「三氣周瑜」、「七擒孟獲」、「空城計」等許多情節，其目的，也只是要格外彰顯出諸葛亮個人的「智略形象」，塑立一種「智略典型」的價值意義。

再如曹操，在《三國志》的〈武帝紀〉（〈曹操傳〉）以及其他相關的傳記中，確實記錄了諸如「捉放曹」、「徐州伐陶謙」、「官渡破袁紹」、「兵敗赤壁」、「作銅雀臺」、「殺漢皇后」、「進爵魏王」等詳略不同的事蹟，但是，《三國演義》卻增加了「詐騙親叔」、「屠殺呂伯奢全家，寧我負人，無人負我」、「許田圍獵，勢壓天子」、「行凶謀殺董貴妃」、「先令王垕以小斛散糧，又反殺王垕以安軍心」、「明禁踐踏麥苗，己身犯令，舉劍作狀自刎，割髮代首」、「夢中殺近侍」、「暗計殺楊修」等許多情節，其目的，也只是要格外彰顯出曹操個人的「奸佞形象」，塑立一種負面的「奸佞典型」，用以警惕世人。

要之，《三國演義》渲染《三國志》中的史事，也增添了許多未見於《三國志》中的情節，去表現作者所希望傳達的「主題」。《春秋公羊傳》借用春秋時代的史事，也創造了許多不符於史書中的史事，去彰明孔子所希望傳達的「義旨」。因此，在表現「主題」及「義旨」的方法上，《三國演義》與《春秋公羊傳》，有著頗爲相似的情形。

其實，無論是演義小說，或者是經書哲理，要表現「主題」或「義旨」，其外在的表現方法，仍然繫之於作者內在的思考理路、思維模式，先有其內，後有其外。

在前文的三、四兩節之中，我們了解到《春秋》「借事明義」時有兩種表現的方法，第一種是借著春秋信史去表現其事中的義旨，第二種是借著春秋的非信史去表現其事中的義旨。第一種表現方法，所依緣的是作者的理性思維，第二種表現方法，所依緣的是作者的非理性思維，或者是超理性思維。因之，前者認定事實，依據歷史，後者否定事實，不符歷史。前者於史事求其「眞」，後者於史事求其「善」。前者於史事爲陳說式的「述」，後者於史事爲創造式的「作」。前者視所借史事爲「本該如此之現象」，後者視所借史事爲「應該如此之現象」。

蔣慶於所著《公羊學引論》一書之中，在討論到《公羊》學「三世說的性質」時，曾經指出，「三世說表明歷史不是合乎理性的邏輯發展過程」，「是一種超越理性的歷史觀」㉖，他的意見，頗能把握「三世說」的精神，同時，也可以藉之而持與前述《春秋公羊傳》中「借事明義」的第二種思維模式，相互印證。

㉖ 蔣慶：《公羊學引論》頁二六二，遼寧教育出版社，一九九五年六月。

㈥結　論

在前幾節的研索中，我們了解，《春秋公羊傳》中「借事明義」的表現方法，至少應有兩種，第一種，所借之事，於史有徵，（以《左傳》爲據）內容眞實，所明之義，恰如其份，這種表現方法，所依緣的是作者所進行的理性思維的模式。第二種，所借之事，於史不符，而係作者有意將之虛飾化、理想化，成爲一件符合自己理想意念的事件，然後借之以將自己所希盼的義旨顯示出來，這種表現方法，所依緣的是作者所進行的非理性思維，或稱之爲超理性思維的模式。

要了解《春秋公羊傳》爲何要使用第二種思維模式去表現其「借事明義」的方法，最根本的，仍然要回到《春秋》的性質到底是「經」是「史」的問題上去探究。皮錫瑞在《經學通論》中曰：「孔子是爲萬世作經，而立法以垂教，非爲一代作史，而紀實以徵信也。」㉗又曰：「經史體例所以異者，史是據事直書，不立褒貶，是非自見，經是必借褒貶是非，以

㉗ 皮錫瑞：《經學通論》卷四《春秋通論》頁二十二。

定制立法，爲百王不易之常經。」㉘又曰：「《春秋》一也，魯人記之則爲史，仲尼修之則爲經，經出於史，而史非經也，史可以爲經，而經非史也。」㉙《春秋》是「經」，不是歷史，「經」可曲折達義，「史」必據事直書，《春秋》既然是聖人所筆削之經，寓有微言大義在內，故不重史事之是否爲眞，而特重義旨之能否樹立，理想之能否傳達。

要之，《公羊傳》以爲，《春秋》「借事明義」，要求「義」由「事」出，但是，如果春秋歷史中之「事」，不能盡如理想，不能由是而彰明聖人心中之「義」時，便不免對於春秋時代的史事，進行虛飾化和理想化的加工，虛者不實，飾者美化，對於春秋史事，進行並不實在的美化工作，以求其事能導引出合乎理想的「義」來，這便是《春秋公羊傳》中「借事明義」所以會產生第二種表現方法的原因。

實則，對於《春秋》「借事明義」之中，假借「非信史」以彰顯其義的表現方法，清人陳澧也曾有著「然則《春秋》作僞歟？」的疑惑。㉚

㉘ 皮錫瑞：《經學通論》卷四《春秋通論》頁二。
㉙ 皮錫瑞：《經學通論》卷四《春秋通論》頁七十七。
㉚ 陳澧：《東塾讀書記》卷十頁一六六，臺灣商務印書館，民國八十六年六月。

民國八十八年十一月，國立中山大學舉辦第二屆國際清代學術研討會，筆者宣讀〈皮錫瑞《春秋通論》析評〉[31]一文，由友人宋鼎宗教授擔任評論，筆者述及皮氏所論《春秋》「借事明義」之旨，有「魯隱非眞能讓國也，而《春秋》借魯隱之事，以明讓國之義，祭仲非眞能知權也，而《春秋》借祭仲之事，以明知權之義」等語，友人張健教授時亦在場，質疑孔子何以借用不實之事？所疑與蘭甫先生相同，筆者當時未能作覆，歸而思之再三，草成此文，試釋其疑，兼也答謝張健教授之雅意。

[31] 胡楚生：〈皮錫瑞《春秋通論》析評〉，載國立中山大學：《第二屆國際清代學術研討會論文集》，民國八十八年十一月。

十六、《春秋公羊傳》中顯現之人道精神與價值取向

《春秋公羊傳》是一部充滿文化理想的書籍，因此，書中對於表彰人道精神及價值取向，有著明顯地強調，此文即就這一方面，加以討論。此文分爲四節：

第一節，引言。說明人道精神及價值取向的意義。

第二節，引述《春秋公羊傳》中的事件與判斷，以證明人道精神在《春秋公羊傳》中所受到的重視與地位。

第三節，引述《春秋公羊傳》中的事件與判斷，以證明價值取向在《春秋公羊傳》中所受到的重視與地位。

第四節，結語。主要說明《春秋》是經，而非歷史，故在《春秋》及《公羊傳》中，皆有極爲濃烈的文化理想，因此，才特別顯現了人道精神與價值取向，以闡明孔子在這一方面所建立的人生常則。

(一)引言

《春秋》本是魯國歷史之名，孔子借以為筆削寓義之書，《孟子・滕文公上》曰：「世衰道微，邪說暴行有作，臣弒其君者有之，子弒其父者有之，孔子懼，作《春秋》，《春秋》，天子之事也，是故孔子曰，知我者，其唯《春秋》乎，罪我者，其唯《春秋》乎！」《孟子・離婁下》曰：「王者之跡熄而《詩》亡，《詩》亡，然後《春秋》作，晉之《乘》，楚之《檮杌》，魯之《春秋》，一也，其事，則齊桓晉文，其文，則史，孔子曰，其義，則丘竊取之也。」孟子以為，天下淆亂，王者之道不彰，孔子乃藉魯史而作《春秋》，賦予新義，以布衣而行天子褒貶之事，以為天下儀表，故《春秋》之中，有「事」有「文」有「義」，而《春秋》所特重者，尤在其「義」。

《漢書・藝文志》於〈六藝略〉著錄《春秋古經十二篇》，又記載說《春秋》之著述有《左氏傳》、《公羊傳》、《穀梁傳》、《鄒氏傳》、《夾氏傳》五種，班固曰：「鄒氏無師，夾氏未有書。」是以《春秋》一經，僅存三《傳》，三《傳》之中，《左傳》以記事為主，《公羊傳》與《穀梁傳》以解《經》為主，記事則期其能夠備述歷史之事實，解《經》

則要能夠闡發《春秋》之微言大義。

《史記．太史公自序》曰：「夫《春秋》上明三王之道，下辨人事之紀，別嫌疑，明是非，定猶豫，善善惡惡，賢賢賤不肖，存亡國，繼絕世，補敝起廢，王道之大者也。」因此，孔子作《春秋》，主要是鑑於社會衰頹，人們價值觀念，淆亂不清，所以，才藉著《春秋》，樹立人倫道德的標準，確定是非誠僞的規範，以作爲指示人生進程的路向。因此，《春秋》之中，對於影響人們行爲之人道精神與價值取向，也特別加以重視，這種人道精神與價值取向，藉著《公羊傳》對於《春秋》的闡釋，也越發清晰地顯現。

《易．謙．彖辭》曰：「人道惡盈而好謙。」《易．說卦傳》亦曰：「立人之道，曰仁與義。」所謂人道，是指人之所以爲人之道，也是人類所特別具有的一種品性及感情，例如特別具有崇高的道德心、同情心、憐憫心等等，能具備這些心靈上的特質，便可稱之爲人道精神。

至於價值取向，則是在人們的意識中，所具有的一種理想性的判斷，合乎眞善美的分際，因而產生的一種主觀或客觀的認定標準。

在春秋時代，變亂紛生，利病糾結，人們在生活行爲上，漫無目的，在心靈塗轍上，迷失方向，因此，孔子筆削《春秋》，賦予微言大義，尤其措心於社會倫理道德標準的建樹，因此，《春秋》之中，對於人道精神與價值取向的確立，也格外顯現了深切的關懷之情。

以下，即就《春秋》之中，顯現人道精神及價值取向之有關資料，加以枚舉，並引述與《公羊傳》有關之各種闡釋《春秋》大義的言論，抒發要旨。

㈡《春秋公羊傳》中顯現之人道精神

以下，先論《春秋公羊傳》中所顯現之人道精神，略加枚舉其例，以見一斑。例如《春秋》宣公十五年（西元前五九四年）記曰：

> 夏，五月，宋人及楚人平。❶

《公羊傳》記曰：

> 外平不書，此何以書？大其平乎己也，何大乎平乎己？莊王圍宋，軍有七日之糧爾，

---

❶《春秋公羊傳注疏》，台北，藝文印書館影印阮刻《十三經注疏》本，下引《春秋》並同。

盡此不勝，將去而歸爾，於是使司馬子反乘堙而闚宋城，宋華元亦乘堙而出見之，司馬子反曰：「子之國何如？」華元曰：「憊矣。」曰：「何如？」曰：「易子而食之，析骸而炊之。」司馬子反曰：「嘻！甚矣憊，雖然，吾聞之也，圍者，柑馬而秣之，使肥者應客，是何子之情也？」華元曰：「吾聞之，君子見人之厄則矜之，小人見人之厄則幸之，吾見子之君子也，是以告情于子也。」司馬子反曰：「諾，勉之矣，吾軍亦有七日之糧爾，盡此不勝，將去而歸爾。」揖而去之，反于莊王，莊王曰：「何如？」司馬子反曰：「憊矣。」曰：「何如？」曰：「易子而食之，析骸而炊之。」莊子曰：「嘻！甚矣憊，雖然，吾今取此，然後而歸爾。」司馬子反曰：「不可，臣已告之矣，軍有七日之糧爾。」莊王怒曰：「吾使子往視之，子曷爲告之？」司馬子反曰：「以區區之宋，猶有不欺之人臣，可以楚而無乎？是以告之也。」莊王曰：「諾，舍而止，雖然，吾猶取此，然後歸爾。」司馬子反曰：「然則君請處于此，臣請歸爾。」莊王曰：「子去我而歸，吾孰與處于此，吾亦從子而歸爾。」引使而去之，故君子大其平乎已也，此皆大夫也，其稱人何？貶，曷爲貶？平者在下也。❷

❷《春秋公羊傳注疏》，台北，藝文印書館影印阮刻《十三經注疏》本，下引《公羊傳》並同。

楚軍圍宋，楚司馬子反與宋華元，適相逢在外，華元告以宋人疲憊之情形，司馬子反也告以楚軍僅有七日存糧的實情，司馬子反不忍宋人繼續「易子而食，析骸而炊」的悲慘情況，建議楚莊王，撤兵返國，完全是一種惻隱之心的表現，也是一種特重人道精神的作爲，雖然，《公羊傳》闡釋《春秋》之義，對於華元與子反二人，以臣下的身分自行議和，表示了稱「人」以貶的態度，但是，對於宋國與楚國能夠自行議和，不假外力，卻也給予了高度的肯定。《春秋繁露．竹林》曾曰：「司馬子反爲君使，廢君命，與敵情，從其所請，與宋平，是內專政，而外擅名也，專政則輕君，擅名則不臣，而《春秋》大之，奚由哉？曰，爲其有慘怛之恩，不忍餓一國之民，使之相食，推恩者遠之爲大，爲仁者自然爲美，今子反出己之心，矜宋之民，無計其間，故大之也。」又曰：「見人相食，驚人相爨，救之忘其讓，君子之道，有貴於讓者也，故說《春秋》者，無以平定之常義，疑變故之大，則義幾可諭矣。」❸也是以爲，《春秋》之道，有常有變，司馬子反聞知宋人易子而食，悲憫之餘，心駭目動，因而才有了不顧謙讓於君而自專其政的措施，但是，這也正是表現了一種人道的精神，所以，《春秋》才對子反的行爲加以稱許。

---

❸ 蘇輿：《春秋繁露義證》，台北，河洛圖書出版社，民國六十三年三月。

又如《春秋》僖公二十二年（西元前六三八年）記曰：

> 冬，十有一月，己巳朔，宋公及楚人戰于泓，宋師敗績。

《公羊傳》記曰：

> 偏戰者日爾，此其言朔何？《春秋》辭繁而不殺者，正也，何正爾？宋公與楚人期戰于泓之陽，楚人濟泓而來，有司復曰：「請迨其未畢濟而擊之。」宋公曰：「不可，吾聞之也，君子不厄人，吾雖喪國之餘，寡人不忍行也。」既濟，未畢陳，有司復曰：「請迨其未畢陳而擊之。」宋公曰：「不可，吾聞之也，君子不鼓不成列。」已陳，然後襄公鼓之，宋師大敗，故君子大其不鼓不成列，臨大事而不忘大禮，有君而無臣，以爲雖文王之戰，亦不過此也。

宋軍與楚軍在泓水以北會戰，當楚人在渡河之際，以及在渡河後尚未列成陣勢之時，宋國的官員都曾建議俟其半渡而擊之，俟其未列陣而擊之，宋襄公則以「君子不厄人」、「君子不鼓不成列」來加以拒絕，以致宋軍大敗，但是，《公羊傳》闡釋《春秋》之義，以爲宋襄公「臨大事而不忘大禮」，以爲「雖文王之戰，亦不過此」，對宋襄公加以褒揚，以爲宋襄公在戰爭之中，特別能夠注重誠實不欺的人道精神，並且以爲宋楚兩軍是正規的戰爭，所以，《春秋》在明記戰爭的日期「己巳」之外，同時更明言戰爭的時間是「朔」（初一），以顯示戰爭的正規性與重要性。《春秋繁露．俞序》曰：「善宋襄公不厄人，不由其道而勝，不如由其道而敗，《春秋》貴之，將以變習俗，而成王化也。」❹《史記．宋世家》引太史公曰：「襄公既敗于泓，而君子或以爲多，傷中國闕禮義，褒之也。」❺皮錫瑞在《經學通論》中也曰：「當其時，戰禍亟矣，獨有一宋襄公能明王道，絀詐力，故《春秋》特褒之，而借以明仁義行師之義，以爲後之用兵者，能如宋襄之言，則戰禍少紓，民命可保焉。」❻便都是強調了宋襄公能夠重視人道精神，以仁義爲準則的行爲。

再如《春秋》宣公六年（西元前六〇三年）記曰：

---

❹ 同注❸。

❺ 司馬遷：《史記》卷三十八，台北，河洛圖書出版社，民國六十八年一月。

❻ 皮錫瑞：《經學通論》卷五頁二，台北，河洛圖書出版社，民國六十三年十二月。

春，晉趙盾、衛孫免侵陳。

《公羊傳》記曰：

靈公為無道，使諸大夫皆內朝，然後處乎臺上，引彈而彈之，已趨而辟丸，是樂而已矣，趙盾已朝而出，與諸大夫立於朝，有人荷畚，自閨而出者，趙盾曰：「彼何也？夫畚何為出乎閨？」呼之不至，曰：「子，大夫也，欲視之，則就而視之。」趙盾就而視之，則赫然死人也，趙盾曰：「是何也？」曰：「膳宰也，熊蹯不熟，公怒，以斗摮而弒之，支解，將使我棄之。」趙盾曰：「嘻！趨而入。」靈公望見趙盾，愬而再拜，趙盾逡巡北面，再拜稽首，趨而出，靈公心怍焉，欲殺之，於是使勇士某者往殺之，勇士入其大門，則無人門焉者，入其閨，則無人閨焉者，上其堂，則無人焉，俯而闚其户，方食魚飧，勇士曰：「嘻！子誠仁人也，吾入子之大門，則無人焉，入子之閨，則無人焉，上子之堂，則無人焉，是子之易也，子為晉國重卿，而食魚飧，是子之儉也，君將使我殺子，吾不忍殺子也，雖然，吾亦不可復見吾君矣。」遂刎頸而死。

晉靈公雖為國君，行為卻不似國君，既於臺上彈人，捉弄諸大夫，又輕率殺膳夫，趙盾將諫，靈公惱羞成怒，暗遣勇士（《左傳》記此勇士名鉏麑），欲殺趙盾，勇士見趙盾家中儉易，為人仁義，不忍殺之，又無以回報君命，於是自刎身亡（《左傳》記鉏麑之言曰：「不忘恭敬，民之主也，賊民之主，不忠，棄君之命，不信，有一于此，不如死也。」）該一勇士之行徑，凜於忠信不能兩全，既不願賊殺趙盾，有傷仁道，又不願拋棄君令，有違信義，於是選擇自刎，則也是一種無可奈何勉強成就忠信條件的人道精神之表現。

要之，《春秋公羊傳》中，對於人道神精之重視與顯示，其例尚多，此則姑息為舉例，以見其義而已。

(三)《春秋公羊傳》中顯現之價值取向

以下，再討論《春秋公羊傳》中所顯現之價值取向，也略加枚舉其例，以見一斑，例如《春秋》成公二年（西元前五八九年）記曰：

六月，癸酉，季孫行父、臧孫許、叔孫僑如、公孫嬰齊，帥師會晉郤克、衛孫良夫、曹公子手，及齊侯戰于鞌，齊師敗績。

《公羊傳》記曰：

師還齊侯，晉郤克投戟逡巡再拜稽首馬前，逢丑父者，頃公之車右也，面目與頃公相似，衣服與頃公相似，代頃公當左，使頃公取飲，頃公操飲而至，曰：「革取清者。」頃公用是佚而不反，逢丑父曰：「吾賴社稷之神靈，吾君已免矣。」郤克曰：「欺三軍者，其法奈何？」曰：「法斮。」於是斮逢丑父。

魯、晉、衛、曹四國聯軍，與齊頃公親自率領的軍隊，大戰於鞌，是春秋時代重要的戰役之一，兩軍交鋒，齊師大敗，齊頃公遭受包圍，頃公的車右勇士逢丑父，由於面貌及服飾都與頃公相似，乘機與頃公交換戰車上的位置，逢丑父假冒國君而命頃公下車覓取飲水，頃公因而遁逃脫險，逢丑父被識破身分之後，爲晉軍主帥郤克所斬。逢丑父在戰爭之中，假冒國君，捨身救主，應該是一種能夠通達權變的行爲，也是一種值得稱許的勇敢行徑，但是，公羊學家卻並不如此看法，《春秋繁露．竹林》曰：「逢丑父殺其身以生其君，何以不得謂知權？

丑父欺晉，祭仲許宋，俱枉正以存其君。」又曰：「祭仲措其君於人所甚貴，以生其君，故《春秋》以爲知權而賢之，丑父措其君於人甚賤，以生其君，《春秋》以爲不知權而簡之。其俱枉正以存君，相似也，其使君榮之，與使君辱，不同理。故凡人之有爲也，前枉而後義者，謂之中權，雖不能成，《春秋》善之，魯隱公、鄭祭仲是也，前正而後有枉者，謂之邪道，雖能成之，《春秋》不愛，齊頃公、逢丑父是也。」❼守經達權，是《春秋》所嘉許的行爲，尤其是權變，《春秋》更是注意運用權變者的用心與結果，《春秋》並不以事件的成敗爲評論的標準，《春秋》所注重的是在權變的行爲中，用心要正當，結果要合義，因此，逢丑父在戰爭中的權變行爲，《春秋》家卻批評他用心不正，結果也使得國君蒙羞遭辱，因此，也不得謂之爲「中權」。至於齊頃公，既與車右易位，下取飲水，雖然得以倖存苟活，但是，《春秋繁露·竹林》卻以爲，「至尊爲不可以加以至辱大羞」，「君子生以辱，不如死以榮」，「當此之時，死賢於生」❽，主張逢丑父在戰爭中，宜勸頃公「請俱死」，以維持彼此的尊嚴。要之，卻克以逢丑父欺紿三軍，行爲不正，依法斬之，而齊頃公在生死之際

---

❼ 同注❸。
❽ 同注❸。

的抉擇，《春秋》家的評論，卻表現出極爲嚴格的價值取向。

又如《春秋》襄公二十九年（西元前五四二年）記曰：

吳子使季札來聘。

《公羊傳》記曰：

吳無君無大夫，此何以有君有大夫？賢季子也，何賢乎季子？讓國也，其讓國奈何？謁也、餘祭也、夷昧也，與季子同母者四，季子弱而才，兄弟皆愛之，同欲立之以爲君，謁曰：「今若是迮而與季子國，季子猶不受也，請無與子而與弟，弟兄迭爲君，而致國乎季子。」皆曰：「諾。」故爲君者皆輕死爲勇，飲食必祝曰；「天苟有吳國，尚速有悔於予身。」故謁也死，餘祭也立，餘祭也死，夷昧也立，夷昧也死，則國宜之季子者也，季子使而亡焉，僚者長庶也，即之，季子使而反，至，而君之爾，闔廬曰：「先君之所以不與子國，而與弟者，凡爲季子故也，將從先君之命與，則國宜之季子者也，如不從先君之命與，則我宜立者也，僚焉得爲君乎！」於是使專諸刺僚，而致國乎季子，季子不受，曰：「爾殺君吾，吾受爾國，是吾與爾為篡也，爾殺吾兄，吾又殺爾，是父子兄弟相殺，終身無已也。」去之延陵，終身不入吳國，故君子以其不受為義，以其不殺為仁。

「崇讓」是《春秋》中極為重要的精神，在儒學的傳統中，堯舜都是聖賢的人物，《尚書·堯典》之中對於堯的稱頌，便提出了「允恭克讓」的讚美之詞，而堯舜所推行的禪讓行為，更是儒家政治思想中引為美談的代表，吳國季札，兄弟四人，彼此崇讓，季札也堅辭君位，在春秋時代弒君頻仍的情況下，季札確是樹立了一種崇高的行為規範與嚴正的價值取向，所以，《公羊傳》闡釋《春秋》之義，既以「賢季子」，以「仁」「義」之名歸之，又以「有君有大夫」之名，表示不以邊遠夷狄之地稱之的褒揚之意。

再如《春秋》莊公十三年（西元前六八一年）記曰：

冬，公會齊侯盟于柯。

《公羊傳》記曰：

> 何以不日？易也，其易奈何？桓之盟不日，其會不致，信之也，其不日何以始乎此？莊公將會乎桓，曹子進曰：「君之意何如？」莊公曰：「寡人之生，則不若死矣。」曹子曰：「然則君請當其君，臣請當其臣。」莊公曰：「諾。」於是會乎桓，莊公升壇，曹子手劍而從之，管子進曰：「君何求乎？」曹子曰：「城壞壓竟，君不圖與？」管子曰：「然則君將何求？」曹子曰：「願請汶陽之田。」管子顧曰：「君許諾。」桓公曰：「諾。」曹子請盟，桓公下，與之盟，已盟，曹子摽劍而去之，要盟可犯，而桓公不欺，曹子可讎，而桓公不怨，桓公之信，著乎天下，自柯之盟始焉。

齊桓公與魯莊公會盟於柯，曹沫以武力脅迫桓公，要求退還汶陽之地，桓公答應後又欲反悔，管仲在旁，力勸桓公遵守諾言，《史記．齊世家》載此事，記管仲諫桓公之言曰：「夫劫許之而倍信殺之，愈一小快耳，而棄信於諸侯，失天下之援，不可。」⑨桓公於是聽取管仲之言，因此，《公羊傳》評論此事說：「要盟可犯，而桓公不欺，曹子可讎，而桓公不怨」，而「桓公之信，著乎天下，自柯之盟始焉」，齊桓公所以能九合諸侯，完成霸業，原因雖然

⑨ 司馬遷：《史記》卷三十二，台北，河洛圖書出版社，民國六十八年十月。

很多，但是，柯地之盟，可悔而不悔，大信昭著於天下，卻是最佳的開始，也確實為詐諼百出的春秋時代，建立了一個嚴守信用的價值取向。因此，《公羊傳》在闡釋《春秋》之義時，也特別強調了「盟于柯」的「桓之盟，不日」，並不記錄桓公會盟的日期，「其會不致」，也不記錄桓公到會的時期，便都是褒揚齊桓公能以誠信待人的緣故。

要之，《春秋公羊傳》中，對於價值取向之重視與顯示，其例尚多，此則姑為舉例，以見其義而已。

㈣結　語

《春秋》本是魯國的歷史，但是，經過孔子筆削之後的《春秋》，已經成為「經書」的專稱，孔子作《春秋》，是為後世作經，不是為一代作史，「史」以記事為主，可以據事直書，使優劣立見，「經」有微言大義，需要褒貶是非，俾樹立常則。三《傳》之中，《公羊傳》尤其是充滿了文化的理想，彝倫的判斷，對於《春秋》所作的闡釋，也最能符合《春秋》的要旨。

《春秋》藉著二百四十二年之中的歷史事件，以求彰明寄寓於事件背後的要義，因此，

《春秋》所借用的當時之事件，有時並不與當時的事實完全符合，這是由於，《公羊傳》主要在彰明所寄寓的義旨，有時，爲了強調義旨的合理性，而不得不對於《春秋》中的事件，作出了踵事增華的虛飾作用、理想作用。❿

例如《春秋》宣公十五年所記「宋人及楚人平」一事，《左傳》的記載是，「宋人懼，使華元夜入楚師，登子反之床」，「子反懼，與之盟」⓫，所記與《公羊傳》不同。又如《春秋》成公二年所記「戰于鞌」一事，《左傳》的記載是，「韓厥獻丑父，郤獻子將戮之，呼曰，自今無有代其君任患者，有一於此，將爲戮乎？郤子曰，人不難以死免其君，我戮之不祥，赦之以勸事君者，乃免之」⓬，所記也與《公羊傳》有所不同。但是，這並不妨礙《公羊傳》「借事明義」的意義。

要之，《春秋》和《公羊傳》，都是充滿文化理想、人倫期盼的典籍，不但是春秋時期的混亂社會，孔子希望藉著《春秋》去爲之建立人道的常則，即使是後世的社會，孔子也希

---

❿ 參胡楚生：〈試論《春秋公羊傳》中「借事明義」之思維模式與表現方法〉，載國立中興大學《文史學報》三十期。

⓫ 《左傳注疏》，台北，藝文印書館影印阮刻《十三經注疏》本。

⓬ 同注⓫。

望藉著《春秋》去建立人道的常則，而人道精神與價值取向的顯現，不過是其中較為明顯重要的義旨而已。

十七、「春秋三傳束高閣，獨抱遺經究終始」？

——盧仝《春秋摘微》析評

《春秋》文辭簡約，含義隱微，後世解經者，多依據《左傳》、《公羊傳》、《穀梁傳》等三《傳》的記述，對於《春秋》，加以闡釋。

但是，唐代盧仝，撰著《春秋摘微》一書，卻不依傳統，他不用三《傳》，而直接就《春秋》經中，去探索其大義，其書雖已亡佚，但仍有輯本存在。

本文就盧仝《春秋摘微》一書的輯本，枚舉其例，約為三類，加以分析。

第一類，是盧仝採取三《傳》的說解，用以解釋《春秋》之義者。

第二類，是盧仝依據三《傳》的記事，而用以解釋《春秋》之義者。

第三類，是盧仝不依據三《傳》，直接從《春秋》經文，解釋《春秋》之義者。

《春秋》之中，雖然也有少數簡略的經文，如上述第三類者，可以不據三《傳》，直接闡釋，但是，多數具有史事背景或褒貶精神的經文，如前文所述第一類及第二類所舉的例子，卻不能不依據三《傳》，去加以解釋，因此，盧仝想要不依三《傳》，直接就《春秋》之文辭，去探索《春秋》之大義，那種理想，恐怕是不容易實現的。

(一)引言

《孟子．滕文公下》曰：「世衰道微，邪說暴行有作，臣弒其君者有之，子弒其父者有之，孔子懼，作《春秋》，《春秋》，天子之事也，是故孔子曰，知我者，其惟《春秋》乎！罪我者，其惟《春秋》乎！」《孟子．離婁下》曰：「王者之跡熄而《詩》亡，《詩》亡而後《春秋》作。晉之《乘》、楚之《檮杌》、魯之《春秋》，一也，其事，則齊桓晉文，其文則史，孔子曰，其義，則丘竊取之矣。」《春秋》本是魯史之名，孔子假借魯史，筆削以爲一己之《春秋》，故孔子《春秋》之中，有「事」有「文」，更有孔子所賦予之「義」存在，其「義」以褒貶是非爲主，而褒貶是非，乃天子宜行之事，孔子一介平民，而行天子之事，故自稱知我罪我，皆以《春秋》爲論斷也。

《史記．十二諸侯年表》曰：「孔子明王道，干七十餘君，莫能用，故西觀周室，論史記舊聞，興於魯，而次《春秋》，上記隱，下至哀之獲麟，約其辭文，去其煩重，以制義法，王道備，人事浹。七十子之徒，口授其傳指，爲有所刺譏褒諱挹損之文辭，不可以書見也。魯君子左丘明，懼弟子人人異端，各安其意，失其眞，故因孔子史記，具論其語，成《左氏春秋》。」《漢書‧藝文志》亦曰：「《春秋》所貶損大人，當世君臣，有威權勢力，其事實皆形於傳，是以隱其事而不宣，所以免時難也。及末世，口說流行，故有《公羊》、《穀梁》、《鄒》、《夾》之《傳》，四家之中，《公羊》、《穀梁》，立於學官，鄒氏無師，夾氏未有書。」孔子成《春秋》，以其言褒貶是非，皆天子之事，是以辭多隱曲，又多所忌諱，故多口說流行，及至後世，著於竹帛，故《春秋》一《經》，迄今仍有《左氏》、《公羊》、《穀梁》等三《傳》，通行於世，三《傳》之中，《左氏》以記事爲主，《公羊》、《穀梁》以解《經》爲主。

《春秋》辭簡而義隱，是以後世解《經》，雖多依《公羊》、《穀梁》之說解，以闡釋義旨,但也不能不依據《左傳》之記述,以推源史事。要之,自兩漢以下,學者研究《春秋》,其於三《傳》，雖各守專門，但是，皆不能盡棄其《傳》，以治《春秋》，則是共同之觀點。

降及唐代,學風丕變,韓愈〈寄盧仝〉詩曾曰:「《春秋》《三傳》束高閣,獨抱遺《經》

究終始。」❶是在當時，已有盡棄三《傳》，逕於遺《經》，以求《春秋》大義之說，《中興書目》曰：「盧仝《春秋摘微》一卷，十二公，凡七十六事。」晁公武《郡齋讀書志》曰：「盧仝《春秋摘微》四卷，其解《經》，不用《傳》，然旨意甚疏。」盧氏之書，久已失傳，清光緒十四年（西元一八八八年），上海李邦黻，自杜諤《春秋會義》之中，輯得盧仝《春秋摘微》凡六十二事，而刊印於《南菁書院叢書》之中，盧氏《春秋》之說，因得重見其部分面目於世人眼前。

此文之作，謹取盧仝《春秋摘微》之書，枚舉其例，而與三《傳》中之「事」及「義」，作出比較，以檢覈盧仝所釋《春秋》之說，是否曾受三《傳》之影響？其捨《傳》求《經》，不依三《傳》，直接「就《經》明《經》」，是否可行？要之，獨抱遺《經》，以究終始，韓愈稱許之言，盧仝能否當之無愧，則是本文試圖加以探索之事。

❶《韓昌黎全集》卷五，台北，中華書局《四部備要》本。

(二) 析評

以下，即就盧仝所撰《春秋摘微》一書之輯本，試舉其例，略予分類，而與三《傳》所記述者，加以比較，並加分析評論，以見一斑。

1. 盧氏釋《經》，兼採三《傳》之說者。

例如《春秋》桓公二年（西元前七一〇年）記曰：

> 夏，四月，取郜大鼎于宋，戊申，納于大廟。❷

盧仝《春秋摘微》曰：

❷《左傳注疏》，台北，藝文印書館影印阮刻《十三經注疏》本，下引並同。

取鼎已甚，又納諸廟，取賂器以黷神，罪莫大也。❸

今案《左傳》曰：「夏，四月，取郜大鼎于宋，戊申，納于大廟，非禮也。」又記臧哀伯極力諫諍，長篇陳辭，並云：「國家之敗，由官邪也，官之失德，寵賂章也，郜鼎在廟，章孰甚焉？武王克商，遷九鼎于雒邑，義士猶或非之，而況將昭違亂之賂器于大廟，其若之何？」❹而「公不聽」。《左傳》以爲，魯桓公自宋國取來郜國之大鼎，而置於太廟之中，是非禮的行爲，因爲，郜鼎是宋國用以賄賂魯君的重器，取之不正，而桓公不聽臧哀伯之諫，且將昭示邪亂之賂器置於自己國家的太廟之中。《公羊傳》曰：「此取之宋，其謂之郜鼎何？器從名，地從主人。」又曰：「戊申，納于大廟，何以書？譏！何譏爾？遂亂受賂，納于大廟，非禮也。」❺以爲器物應沿承其原來的名稱，土地則可以隨其據有的主人而改稱，所以，鼎雖取於宋國，仍稱它原產國郜鼎之名，至於「遂亂受賂」，則是批評譏刺桓公乘宋國之亂，

---

❸ 據《南菁書院叢書》本，下引此書並同。

❹ 同注❷。

❺ 《公羊傳注疏》，台北，藝文印書館影印阮刻《十三經注疏》本，下引並同。

而接受其賄賂之鼎。《穀梁傳》曰：「桓內殺其君，外成人之亂，受賂而退，以事其祖，非禮也，其道以周公爲弗受也。郜鼎者，郜之所爲也，曰宋，取之宋也，以是爲討之鼎也。孔子曰，名從主人，物從中國，故曰郜大鼎也。」❻以爲桓公既弒其君隱公於內，又在外造成了宋國之亂，更取他國賄賂之鼎，置於太廟以事奉自己的祖先，是不合禮義的行爲，這種行徑，即使是魯國先祖的周公在世，也是不會加以接受的。要之，三《傳》之說，大體相似，並皆以爲，桓公取郜大鼎，是「非禮」的行爲，而盧仝釋《經》，謂魯桓公的行爲，「罪莫大也」，雖文辭有異，而其義則與三《傳》相近，謂之兼採三《傳》，可也。

又如《春秋》莊公二十八年（西元前六六六年）記曰：

臧孫辰告糴于齊。

盧仝《春秋摘微》曰：

---

❻《穀梁傳注疏》，台北，藝文印書館影印阮刻《十三經注疏》本，下引並同。

臧孫辰告糴于齊，一不登而告糴鄰國，責魯無儲蓄，以擬凶災（擬，疑禦之訛），無恤民憂下之心，兵革不息，以致荒耗，又明人君當謹積貯，省財用，以備凶年也。

今案《左傳》曰：「冬，饑，臧孫辰告糴于齊，禮也。」以爲魯國冬天饑荒，大臣臧孫辰往齊國請購糧食，是合乎禮儀的行爲。《公羊傳》曰：「君子之爲國也，必有三年之委，一年不熟，告糴，譏也。」以爲大臣治國，至少應有三年以上的糧食儲備，而魯國一年稻糧不熟，就需要到他國去購糧，是應加譏責的行爲。《穀梁傳》曰：「國無三年之畜，曰國非其國也，一年不升，告糴諸侯。告，請也，糴，糴也，不正。」又曰：「古者稅什一，豐年補敗，不外求而上下皆足也，雖累凶年，民弗病也，一年不艾而百姓饑，君子非之。」以爲國家至少應有三年以上的糧食儲蓄，否則，不能算是一個正常的國家，國家平時抽取百姓十分之一的糧食稅收，主要即在於以豐年的收入彌補荒年的不足，而像魯國，糧食一年不能收成，便亟需向他國求購，是「不正」的行爲，所以，「君子非之」。很明顯地，盧仝的釋《經》，是參酌了《公羊傳》和《穀梁傳》的意見。

又如《春秋》僖公二年（西元前六五八年）記曰：

虞師晉師滅下陽。

盧仝《春秋摘微》曰：

晉主兵而書上虞者，虞預謀受賂，以啟晉師，實滅虢，而言下陽，若虢存焉，且責虞之召寇敗鄰之甚矣。

今案《左傳》曰：「晉荀息請以屈產之乘與垂棘之璧，假道於虞以伐虢。」又曰：「虞公許之，且請先伐虢，宮之奇諫，不聽，遂起師。夏，晉里克荀息帥師會虞師伐虢，滅下陽。先書虞，賄故也。」以爲晉師假道於虞而滅虢邑下陽，《春秋》書寫虞師於晉師之上，是由於虞國接受晉國賄賂而假道的緣故。《公羊傳》曰：「虞，微國也，曷爲序乎大國之上？使虞首惡也！曷爲使虞首惡？虞受賂，假滅國者道，以取亡焉。」以爲虞爲小國而序列晉國之上，主要在於彰明虞君不聽宮之奇脣亡齒寒之諫，假道予晉師，以至自取滅亡之大惡。《穀梁傳》曰：「非國而曰滅，重夏陽也，虞無師，其曰師何也？以其先晉，不可以不言師也，其先者何也？爲主乎滅夏陽也。」以爲夏陽（即下陽）並非國家，而《春秋》曰滅，實由於夏陽地位的重要，又以爲虞國並無軍隊攻打虢國，而《春秋》卻稱虞師，且書寫於晉師之上，乃由於虞國是此次夏陽被滅的主要原因。盧仝釋《經》，實採取三《傳》之要而言，而其言「召寇敗鄰之甚」，對於虞國的責備，較之三《傳》，則是更爲嚴格。

要之，即就以上所枚舉之事例而言，盧仝於解釋《春秋》之際，已不能棄卻三《傳》之釋義，因而解《經》之時，常有兼采三《傳》之現象出現。

2.盧氏釋《經》，說義雖不採三《傳》，而史事仍不能不先據三《傳》之記載，而後始能抒發《經》義，推闡己說者。

例如《春秋》隱公元年（西元前七二二年）記曰：

元年春，王正月。

盧仝《春秋摘微》曰：

隱越次而立，久不歸位，外示攝而中實奪之，故不書即位，明《春秋》之所由作也。

今案《左傳》曰：「不書即位，攝也。」以爲魯隱公僅只是攝政，故《春秋》不書即位。《公羊傳》曰：「公何以不言即位？成公意也，何成乎公之意？公將平國而反之桓。」以爲隱公意欲俟平治國家之後，將君位歸還予桓公，故《春秋》不書即位。《穀梁傳》曰：「公何以不言即位？成公志也，焉成之？言君之不取爲公也，君之不取爲公，何也？將以讓桓也。」以爲隱公志在不願爲君，而將以君位讓予桓公，故《春秋》不言即位。盧仝於此，不採三《傳》之義，而以爲隱公「越次而立」，不順尊卑之禮，自立爲君，乃「外示攝而中實奪之」，故《春秋》不書即位，以示貶意。但是，盧仝如果不曾參稽《公羊傳》中「桓幼而貴，隱長而卑」的史事說法，則又怎能判斷隱公是「越次而立」呢？

又如《春秋》隱公元年（西元前七二二年）記曰：

夏，五月，鄭伯克段于鄢。

盧仝《春秋摘微》曰：

書克，絕鄭兄弟之親，且罪鄭伯。

今案《左傳》記鄭武公夫人武姜，生莊公及共叔段，莊公寤生，驚姜氏，故名曰寤生，愛共叔段，欲立之，及莊公即位，共叔段將襲鄭，夫人將啓之，莊公命將伐段，段入於鄢，莊公伐鄢，《左傳》曰：「如二君，故曰克，稱鄭伯，譏失教也。」《公羊傳》曰：「克之者何？殺之也，殺之，則曷爲謂之克？大鄭伯之惡也。」《穀梁傳》曰：「克者何？能也，何能也？能殺也。」盧仝釋《春秋》「克」字，以爲乃「絕鄭兄弟之親，且罪鄭伯」，其所釋《經》文之義，雖甚確切，但是，如果僅就《春秋》所記「鄭伯克段于鄢」之文，而不參酌《左傳》所記史事，則如何能夠明瞭莊公與共叔段之兄弟關係？又如能釋「克」字之義爲「絕鄭兄弟之親」呢？

又如《春秋》桓公五年（西元前七〇七年）記曰：

> 秋，蔡人、衛人、陳人，從王伐鄭。

盧仝《春秋摘微》曰：

> 蔡、衛、陳，稱人，不能盡力天子，以致敗北也。

今案《左傳》曰：「王奪鄭伯政，鄭伯不朝。秋，王以諸侯伐鄭，鄭伯禦之，王爲中軍，虢公林父將右軍，蔡人衛人屬焉，周公黑肩將左軍，陳人屬焉。鄭子元請爲左拒，以當蔡人衛人，爲右拒，以當陳人。」又曰：「戰于繻葛，命二拒曰，旝動而鼓。蔡、衛、陳皆奔，王卒亂，鄭師合以攻之，王卒大敗，祝聃射王中肩，王亦能軍。」以爲周桓王奪鄭伯政，鄭伯不朝，是周桓王伐鄭的原因，而戰爭開始，蔡人衛人陳人皆先奔潰，則是王師潰敗的原因。《公羊傳》曰：「其言從王伐鄭何？從王，正也。」以爲蔡人、衛人、陳人隨從周王伐鄭，是合乎正道的行爲。《穀梁傳》曰：「舉從者之辭也，其舉從者之辭，何也？爲天王諱伐鄭也。鄭，同姓之國也，在乎冀州，於是不服，爲天子病矣。」以爲《春秋》置蔡人、衛人、陳人於「從王」之前，主要是爲諱言天子伐鄭，又以爲鄭與周雖然都是姬姓之國，但卻在冀州一帶，不服從天子之命令，反而成爲危害天子之諸侯，因而天子才帥師討伐。盧仝解釋《經》文，雖不採三《傳》之說，然而所稱蔡人、衛人、陳人，「不能盡力天子」，是導致天子敗北的主要原因，卻不能不參酌《左傳》所記戰爭初起，「蔡、衛、陳皆奔」的史事，然後方能作出的解《經》之辭。

要之，即就以上所舉之事例而言，盧仝解釋《春秋》，雖不必兼採三《傳》之說，而其解義，如非先行了解三《傳》所記之史事，則也不能對於《經》文作出一己之闡釋。

3. 盧氏直據《經》文，自為說解，加以闡釋者。

例如《春秋》隱公三年（西元前七二〇年）記曰：

春，王正月，己巳，日有食之。

盧仝《春秋摘微》曰：

日月之變，陰陽常數，末代多事，符驗相仍，聖人謹之，以戒懼人君，睹災能改，則聖人之意也。

今案《左傳》於此《經》無《傳》，《公羊傳》曰：「何以書？記異也。」以爲日食是天象中奇異之事，故加以記錄。《穀梁傳》曰：「言日不言朔，食，晦日也。」以爲該次日食發生在晦日（月底），而非朔日（初一），故不言朔，盧仝解《經》，則不從《經》文入手，而以「聖人之意」爲歸，以爲日食乃「日月之變」，「聖人謹之，以戒懼人君」，《春秋》所以要記錄「日食」，乃是欲使人君目睹災異之事，而能自我謙抑，罪己改過。

又如《春秋》莊公七年（西元前六八七年）記曰：

夏，四月，辛卯，恆星不見，夜中，星隕如雨。

盧仝《春秋摘微》曰：

恆星不見，星墜如雨，恆星，列星也，所見者，夜中隕星亂墜如雨。三《傳》釋雨，言既星隕而雨，甚乖聖人之旨，古今星隕如雨者非一，聖人立言，不使後世為惑，故先言恆星不見，知天理之變既成，夜中星隕，事又尤大，故書其始末，災異之占苟若此，《春秋》大法之言，固當詳正也。

今案《左傳》曰：「恆星不見，夜明也，星隕如雨，與雨偕也。」以爲辛卯之夜，天空特別明亮，故恆星不曾出現，及至夜半，群星隕落，大雨也一同伴隨落下。《公羊傳》曰：「恆星者何？列星也，列星不見何以知？夜之中星反也。如雨者何？如雨者，非雨也。」以爲辛卯之夜，往常按時排列出現的恆星不曾出現，但是，夜半之後，恆星又返回原處，重新出現。《穀梁傳》曰：「恆星者，經星也，日入至於星出謂之昔（通夕），不見者，可以見也，夜中星隕如雨，其隕也如雨，是夜中歟？」以爲所謂恆星是經常可見之星，日沒星出之夜，恆星本應出現，卻未出現，群星隕落如雨，則似在夜半之時。盧仝釋《經》，不採《左傳》星隕大雨也伴之而落之說，而以爲「古今星隕如雨者非一」，故以爲此《經》先言「恆星不見」，乃聖人知道「天理之變」，免使後世迷惑，然後才記錄星隕之事。

又如《春秋》昭公二十二年（西元前五二〇年）記曰：

王室亂。

盧仝《春秋摘微》曰：

書「王室亂」，大矣夫子之旨，罪藩維之深，時吳楚夷狄，交亂中國，周之列國，滅亡不暇，景王崩，朝廷立君不以正，公卿交惡，文武之緒幾絕，齊晉魯衛，但外事夷狄，王室顛危，無憂恤勤王之舉，周天子之所繫，而內外若是，故書「王室亂」，以罪諸侯，又且明時無伯主，無人平定王室，致使然也。

今案《春秋》昭公二十二年記曰：「夏，四月，天王崩，六月，叔鞅如京師葬景王，王室亂。」

《左傳》曰：「丁巳，葬景王，王子朝因舊官百工之喪職秩者，與靈景之族以作亂。」周景王逝世之後，大臣劉子及單子擁王子猛入居皇城，是爲周悼王，而王子朝聯合舊時百官及周靈王周景王之子孫族人作亂，爭相擁立，而各族王子死者八人，王子朝逃奔至京邑，周王室因之大亂。《公羊傳》曰：「何言乎王室亂？言不及外也。」以爲周室之亂，全由王庭內族，互相爭奪，並不涉及各國諸侯。《穀梁傳》曰：「亂之爲言，事未有所成也。」以爲王室之亂，公卿擁立新王之事，皆未能有所成功。而盧仝解《經》，不採三《傳》，純從議論入手，以爲當時吳楚夷狄，交亂中國，景王逝世之後，公卿各自爭立所擁護的王子，國事大亂，故《春秋》乃書「王室亂」，以罪責諸侯不能憂卹勤王，此即「夫子之旨，罪藩維之深」也。

要之，即就以上所枚舉之事例而言，盧仝解釋《春秋》，確有不採三《傳》，自爲闡發之處，不過，這些部分，多是《經》文辭簡易明，說《經》者，可以純就《經》文，加以了解，進而予以發揮其意義者。

(三)結　語

自漢代以下，解《春秋》者，或依據《左傳》，或依據《公羊傳》，或依據《穀梁傳》，雖然各守專門，大抵皆不能盡棄三《傳》，以說《春秋》之義，迄至唐代，始有棄《傳》求

《經》之說，盧仝最爲代表，且爲韓愈所稱道，稍後，啖助、趙匡、陸淳等人，也推衍其緒，至於宋代，風氣愈爲熾烈。

解《春秋》者，自唐以後，可以分爲兩派，其中一派，以爲理解《春秋》，必先依據三《傳》之說，以爲孔子成《春秋》，行天子褒貶之事，不得不隱晦其辭，而以口說流行，明其義旨，及至後世，著於竹帛，乃有三《傳》，故說《經》者，不得不依據三《傳》，以爲津梁，例如元人黃澤曰：「說《春秋》當求事情，事情不得，而能說《春秋》者，未之聞也。」又曰：「說《春秋》當據《左氏》事實，而兼採《公》、《穀》大義，此最爲簡要。」❼又曰：「說《春秋》，必須兼考史家記載之法，不可專據《經》文也。若專據《經》文，而不考史，則如滅項（僖十七年）之類，如何見得？」❽又如《四庫提要·經部，春秋類小序》曰：「說經家之有門戶，自《春秋》三《傳》始，然迄能並立於世，其間諸儒之論，中唐以前，則《左氏》勝，啖助趙匡，以逮北宋，則《公羊》、《穀梁》勝，孫復劉敞之流，名爲棄《傳》從《經》，所棄者，特《左氏》事跡，《公羊》、《穀梁》日月例耳，其推闡譏貶，

❼ 引見趙汸：《春秋師說》卷下〈論學春秋之要〉，《通志堂經解》本。
❽ 引見趙汸：《春秋師說》卷上〈論魯史策書遺法〉，《通志堂經解》本。

少可多否，實陰本《公羊》、《穀梁》法，猶誅鄧析用竹刑也。夫刪除事跡，何由知其是非，無案而斷，是《春秋》爲射覆矣。」❾可爲代表。

另外一派，以爲理解《春秋》，可以直接就《經》明《經》，不必假途三《傳》，以爲孔子作《春秋》，豈能預知後世有人爲之作《傳》，而有意隱晦其義哉？故宜於《春秋》之中，直接尋覓《經》旨，例如宋人趙鵬飛《春秋經筌·序》曰：「聖人作《經》之初，豈意後世有三家爲之《傳》邪？若三《傳》不作，則《經》遂不可明邪？聖人寓王道以示萬世，豈故爲是不可曉之義，以罔後世哉？」又曰：「學者當以無《傳》明《春秋》，不可以有《傳》求《春秋》，謂《春秋》無《傳》之前，其旨安在？」❿又如焦竑《國史經籍志·春秋類小序》曰：「大抵《左氏》傳事不傳義，是以詳於史，而事未必覈。《公》、《穀》傳義不傳事，是以詳於《經》，而義未必當。及乎後儒，保殘守陋，往往主《傳》而賓《經》，失乃彌甚，夫聖人之作《經》，豈冀有三子者爲之《傳》耶？無三《傳》，《經》遂不可明

---

❾《四庫提要》，台北，藝文印書館影印本。

❿趙鵬飛：《春秋經筌》，《通志堂經解》本。

耶？」⓫可爲代表。

以下，即就前一節中，對於盧仝《春秋摘微》一書之輯本，所作例證之分析，而約略得出下列之結語。

1.盧仝《春秋摘微》一書，今存輯本，尙得六十二條，本文之作，擇取其中較具代表性者九條，雖僅當輯本數量的七分之一，但是，已可反映盧氏書中之解經方式與重要義旨。

2.在前一節的分析之中，盧仝書中之例證，其屬於第一類者，可知盧氏解釋《春秋》，確曾採取三《傳》的說法。其屬於第二類者，可知盧氏解釋《春秋》，雖不採取三《傳》的說法，但是，盧氏如果絲毫不曾參酌三《傳》的記載，全然不了解複雜的史事背景與人物關係，則又如何能對《春秋》，作出相應的解釋，進而去衡量其褒貶的判斷呢？因此，即就此二類的例證而言，盧氏全然「棄《傳》求《經》」的說法，已經難以成立。

3.在前一節的分析之中，盧仝書中之例證，其屬於第三類者，盧氏確實未曾採取三《傳》

⓫ 見《中國目錄學資料選輯》，台北，文史哲出版社，民國六十一年出版。

之辭，而逕就《經》文，自行作出說解，盧氏所釋此類例證，大體而言，其《經》文也較為簡略明了，盧氏也較易直接加以發揮其義旨。

4.《禮記．經解》曰：「屬辭比事，《春秋》教也。」《春秋》義例，《春秋》要旨，有些情形，確實可以類聚多數性質相近之《經》文，比較歸納，而求取其意義，明了其大體，歷來學者們對於《春秋》中各種「義例」的探討，就是這種逕就《經》文，直接索解，無涉三《傳》的作法。但是，《春秋》之文，過於簡略，並不是所有的史事義旨，都可以純就《經》文，用比較的方法，全部加以彰明。

5.要之，三《傳》說解，各有不同，自不能各家盡得《春秋》之義，研治《春秋》者，可以各守專門，加以發揮，也可以參酌三《傳》，各采其長，以求其是，但是，要不能盡棄三《傳》，就《經》明《經》，因此，「《春秋》三《傳》束高閣，獨抱遺《經》究終始」，盧仝的理想，恐怕是不容易實現的。

十八、呂大圭論《春秋》要旨

(一)引　言

呂大圭字圭叔，福建南安人，生於南宋理宗寶慶三年，卒於恭宗德祐元年，當西元一二二七年至一二七五年，享年四十九歲。

呂氏師事楊昭復與王昭，楊王二人，師事陳淳，陳淳又師事朱熹，因此，呂氏於朱子，爲三傳弟子。

呂氏著有《易經集解》、《學易管見》、《論孟集解》、《春秋集說》、《春秋或問》等書，又著有〈春秋五論〉一卷，所謂五論，一曰，論夫子作《春秋》，二曰，辨日月褒貶之例，三曰，特筆，四曰，世變，五曰，三《傳》短長。

呂氏所著〈春秋五論〉之中，其第一論，「論夫子作春秋」，尙論孔子作《春秋》之要旨，尤其具有卓識，以下，即就該篇所論，試爲疏釋，以彰明呂氏之論旨，也即所以彰明孔子作《春秋》之要旨。

㈡要　旨

呂大圭在〈春秋五論〉第一論中，討論孔子作《春秋》的要旨，約可分爲四項重點如下：

1.論《春秋》乃扶天理遏人欲之書

呂大圭〈春秋五論・論一〉曰：

《春秋》之作，何為乎？曰，《春秋》者，扶天理而遏人欲之書也，《春秋》，魯史爾，聖人從而修之，則其所謂扶天理而遏人欲者，何在？曰，惟皇上帝，降衷于下民，若有恆性，而綏猷之責，則后實任之，堯、舜、禹、湯、文、武，達而在上，所以植立人極，維持世道，使太極之體，常運而不息，天地生生之理，常發達而不少壅者，為其能明天理以正人心也。❶

❶ 呂大圭：〈春秋五論〉，《通志堂經解》本，下引呂大圭〈春秋五論〉並同。

呂氏此文，主要以爲，《春秋》是扶持天理而止遏人欲之書，因爲，天降下民，本都使之秉有善良之本質，至於世道衰微，民性丕變，私欲萌長，亂象頻生，只有聖賢之君，如堯舜禹湯文武者，乃能肩負起安綏匡謀之責，糾導人性之失，從而確立人生價值之至高標準，以暢明天理而輔正人心。呂大圭〈春秋五論．論一〉又曰：

> 周轍東，王政息，政教失，風俗壞，修道之教不立，而天命之性，率性之道，幾若與之俱泯泯昧昧而不存者，君臣之道不明也，上下之分不辨也，夷夏之辨未明也，長幼之序未正也，義利之無別也，真偽之溷淆也，諸侯僭天子，大夫僭諸侯，而世莫知其非也，臣弑君，子弑父，強并弱，下篡上，而世莫知其亂也，其所施為，盡反王制，而失人道之正，而世莫知其不然也。

呂氏以爲，周平王東遷之後，政教俱衰，風俗隳壞，而人心毀墮，天理泯滅，君臣、父子、長幼之序，失卻準衡，義利、眞僞、夷夏之別，不能彰著，以至臣弑君、子弑父、強併弱、賤潛貴之行徑，世人也莫能知其爲罪爲非，人生價值之淆亂，至此已臻其極。呂大圭〈春秋五論．論一〉又曰：

孔子雖聖，不得位，則綏猷修道之責，誰實尸之，然而不忍絕也，於是以其明天理正人心之責而自任焉，《六經》之書，皆所以垂世教也，而《春秋》一書，尤為深切，故曰，我欲託之空言，不如載之行事之深切著明也。魯史之所書，聖人亦書之，其事未嘗與魯史異也，而其義則異也，魯史所書，其於君臣之義，魯史所書，其於上下之分，或未辨也，而吾聖人則一正之以上下之分。夷夏之辨，有未明者，吾明之。長幼之序，有未正者，吾正之。義利之無別也，吾別之。真偽之溷淆也，吾明之。其大要則主於扶天理於將萌，遏人欲於方熾而已，此正人心之道也。故曰，禹抑洪水而天下平，周公兼夷狄驅猛獸而百姓寧，孔子成《春秋》而亂臣賊子懼，孔子成《春秋》，不過空言爾，而其功配於抑洪水膺夷狄，豈非以其正人心之功，尤大於放龍蛇驅虎豹之功乎！故曰，《春秋》，天子之事也。

呂氏以爲，孔子有德無位，不能行其安綏匡謀之權，然而，又不忍見生民之困苦，社會之亂象，因此，乃以「明天理正人心之責而自任」，肩負重責，「扶天理於將萌，遏人欲於方熾」，假藉魯史之書，筆削《春秋》，而賦予「正人心之道」，所以，《春秋》其事，未嘗與魯史相異，而其「義」則與魯史有異，主要在於明辨人倫之序、義利之判、夷夏之別、眞僞之立、是非之正，而歸結於「扶持天理，遏止人欲」，故孟子稱贊孔子作《春秋》之功，比之於禹平洪水、周公兼夷狄而驅猛獸，皆天子所當踐行以安民眾之大事。

要之，孔子作《春秋》，呂氏以爲，主要的目的，在於扶植人心中秉賦之善良天理，而阻遏人心中貪婪之私欲，以求爲人群社會，樹立道德價值之極則標準。

2. 論《春秋》之要在明是非之理

呂大圭〈春秋五論・論一〉曰：

> 人性之動，始於惻隱，而終於是非，惻隱發於吾心，而是非公乎天下，世之盛也，天理素明，人心素正，則天下之人，以是非為榮辱，世之衰也，天理不明，人心不正，則天下之人，以榮辱為是非。

呂氏以爲，人性之中，惻隱之念，發於內心，旁人不易窺知，而社會人群之中，對於是非標準的認定，則必須使之公然昭見於天下，使人人皆能了解，然後人群社會，才能據此標準，判定人們之行徑，究竟爲是爲非。只是，天下有道之時，是非昭著，常在人群心目之中，故人人以求是去非，爲一己得榮去辱之標準。反之，天下無道之時，是非早已不在人心考量之中，故人人競以求榮求貴，爲一己論定是非之標準，利祿之途，人人爭而趨之，而天下無復更有是非之觀念。呂大圭〈春秋五論·論一〉又曰：

世之所謂亂臣賊子，恣睢跌蕩，縱人欲以滅天理者，豈其悉無是非之心哉？故雖肆意所為，莫之或制，而其心實未嘗不知其非，而惡夫人之議己，此其一髮未忘之天理，不足以勝其浸淫日滋之人欲，是以迷而不復，為而不厭，而其所謂自知其非者，終自若也，則其心未嘗不欲紊亂天下之是非，以託己於莫我議之地，既上幸無明君為之正王法，以定其罪，而又幸世教不明，人心不正，習熟見聞，以為當然，曾莫有議其非者，則為亂臣賊子者，又何其幸之又幸邪！

呂氏以爲，世道衰微，亂臣賊子，其心中雖不必全無是非之念，但是，利祿富貴，迷漫眼前，私欲邪念，日以滋長，其心中一念天理，早已梏亡不存，因此，遂肆爲邪毒之行，又倖求淆亂是非之觀念，以便免於世人之清議，免於王法之制裁，而自幸以爲得售其私計。呂大圭〈春秋五論·論一〉曰：

是故唐虞三代之上，天理素明，人心素正，是非善惡之論素定，則人之為不善者，有不待刑罰加之，刀鋸臨之，而自然若無所託足於天地間者。世衰道微，天理不明，人心不正，是非善惡之論，幾於倒置，然後亂臣賊子，始得以自容於天地之間，而不特在於禮樂征伐之無所出而已也。

呂氏以爲，當政治清明，是非善惡，判然明確之時，亂臣賊子，心中猶有所懼，反之，當政局紛擾，是非善惡，淆亂顛倒之時，亂臣賊子，雖然肆行奸邪，心中卻絲毫不存愧怍之感，面上也絲毫無有羞赧之色，甚且洋洋自得其意，以爲人莫我若，要之，是非善惡之標準，如果錯失而不能樹立，則爲非作歹之徒，反將人人自以爲立於眞理之途，將人人自以爲行於正道之中，因此，是非善惡價值之混淆倒錯，是最可憂慮之現象。呂大圭〈春秋五論・論一〉又曰：

孔子之作《春秋》也，要亦明是非之理，以詔天下與來世而已，是非者人心之公理，而聖人因而明之，則固自有犁然當乎人心者，彼亂臣賊子聞之，固將不懼於身而懼於心，不懼於明而懼於暗，不懼於刀鋸斧鉞之臨，而懼於倏然自省之頃，不懼於人欲浸淫日滋之際，而懼於天理一髮未亡之時，此其扶天理遏人欲之功，顧不大矣乎！孟子斷然以為有一治之效，蓋具有見乎此矣。

呂氏以爲，孔子作《春秋》，主要在於彰明天地人群社會間是非之公理，使之昭著而常在於人心之中，天地人群社會間有此是非之公理而存在於人心之中，則亂臣賊子之行徑，眾人視以爲非，亂臣賊子，不敢自以爲是，亂臣賊子雖曾自肆其作亂之行徑，中夜自省，一念清明之際，必將有懼於天理輿論之誅責，千秋後世之惡名，主要在於，天壤之間，有一是非之標準存在，孟子以爲，孔子成《春秋》，而亂臣賊子懼，原因也即在此。呂大圭〈春秋五論・論一〉又曰：

使先王之紀綱法度，既已蕩然不存，天子之禮樂征伐，既已不能自制，其所恃以僅不泯者，獨有人心是非之公理耳，而又顛倒錯亂，貿貿不明，則三極果何恃以立，人道果何恃而存乎？此固《春秋》一書，所以有功於萬世也。

呂氏以爲，時當紛亂，王綱失紀，禮樂不行，孔子於此之際，獨能標舉人心是非之公理，以爲天下倡導，以樹立道德倫理之最高準則，以待天下公理，猶有撥亂返正之時，呂氏認爲，此即孔子作《春秋》，有功於萬世之原因，也是孟子推崇孔子作《春秋》，比之於禹治洪水，堯舜驅猛獸攘夷狄，同樣有治平天下之功績。

3.論《春秋》非賞善罰惡之書

呂大圭〈春秋五論‧論一〉曰：

> 自世儒不明乎孟子之說，遂以《春秋》之作，乃聖人賞善罰惡之書，而所謂天子之事者，謂其能制賞罰之權而已。夫謂天子之事，止於制賞罰之權，而綏猷修道之責，乃不暇問，則是劉漢以後之天子，而非唐虞三代之天子矣，為是說者，不惟不知《春秋》，抑亦不知所謂天子之事也。彼徒見夫《春秋》一書，或書名、或書字、或書‧人、或書爵、或不書氏、或書氏，於是為之說曰，其書字書爵書氏者，褒之也，其書名書人不書氏者，貶之也，褒之故予之，貶之故奪之，予之所以代天子之賞，奪之所以代天子之罰，賞罰之權，天王不能自執，而聖人執之，所謂章有德討有罪者，聖人固以自任也，《春秋》，魯史也，夫子匹夫，以魯國而欲以僭天王之權，以匹

夫而欲以操天王之柄，借曰道之所在，獨不曰位之所不可得乎？夫子本惡天下諸侯之僭天子，大夫之僭諸侯，下之僭上，卑之僭尊，為是作《春秋》，以正名分，而己自蹈之，將何以律天下，聖人宜不如是也。

呂氏以爲，自從孟子曾說：「《春秋》，天子之事也。」世人遂認爲《春秋》乃即是賞善罰惡之書，而認爲《春秋》書中，也遂有各種或書或不書之予奪褒貶賞罰之書法，但是，呂氏以爲，孔子最厭惡以下僭上，以卑僭尊之行爲，孔子自身，既無天子之位，依理也不得行使天子賞罰之權柄，因此，呂氏以爲，不當視《春秋》爲聖人賞善罰惡之書，因爲，孔子借魯史作《春秋》，如其目的只在賞善罰惡，則不過據事直書，使史書中之其人其事，善惡自見，以受世人之賞之罰之而已，此則消極之評比人事而已，夫子之道，則在積極樹立是非之標準。呂大圭〈春秋五論·論一〉又曰：

蓋是非者，人心之公，不以有位無位，而皆得以言，故夫子得以因魯史以明是非。賞罰者，天王之柄，非得其位，則不敢專也，故夫子不得不（不字疑衍）假魯史以寓賞罰。是非、道也，賞罰、位也，夫子者，道之所在，而豈位之所在乎？

呂氏以爲，賞罰之權，由天子執行，孔子一介平民，既無天子之位，自然不能行使天子之權柄。孔子只是借著魯國的歷史，對於史事人物，作出褒貶之辭，借以樹立人們心目中是非之標準，因此，賞罰，必由得位之天子，方能行之，是非，則在人心之公，孔子雖不在位，可以行之。要之，賞罰與褒貶，一在實質爵祿之升降，一在是非公理之彰明，天子爲當時人物定賞罰，孔子爲萬世人道定是非，兩者自不相同。呂大圭〈春秋五論·論一〉又曰：

> 或曰，夫子之為是也，非以私諸己也，夫子以魯有可以變而至道之質，是以託諸魯，以律天下之君大夫，其賞之也，非曰吾賞之，魯賞之也，其罰之也，非曰吾罰之也，魯罰之也，魯，周公之後，而聖人之祚嗣也，賞罰之權，天子不能以自執，推而予之於魯，魯亦不能以自有，推而本之於周，周之典禮，周公之為也，以周公之後，而行周公之典禮，而律天下之君大夫，或者其庶幾乎？此聖人之意也。

呂氏又假人設問，認爲魯乃周公之後，孔子借魯史以行賞罰，實即代周公以行賞罰，豈不應屬適當之事？呂氏乃答之曰：

且夫夫子匹夫也，固不得以擅天王之賞罰，魯，諸侯之國也，獨可以擅天王之賞罰乎？魯不可以擅天王賞罰之權，而夫子乃因推而予之，則是夫子為其實而魯獨受其名，夫子不敢以自僭，乃使魯僭之，聖人尤不如是也，大抵學者之失，往往在於尊聖人太過，而不明乎義理之當然，於是過為之論，意欲尊夫子而實背之。

呂氏則以爲，孔子身爲一介平民，不能行天子之賞罰，即借魯史，使魯國行天子之賞罰，也同樣是以諸侯的身分僭妄天子之行爲，仍然是以卑者僭越尊者的不當行爲。因此，呂氏以爲，《春秋》並非孔子賞善罰惡之書，只是孔子樹立人倫是非準則之書，兩者之差別，不可不加分辨。

4. 論《春秋》不兼言三代之制

呂大圭〈春秋五論．論一〉曰：

或謂兼三代之制，其意以為夏時、商輅、周冕、韶樂，聖人之所以告顏淵者，不見諸用而寓其說於《春秋》，此皆一切謬妄之論，其大要皆主於以禮樂賞罰之權為聖

> 人自私之具爾，夫四代禮樂，孔子之所以告顏淵者，亦謂其得志行道，則當如是爾，豈有無其位而修當時之史，乃遽正之以四代禮樂之制乎。

呂氏又假人設問，認爲《春秋》之中，有兼攝三代之典制而循環用之者，因爲《論語．衛靈公》曾記載顏淵問爲邦之道，孔子告之曰：「行夏之時，乘殷之輅，服周之冕，樂則韶舞。」後世《公羊》家，遂認爲是「王者，存二王之後，使統其正朔，服其服色，行其禮樂，所以尊先聖，通三統」❷的意義，也是「變周之文，從殷之質」❸的意義。呂氏則不以前說爲然，呂氏以爲，「顏淵問爲邦」，孔子所以告知顏淵，不過「謂其得志行道，則當如是爾」，也是由於夏曆與四季配合，最便農時，故孔子主張「行夏之時」，商代所制木車，樸實耐用，故孔子主張「乘殷之輅」，周代冕服完備，故孔子主張「服周之冕」，大舜之樂，盡美盡善，故孔子主張「樂則韶舞」，所以，顏淵既然是「問治國之禮法於孔子」❹，孔子也因其問而

---

❷ 見《春秋公羊傳》隱公三年何休《解詁》。

❸ 見《春秋公羊傳》隱公七年何休《解詁》。

❹ 見邢昺：《論語注疏》。

答以禮法當擇其最適宜者而用之，未必有兼言三代典制循環用之之意。呂大圭〈春秋五論·論一〉又曰：

夫子，魯人也，故所修者魯史，其時周也，故所用者，時王之制，此則聖人之大法也，謂其於修《春秋》之時，而竊禮樂賞罰之權以自任，變時王之法，兼三代之制，不幾於誣聖人乎？

呂氏以爲，孔子乃魯國人，據魯史而修《春秋》，故所遵行者，即是春秋當時之制度，並無兼言三代典制，以求「新周，故宋，以《春秋》當新王」❺等《公羊》家之說法，呂大圭〈春秋五論·論一〉又曰：

學者學不知道，妄相傳襲，其為傷教害義，於是為甚，後之觀《春秋》者，必知夫子未嘗以禮樂賞罰之權自任，而後可以破諸儒之說，諸儒之說既破，而後吾夫子所

❺ 見《春秋公羊傳》隱公元年徐彥《疏》引何休〈文謚例〉。

以修《春秋》之旨，與孟子所謂天子之事者，皆可以得而知之矣。

呂氏以爲，孔子修《春秋》，借魯史以樹立人倫之是非基準，而非借之以行使賞善罰惡、議論禮樂之目的，因此，以爲《春秋》之中，自然並無所謂「存三統」之類的說法。

(三)結語

「存天理去人欲」是宋代理學思想中之重要命題，理學思想中的天理人欲之辨，發端於張載，經過二程，而大成於朱子，張載《正蒙・誠明》曰：「上達反天理，下達徇人欲者與？」程顥《語錄》卷十一曰：「人心莫不有知，惟蔽於人欲，則忘天理也。」朱熹《朱子語類》卷十二曰：「聖賢千言萬語，只是教人明天理，滅人欲。」《朱子語類》卷十二又曰：「人之一心，天理存則人欲亡，人欲勝則天理滅，未有天理人欲夾雜者。」理學家既然認爲天理人欲，不能兩存，因此，致力工夫，便是要人「革盡人欲，復盡天理」（《朱子語類》卷十三），才是爲學的大端。

陳淳字安卿，學者號爲北溪先生，是朱熹的弟子，《宋史・道學傳・四》記載陳氏之言也曰：「至於以天理人欲分數而驗賓主進退之幾，如好好色，惡惡臭，而爲天理人欲強弱之證，必使之於是是非非、如辨黑白，如遇鏌鎁，不容有騎牆不決之疑。」是陳氏於天理人欲之辨，也沿接其師朱熹之說，而加以推闡。

《宋元學案》卷六十八〈北溪學案〉記載〈北溪門人〉有楊昭復、王昭，又載呂大圭嘗師事楊、王二人。因此，呂大圭於朱熹爲三傳之弟子。

「存天理滅人欲」是宋代理學思想中之重要命題，尤其更是朱子思想中之重要綱領，天理二字，也幾乎成爲理學家思想中最高的道德準則，呂大圭研治《春秋》之學，而即以「扶天理而遏人欲」，作爲抒發《春秋》之主要義旨，不止是強調了《春秋》一經撰作之用意，也將朱子思想「存天理而滅人欲」的精神，推闡到更爲遼闊的應用方面，對於《春秋》「是非二百四十二年之中」，以立人極的精神，確實能夠掌握到關鍵的樞紐，而作出極爲中肯的論斷。

（此文原刊於《中國文化月刊》二五三期，民國九十年四月出版）

十九、皮錫瑞《春秋通論》析評

㈠引　言

經學史上有今古文經學的分別，今古文之分，始於經書的文字有所不同，進而引起對於五經性質的看法有所不同，再進而引起對於孔子與周公地位的看法也不盡相同，因而形成了經學史上重要的紛爭。

皮錫瑞是晚清時代著名的經學家，他是湖南善化人，生於清道光三十年，卒於光緒三十四年，當西元一八五〇年至一九〇八年，享年五十九歲。皮氏撰有《經學歷史》、《經學通論》、《今文尚書考證》、《孝經鄭注疏》、《王制箋》等經學專著，在經學史上，他是今文經學的擁護者，他對於《春秋》的看法，尤其能夠反映出他那今文經學的立場。[1]

皮錫瑞的《經學通論》，是一部關於經學研究的論文集，分為五卷，《易經》、《書經》、

[1] 參皮名振：《清皮鹿門先生錫瑞年譜》台北，商務印書館，一九八一年十二月。

《詩經》、《三禮》、《春秋》，各為一卷，每卷之中，又各有論文數十篇，份量極為繁多。每卷之中，皮氏都以論文的方式，表達他對於經書中某些問題的看法。此文之作，主要在於評析皮氏《經學通論》中《春秋通論》的內容，將皮氏的主要觀點，加以分析，加以評論，以彰顯皮氏對於《春秋》的重要看法，以及皮氏在經學史上的特殊地位。

(二)析　評

1.論《春秋》的性質——是經非史

《春秋》本是魯國的歷史，孔子據之而作《春秋》，因此，《春秋》到底是史書抑或是經書，也是經學史上爭議不息的問題，對此問題，皮錫瑞《春秋通論》曰：

> 說《春秋》者，須知《春秋》是孔子作，作是做成一書，不是抄錄一過，又須知孔子所作者，是爲萬世作經，不是爲一代作史，經史體例所以異者，史是據事直書，不立褒貶，是非自見，經是必借褒貶是非，以定制立法，爲百王不易之常經，《春秋》

是經，《左氏》是史。❷

《春秋》是經是史的問題，今古文的經學家，見解不同，皮錫瑞站在今文經學的立場，以為《春秋》是經，因為，《春秋》雖然原本是魯國的史書，但是，魯之《春秋》，只記其事，並無褒貶之意義存在，直到孔子據魯之《春秋》，賦予微言大義，才成為孔子之《春秋》，才一變魯國之史書，而為孔子之經書。皮氏以為，自從杜預提出《春秋》為周公舊典、以《左傳》的《春秋》五十發凡，為周公的舊例之後，馴至唐代，遂尊周公為先聖，抑孔子為先師，因此，皮氏以為，「孟子言魯之《春秋》，止有其事其文而無其義，其義是孔子創立，非魯《春秋》所有，亦非出自周公，若周公時已有義例，孔子豈得不稱周公，而攘為己作乎」❸，因此，皮氏才肯定《春秋》的性質是經而非史。

---

❷ 見《春秋通論》（台北，河洛圖書出版社，一九七四年十二月，下引此書並同）第二篇：〈論春秋是作，不是抄錄，是作經，不是作史，杜預以爲周公作凡例，陸淳駁之甚明〉。（楚生案，《春秋通論》共五十六篇，皮氏僅有標題，篇數乃筆者所加）。

❸ 同注❷。

皮錫瑞又以《春秋》與《左傳》對舉，他以為，《春秋》是經，並非歷史，而《左傳》是史，並不解經，兩者宜加分別清楚，皮氏《春秋通論》曰：

《左氏》敘事之工，文采之富，即以史論，亦當在司馬遷、班固之上，不必依傍聖經，可以獨有千古，《史記》、《漢書》，後世不廢，豈得廢《左氏》乎，……然《左氏》記載誠善，而於《春秋》之微言大義，實少發明。

又曰：

治《春秋》者，當知此義，分別《春秋》是經，《左氏》是傳，離之雙美，合之兩傷，經本不待傳而明，故漢代《春秋》之學者，止有《公羊》，並無《左氏》，而《春秋》經未嘗不明。其後《左氏》盛行，又專用杜預《集解》，學者遂執《左氏》之說，爲《春秋》之義，且據杜氏之說，爲《左氏》之義，而《春秋》可廢矣。[4]

[4] 見《春秋通論》第三十一篇：〈論春秋是經，左氏是史，必欲強合爲一，反致信傳疑經〉。

皮氏既以為《春秋》是經，《左傳》是史，經以褒貶是非為主，故有微言大義，蘊含其中，史以記事實錄為主，故以反映史事，善惡自見，故皮氏以為，「經史體例，判然不同，經所以垂世立教，有一字褒貶之文，史止據事直書，無特立褒貶之義」❺，所以，「杜元凱曾不思夫子所以為經，當與《詩》、《書》、《周易》等列，邱明所以為史，當與司馬遷班固等列」❻，皮氏在《春秋通論》之中，曾引述劉敞之言曰：「《春秋》，一也，魯人記之則為史，仲尼修之則為經，經出於史，而史非經也，史可以為經，而經非史也。」❼又引述周敦頤之言曰：「《春秋》正王道，明大法也，孔子為後世王者而修也，亂臣賊子誅死者於前，所以懼生者於後。」❽，又引述程頤之言曰：「夫子作《春秋》，為百王不易之大法。」❾，

---

❺ 同注❹。

❻ 同注❹引陳商之言。

❼ 見《春秋通論》第四十八篇：〈論經史分別甚明，讀經者不得以史法繩春秋，修史者亦不當以春秋書法爲史法〉。

❽ 見《春秋通論》第四十三篇：〈論宋五子說春說，有特見，與孟子公羊合，足正杜預以後之陋見謬解〉。

❾ 同注❽。

又曰：「後世以史視《春秋》，謂褒貶善惡而已，至於經世大法，則不知也。」❿，又引述朱熹之言曰：「《春秋》本是嚴底文字，聖人此書之作，遏人欲於橫流，遂以二百四十二年行事，寓其褒貶，一字不敢胡亂下。」⓫，又引述陳壽祺之言曰：「《春秋》，天子之事，苟徒因仍舊史，不立褒貶，則諸侯之策，當時未始亡也，孔子何為作《春秋》，且使《春秋》直寫魯史之文，則孟子何以謂之作，則知我罪我安所徵，亂臣賊子安所懼。」⓬，皮氏因而也曰：「《春秋》是為萬世作經，為後人立法，聖人特筆，空前絕後，不可無，一不能有二之書，前古未有。」⓭，又曰：「學者當以《春秋》為經，不當以《春秋》為史，當重《春秋》之義，不當重《春秋》之事，（朱子）謂以二百四十二年行事，寓其褒貶，即借事明義也，謂一字不敢胡亂下，即一字褒貶也。」⓮，因此，主張《春秋》的性質，是經而非史，則是皮錫瑞最為堅持的說法。

---

❿ 同注❽。

⓫ 見《春秋通論》第四十五篇：〈論朱子之說，足證春秋是經非史，學春秋者，當重義不重事〉。

⓬ 見《春秋通論》第四十二篇：〈論孔子作春秋，增損改易之跡可尋，非徒因仍舊史〉。

⓭ 同注❻。

⓮ 同注⓫。

2. 論《春秋》之大義微言——誅亂賊、立法制

在討論到《春秋》中之大義微言時，皮錫瑞《春秋通論》曰：

> 《春秋》有大義，有微言，所謂大義者，誅討亂賊以戒後世是也，所謂微言者，改立法制以致太平是也，此在孟子已明言之，曰：「世衰道微，邪說暴行又作，臣弒其君者有之，子弒其父者有之，孔子懼，作《春秋》，《春秋》，天子之事也，是故孔子曰，知我者其唯《春秋》乎，罪我者其唯《春秋》乎」……孟子又曰：「王者之跡熄而《詩》亡，《詩》亡然後《春秋》作，晉之《乘》，楚之《檮杌》，魯之《春秋》，一也，其事則齊桓晉文，其文則史，孔子曰，其義則丘竊取之矣」。……孟子說《春秋》，義極閎遠，可見孔子空言垂世，所以爲萬世師表者，首在《春秋》一書……孔子懼弒君弒父而作《春秋》，《春秋》成而亂臣賊子懼，是《春秋》大義；天子之事，知我罪我，其義竊取，是《春秋》微言。⑮

---

⑮ 見《春秋通論》：第一篇〈論春秋大義，在誅討亂賊，微言，在改立法制，孟子之言，與公羊合，朱子之注，深得孟子之旨〉。

《春秋》中有大義有微言，但是《春秋》中的大義微言，究何所指，則言人人殊，皮錫瑞據孟子引述孔子之言，直接指明，孔子作《春秋》成，而亂臣賊子因之以懼，是《春秋》中的大義所在；至於《春秋》行褒貶之實，建立法制，本屬天子應有之權責，而孔子竊取其義，則是《春秋》中的微言所在。對於《春秋》中大義微言的解釋，皮氏的意見，言而有據，簡潔明白。

《春秋》大義，既然在誅討亂臣賊子，以戒後世，然而，孔子成《春秋》以後，何以亂臣賊子，仍然不絕於世，對於此一問題，皮錫瑞《春秋通論》曰：

> 孟子言孔子成《春秋》，而亂臣賊子懼，何以《春秋》之後，亂臣賊子不絕於世，然則孔子作《春秋》之功安在，孟子之言，殆不足信乎。曰，孔子成《春秋》，不能使後世無亂臣賊子，而能使亂臣賊子，不能全無所懼，自《春秋》大義昭著，人人有一《春秋》之義，在其胸中，皆知亂臣賊子，人人得而誅之，雖極凶悖之徒，亦有魂夢不安之隱，雖極巧辭飾說，以爲塗人耳目之計，而耳目仍不能塗，邪說雖橫，不足以蔽《春秋》大

義，亂賊既懼當時義士，聲罪致討，又懼後世史官，據事直書。⑯

皮氏以為，孔子作成《春秋》之後，則已懸示一項是非對錯之判別標準，使《春秋》大義，常在人心，使知亂臣賊子，人人皆可誅之，也使亂臣賊子，心知所畏，不敢輕犯，即使犯罪之後，仍然畏懼世人的聲討，歷史惡名的留傳，皮錫瑞《經學通論》又曰：

如王莽者，多方掩飾，窮極詐僞，以蓋其篡弒者也；如曹丕司馬炎者，妄託禪讓，褒封先代，篡而未敢弒者也；如蕭衍者，已行篡弒，旋知愧憾，深悔爲人所誤者也；如朱溫者，公行篡弒，猶畏人言，歸罪於人以自解者也；他如王敦桓溫，謀篡多年，而至死不敢，曹操司馬懿，及身不篡，而留待子孫，凡此等，固由人有天良，未盡泯滅，亦由《春秋》之義，深入人心，故或遲之久而後發，或遲之已久而卒不敢發，

⑯ 見《春秋通論》第十六篇：〈論孔子成春秋，不能使後世無亂臣賊子，而能使亂臣賊子不能無懼〉。

即或冒然一逞，犯天下之不韙，終不能坦懷而自安。⑰

《春秋》大義，深入人心，形成人人心中之是非標準，成為人人口中之清議輿論，是非常在，清議常存，自然使得意欲為非作惡之亂臣賊子，心有所懼，即此，便是孔子成《春秋》，能使後世亂臣賊子畏懼的緣由。至於《春秋》中判定是非大義的方式，則以褒貶之辭行之，皮錫瑞《春秋通論》又曰：

《春秋》大義，在討亂賊，則《春秋》必褒忠義，《經》曰：「宋督弒其君與夷及其大夫孔父」，「宋萬弒其君捷及其大夫仇牧」，「晉里克弒其君卓及其大夫荀息」，三大夫皆書及，褒其皆殉君難，《公羊傳》曰：「何賢乎孔父，孔父可謂義形於色矣」，「何賢乎仇牧，仇牧可謂不畏強禦矣」，「何賢乎荀息，荀息可謂不食其言矣。」《春秋》同一書法，《公羊》同一褒辭，足以發明大義。⑱

---

⑰ 同注⑯。

⑱ 見《春秋通論》第十七篇：〈論春秋一字褒貶之義，宅心恕而立法嚴〉。

宋華父督弒君在桓公二年，宋萬弒君在莊公十二年，里克弒君在僖公九年，時間不同，弒君的行為則一，故《春秋》皆用一「弒」字，加以貶責，在三次弒君的事件中，孔父、仇牧、荀息三位大夫也同時殉君被殺，故《春秋》皆用一「及」字，加以褒揚，這種情形，正是《春秋》誅討亂臣賊子的褒貶精神，所以皮錫瑞曰：「三大夫之書及，所謂一字之褒，弒君之臣，一概書弒，所謂一字之貶，聖人以為其人甘於殉君，即是大忠，雖有小過（如《左氏》所書孔父荀息之事），可不必究，其人忍於弒君，即是一惡，雖有小功（如《左傳》所書趙盾之事），亦不足道，蓋宅心甚恕，而立法甚嚴也。」⑲便是說明了《春秋》中褒貶精神的大義所在。

以上所論，皆屬《春秋》中大義部分，至於《春秋》中之微言，皮錫瑞以為，主要在於改立法制，以致太平，皮氏《春秋通論》曰：

《史記．孔子世家》：「子曰，弗乎弗乎，君子病歿世而名不稱焉，吾道不行矣，吾何以自見於後世哉，乃因史記作《春秋》，上自隱公，下訖哀公十四年，十二公，據魯親周故殷，運之三代，約其文而指博，……」又〈自序〉引壺遂曰：「孔子之時，

---

⑲ 同注⑱。

上無明君，下不得任用，故作《春秋》，垂空文以斷禮義，當一王之法。」……云垂空文，當一王之法，則知素王改制之義，不必疑矣，《春秋》有素王之義，本爲改法而設，後人疑孔子不應稱王，不知素王本屬《春秋》而不屬孔子，疑孔子不應改制，不知孔子無改制之權，而不妨爲改制之言，所謂改制者，猶今人言變法耳，法積久而必變，有志之士，世不見用，莫不著書立說，思以其所欲變之法，傳於後世，望其實行，自周秦諸子，以及近之船山亭林梨洲桴亭諸儒皆然，亭林《日知錄》明言：「立言不爲一時。」船山《黃書》《噩夢》，讀者未嘗疑其僭妄，何獨於孔子《春秋》，反以僭妄疑之。⑳

皮氏以為，改制立法，為後世致太平，是《春秋》中的微言，所謂改制立法，是指孔子晚年，見道不能行，故作《春秋》，將自己的政治理想制度，寄託其中，盼望後世，對此一理想制度，能見之實行，只是，孔子在當時，並無權位，因此，改制之說，並未明著於竹帛，而只

⑳ 見《春秋通論》第七篇：〈論春秋改制，猶今人言變法，損益四代，孔子以告顏淵，其作春秋，亦即此意〉。

在師弟之間，口耳相傳，馴至漢代，才由公羊學家，宣明於世，同時，改制立法，本應是君主的權力，孔子以平民而行君王之事，所以才有知我罪我的言說，《論語・衛靈公》記：「顏淵問為邦，子曰，行夏之時，乘殷之輅，服周之冕，樂則韶舞。」正好說明孔子認為建立制度，必須綜合四代的典制而成，《論語・為政》記：「子張問，十世可知也？子曰，殷因於夏禮，所損益可知也，周因於殷禮，所損益可知也，其或繼周者，雖百世，可知也。」也說明孔子以為改制之法，必須損益前代的典制，以此類推，所以說，百世可知。皮錫瑞在《春秋通論》中曰：「《春秋》為後王立法，雖不專為漢，而漢繼周後，即謂為漢制法，有何不可。」[21]證諸孔子「其或繼周者，雖百世可知」的言論，皮氏對於《春秋》中微言的看法，是可以採信的。

3.論《春秋》表義之方法——借事明義

《春秋》本是記事之書，不過在記事之中，卻又彰顯出事實背後的意義，因此，《春秋》

[21] 見《春秋通論》第六篇：〈論春秋素王，不必說是孔子素王，春秋爲後王立法，即云爲漢制法，亦無不可〉。

就記事中表示其背後的意義，便是一種較為特殊的方法，皮錫瑞《春秋通論》曰：

董子曰：「孔子知時之不用，道之不行也，是非二百四十二年之中，以爲天下儀表，貶天子，退諸侯，討大夫，以達王事而已矣，曰，我欲載之空言，不如見之行事之深切著明也。」錫瑞案，董子引孔子之言，與孟子引孔子之言，皆《春秋》之要旨，極可信據，載之空言，不如見之行事，後人亦多稱述，而未必人人能解，《春秋》一書，亦止是載之空言，如何說是見之行事，即後世能實行《春秋》之法，見之行事，亦非孔子所及見，何以見其深切著明，此二語看似尋常之言，有令人百思而不得其解者，必明於《公羊》借事明義之旨，方能解之，蓋所謂見之行事，謂託二百四十二年之行事，以明褒貶之義也。[22]

表示《春秋》要旨的方法，皮錫瑞稱之為「借事明義」，借事明義，所明之義，在於史事之

[22] 見《春秋通論》第十三篇：〈論春秋借事明義之旨，止是借當時之事，做一樣子，其事之合與不合，備與不備，本所不計〉。

外，其方式，與《易經》假「象」以表義，《詩經》的「比」況，《莊子》的「寓言」，都十分相似，主要都是假借他事，以明此義，皮錫瑞《春秋通論》又曰：

> 孔子知道不行而作《春秋》，斟酌損益，立一王之法以待後世，然不能實指其用法之處，則其意不可見……，故不得不借當時之事，以明褒貶之義，即褒貶之義，以爲後來之法，如魯隱非眞能讓國也，而《春秋》借魯隱之事，以明讓國之義，祭仲非眞能知權也，而《春秋》借祭仲之事，以明知權之義，齊襄非眞能復仇也，而《春秋》借齊襄之事，以明復仇之義，宋襄非眞能仁義行師也，而《春秋》借宋襄之事，以明仁義行師之義，所謂見之行事，深切著明，孔子之意，蓋是如此，故其所託之義，與其本事，不必盡合。孔子特欲借之以明其作《春秋》之義，使後之讀《春秋》者，曉然知其大義所存，較之徒託空言而未能徵實者，不益深切而著明乎？㉓

皮氏以為，孔子作《春秋》，借春秋二百四十二年中的史事，以明示出自己所欲彰顯的判斷

㉓ 同注㉒。

意義，以為「孔子是為萬世作經，而立法以垂教，非為一代作史，而紀實以徵信，孔子並非不見國史，其所以特筆褒之者，正是借當時之事，做一樣子，其事之合與不合，備與不備，本所不計」㉔。在前文中，皮氏提到所謂宋襄公仁義行師之事，也因為戰亂之中，最容易見出理想中仁義道德之可貴，僖公二十二年，宋襄公與楚人戰於泓，宋師敗績，《公羊傳》曰：「君子大其不鼓不成列，臨大事而不忘大禮，有君而無臣，以為雖文王之戰，亦不過此也」，皮錫瑞《春秋通論》曰：

> 當其時，戰禍亟矣，獨有一宋襄公能明王道，絀詐力，故《春秋》特褒之，而借以明仁義行師之義，以爲後之用兵者，能如宋襄之言，則戰禍少紓，民命可保矣。㉕

因此，宋襄公雖有「不鼓不成列」、「不擒二毛」之言，但也並非真能以仁義為懷，消弭戰

㉔ 同注㉒。

㉕ 見《春秋通論》第五十六篇：〈論春秋明王道，絀詐力，故特褒宋襄，而借以明仁義行師之例〉。

爭之禍，但是，稱許宋襄公之行為，「以為雖文王之戰，亦不過此」，則是孔子借史事以明本身理想旨義的評論。不僅於此，「張三世」、「存三統」，也是《春秋》的要旨，皮錫瑞《春秋通論》說：

> 隱公非受命王，而《春秋》於隱公託始，即借之以爲受命王，哀公非太平世，而《春秋》於哀公告終，即借之以爲太平世。故論春秋時世之漸衰，春秋初年，王跡猶存，及其中葉，已不逮春秋之初，至於定哀，駸駸乎流入戰國矣；而論《春秋》三世大義，春秋始於撥亂，即借隱桓莊閔僖爲撥亂世，中於升平，即借文宣成襄爲升平世，終於太平，即借昭定哀爲太平世，世愈亂而《春秋》之文愈治，其義與時事正相反，蓋《春秋》本據亂而作，孔子欲明馴至太平之義，故借十二公之行事，爲進化之程度，以示後人治撥亂之世應如何，治升平之世應如何，治太平之世應如何，義本假借，與事不相比附。㉖

㉖ 見《春秋通論》第十四篇：〈論三統三世，是借事明義，黜周王魯，亦是借事明義〉。

《春秋》三世進化之說，始見於《公羊傳》，隱公元年《春秋》書曰：「公子益師卒。」《傳》曰：「何以不日，遠也，所見異辭，所聞異辭，所傳聞異辭。」何休《解詁》，對此也有說明，徐彥《公羊傳注疏》提到，「《春秋》設三科九旨」，又引宋氏之注，說「三科者，一曰張三世，二曰存三統，三曰異內外」，又引何休《文謚例》說：「三科九旨者，新周，故宋，以春秋當新王，此一科三旨也。」皮錫瑞主張《春秋》一經，其要旨表示的方式，都是「借事明義」，因此，他說：「存三統，張三世，亦當以借事明義解之，然後可通。」[27]皮氏的這種說法，是可以被接受的。

4.論《左傳》之特徵——記事而不解經

《左傳》一書，是否解經，在經學史上，今古文經學者的看法，非常分歧，古文學家視《左傳》為解經之作，今文學家認為《左傳》乃記事之書，最早論及此一問題者為司馬遷，《史記·十二諸侯年表序》曰：

㉗ 同注㉖。

是以孔子明王道，干七十餘君，莫能用，故西觀周室，論史記舊聞，興於魯而次《春秋》，上記隱，下至哀之獲麟，約其辭文，去其煩重，以制義法，王道備，人事浹，七十子之徒，口受其傳指，爲有所刺譏褒諱挹損之文辭不可以書見也，魯君子左丘明，懼弟子人人異端，各安其意，失其眞，故因孔子史記具論其語，成《左氏春秋》。㉘

司馬遷既言孔子因「史記舊聞」，「而次《春秋》」，而「七十子之徒，口受其傳指」，而「魯君子左丘明」，「因孔子史記具論其語，成《左氏春秋》」，因此，古文經學家，遂以此認定《左傳》為解經的依據，但是，皮錫瑞《春秋通論》曰：

史公以邱明爲魯君子，別出於七十子之外，則左氏不在弟子之列，不傳《春秋》可知，云「七十子之徒，口受其傳指，而左氏特因孔子史記具論其語」，則左氏未得口授可知。㉙

㉘ 司馬遷：《史記》，台北，鼎文書局，一九八六年九月。

㉙ 見《春秋通論》第二十二篇：〈論左氏不在七十子之列，不得口受傳指，左傳疏引嚴氏春秋，不可信，引劉向別錄，亦不可信〉。

皮錫瑞同樣依據司馬遷之言，卻分析出不同的看法，以為左邱明不在孔子弟子之列，自然無法獲孔子口授《春秋》的要旨，自然也就無法以《左傳》去解釋孔子《春秋》中的褒貶大義，因此，《左傳》也就自然不是解經的作品。另外，《漢書．劉歆傳》說：

初，《左傳》多古字古言，學者傳訓故而已，及歆治《左氏》，引傳文以解經，轉相發明，由是章句義理備焉。㉚

皮錫瑞依據班固所記，加以推衍，而得出結論曰：

云歆治《左氏》，引傳文以解經，由是備章句義理，則劉歆以前，未嘗引傳解經，亦無章句義理可知。㉛

㉚ 班固：《漢書》，台北，鼎文書局，一九八六年九月。

㉛ 同注㉙。

因此，皮氏由此，更加堅定了《左傳》原初不解《春秋》的信念，而以為後世所以有《左傳》解經的看法，則係受到劉歆「引傳文以解經」的影響，但是，那已經是遠在左丘明以後的事，與左丘明《左傳》原初是否解經，已經並無必然的關係。

在漢代，初立五經博士，都是依據今文經學，《春秋》一經，是以《公羊傳》為主，及至古文經《左傳》出現之後，《春秋》一經才有了今古文經學的爭議，至於晉代杜預，專主《左傳》，今古文經學的爭議，才更加激烈，皮錫瑞《春秋通論》曰：

> 漢人以《春秋》爲有關繫，有用處，人人尊信誦習，由專主《公羊》故也，及《左氏傳》出而一變，《左氏》自成一家之書，亦未嘗與《公羊》抵捂，而偏護古文者，務張大其說，以駁異今文，自劉歆欲以《左氏》立學，爲今文博士所排，仇隙愈深，反對愈甚，賈逵已將臆造之說，爲《左氏》之說，以斥《公羊》，而解《左氏》，猶采《公》《穀》，至杜預出，乃盡棄二傳，專執韓宣「周禮在魯」一語，以《左氏傳》五十凡例，盡屬周公，孔子止是抄錄成文，並無褒貶筆削，又安得有微言大義，與立法改制之旨，故如杜預所說，《春秋》一經，全無關繫，亦無用處，由於力反先儒之說，不信漢儒之論，不

顧孟子之文，以致聖人所作之經，沈廢擱棄，良可浩歎。㉜

因此，皮氏以為，杜預撰《春秋左氏經傳集解》，以《左傳》分年附於《春秋》，以《左傳》為解經之書，影響於後世對於《左傳》的看法，極為巨大。

另外，在論及《左傳》是否解經的問題時，皮錫瑞對於唐人劉知幾的說法，極為不滿，因為，《史通》中有〈惑經〉和〈申左〉兩篇文章，在〈惑經〉篇中，劉知幾對《春秋》提出了十二項「未諭」的疑惑，也對《春秋》提出了五項「虛美」的批評；在〈申左〉篇中，劉知幾指出了《左傳》之義有「三長」，而《公羊》《穀梁》二傳則有「五短」，劉知幾的意見，完全是站在史學的立場去發言，自然不為經學家皮錫瑞所同意，因此，皮氏在《春秋通論》中便批評劉知幾說，「劉氏但曉史法，不通經義，專據《左氏》，不讀《公》《穀》」，「說《春秋》者，唐劉知幾為最謬」㉝，所以，認為劉氏未能了解《春秋》的精義。

㉜ 見《春秋通論》第四十六篇：〈論杜預專主左氏，似乎春秋全無關繫，無用處，不如啖趙陸胡，說春秋，尚有見解〉。

㉝ 見《春秋通論》第三十九篇：〈論劉知幾詆毀春秋，並及孔子，由誤信杜預孔穎達，不知從公穀以求聖經〉。

不過，皮氏對於劉知幾在《史通》之中，能將《春秋》和《左傳》加以分別討論，從而認定兩者性質之不同，倒是採取稱許的態度，皮錫瑞《春秋通論》曰：

劉知幾說《春秋》雖謬，猶知《春秋》《左傳》之分，其論史體六家，一曰尚書家，二曰春秋家，三曰左傳家，四曰國語家，五曰史記家，六曰漢書家。前二家經也，後二家史也，中二家《左傳》《國語》，則在經史之間，是劉知幾猶知春秋家與左傳家，體例不同，當分爲二，不當合一也。

又曰：

後之治《左氏》者，能詮釋經義，解說凡例，可附於春秋家，若專考長曆地名人名事實，或參以議論者，止可入左氏家，以與聖經大義無關，止可謂之史學，不得謂之經學也。[34]

---

[34] 見《春秋通論》第四十一篇：〈論春秋家，左傳家，當分爲二，如劉知幾說〉。

皮氏主要以為，《春秋》是經，《左傳》是史，經史的體例性質，都不相同，自當分別討論，不宜合而為一，因此，學者研究，治經與治史，也當分別觀之。皮氏《春秋通論》又曰：

> 漢時專主《公羊》，故直以《公羊》爲《春秋》，後世孤行《左傳》，又直以《左傳》爲《春秋》；《公羊》字字解經，經傳相附，以《公羊》爲《春秋》，可也，《左氏》本不解經，經傳不相附，或有經無傳，或有傳無經，以《左氏》爲《春秋》，不可也。[35]

皮錫瑞站在經學家的立場，尤其更是站在今文經學的立場，主張唯有《公羊》學可稱為《春秋》學，這是很自然的說法。

其實，皮錫瑞對於《左傳》敘事的工穩，文采的富麗，是非常稱贊的，他以為《左傳》「即以史論，亦當在司馬遷班固之上」[36]，但是，他以為，「《左氏》記載誠善，而於《春

---

[35] 同注[34]。

[36] 同注[4]。

秋》之微言大義，實少發明」[37]，「蓋《左氏傳》本是史籍，並無《春秋》微旨在內，止有事實文采可玩」[38]，所以，主張《左傳》「不必依傍聖經，可以獨有千古」[39]，在《春秋通論》之中，皮錫瑞曾經引述劉安世之言曰：

> 《公》《穀》皆解正《春秋》，《春秋》所無者，《公》《穀》未嘗言之，若《左傳》，則《春秋》所有者，或不解，《春秋》所無者，或自爲傳，故先儒以謂《左氏》或先經以起事，或後經以終義，或依經以辨理，或錯經以合異，然其說亦時有牽合，要之，讀《左氏》者，當經自爲經，傳自爲傳，不可合而爲一也，然後通矣。[40]

又曾經引述劉逢祿之言曰：

---

[37] 同注[4]。

[38] 同注[32]。

[39] 同注[4]。

[40] 見《春秋通論》第二十六篇〈論左氏傳，止可云載記之傳，劉安世已有經自爲經，傳自爲傳，不可合一之說〉。

《左氏》以良史之材，博聞多識，本未嘗求附於《春秋》之義，後人增設條例，推衍事蹟，強以爲傳《春秋》，冀以奪公羊博士之師法，名爲尊之，實則誣之，《左氏》不任咎也，余欲以《春秋》還之《春秋》，《左氏》還之《左氏》，而刪其書法凡例，及論斷之謬於大義、孤章絕句之依附經文者，冀以存《左氏》之本眞。㊶

劉安世與劉逢祿對於《春秋》和《左傳》的看法，受到皮錫瑞的稱許，最主要的是，三人的看法，非常相近，兩位劉君的意見，也就代表了皮氏對於此一問題的意見。

5.論治《春秋》之方法——宜守專門

皮錫瑞站在今文經學的立場，對於研治《春秋》的方法，也提出了他自己的看法，供給世人參考，《春秋通論》曰：

《春秋》是一部全書，其義由孔子一手所定，比《詩》、《書》、《易》、《禮》不

㊶ 見《春秋通論》第二十五篇：〈論左氏傳不解經，杜孔已明言之，劉逢祿考證尤詳〉。

同，學《春秋》必會通全經，非可枝枝節節而為之者，若一條從《左氏》，一條從《公羊》，一條從《穀梁》，一條從唐宋諸儒，雖古義略傳，必不免於《春秋》失亂之弊，故《春秋》一經，尤重專門之學。[42]

《春秋》一經，既有三傳，分別今古文說法，又有歷代著述，各抒所見，學者若泛濫諸家，更求定於己意，則必進退失據，故皮氏以為，《春秋》一經，「尤重專門之學」，因此，學守專門，專治一家，不應混淆，此則為皮氏對於研治《春秋》之學，最基本之看法，由於學守專門，故於三傳，當分別研治，對於《公羊傳》，皮氏《春秋通論》曰：

> 國朝稽古，漢學中興，孔廣森作《公羊通義》，雖有華路藍縷之功，不無買櫝還珠之憾，唯何氏《解詁》與徐《疏》，簡奧難讀，陳立書又太繁，治《公羊》者，可從《通義》先入，再觀《注疏》，常州學派多主《公羊》，莊存與作《春秋正辭》，傳

---

[42] 見《春秋通論》第五十四篇：〈論三傳皆專門之學，學者宜專治一家，治一家，又各有所從入〉。

之劉逢祿、宋翔鳳、龔自珍諸人，凌曙作董子《繁露注》，其徒陳立作《公羊義疏》，治《公羊》者，當觀凌曙所注《繁露》，以求董子大義，及劉逢祿所作《釋例》，以求何氏條例，再覽陳立《義疏》，以求大備，斯不愧專門之學矣。[43]

對於《公羊學》的研治，皮氏提出了由孔廣森、凌曙、劉逢祿、陳立等人的著作入手，循序漸進的方法；對於《穀梁傳》的研治，皮氏《春秋通論》曰：

許桂林作《穀梁釋例》，柳興恩作《穀梁大義述》，鍾文蒸作《穀梁補注》，亦成一家之言，《穀梁傳》不傳三科九皆，本非《公羊》之比，唯其時月日例，與《公羊》大同小異，詳略互見，可以補《公羊》所未及，治《穀梁》者，先觀范《解》楊《疏》，及許桂林釋時月日例，許書簡而有法。[44]

---

[43] 同注[42]。

[44] 同注[42]。

對於《穀梁傳》的研治，皮氏提出了由范寧、楊士勛、許桂林等人的著作入手，循序漸進的方法，不過，皮氏也曾提到，《穀梁》義例，多比附《公羊》，故治《穀梁》，不如治《公羊》，治《公羊》乃可兼采《穀梁》的說法；對於《左傳》的研治，皮氏《春秋通論》曰：

> 治《左氏》者，先觀杜《解》孔《疏》，再及李貽德賈服輯述，以參考古義，顧棟高《春秋大事表》，以綜覽事實，然亦只是《左氏》一家之學，於《春秋》之微言大義，無甚發明。[45]

對於《左傳》的研治，皮氏提出了由杜預、孔穎達、李貽德（輯述賈逵、服虔的古注）等人的著作入手，循序漸進的方法，對於顧棟高綜覽春秋時代事實的名著《春秋大事表》，皮氏則站在今文經學的立場，以為顧氏之作，只是史學名著，而非經學專書，而不給予過高的評價。

皮氏對於研治《春秋》，主張恪守專門之學，故對於研治《春秋》，如范寧一類，兼采三傳的作法，並不表示贊同，皮氏《春秋通論》曰：

---

[45] 同注[42]。

何休《解詁》，專主《公羊》，杜預《集解》，獨宗《左氏》，雖義有拘牽，必曲爲解說，蓋專門之學如是。……范氏兼采三傳，不主一家，開唐啖（助）、趙（匡）、陸（淳）之先聲，異漢儒專門之學派，蓋經學至此一變。㊻

又曰：

晉劉兆作《春秋調人》三萬言，又爲《左氏》傳解，名爲《全綜》，作《公羊穀梁解詁》，皆納經傳中，朱書以別之，似已合三傳爲一書，而其書不傳，今世所傳爲一書者，自唐陸淳《春秋纂例》始，淳本啖助趙匡之說，雜采三傳，以意去取，合爲一書，變專門爲通學，是《春秋》經學一大變，宋儒治《春秋》者，皆此一派，如孫復、孫覺、劉敞、崔子方、葉夢得、呂本中、胡安國、高閌、呂祖謙、張洽、程公說、呂大圭、家鉉翁，皆其著者，以劉敞爲最優，胡安國爲最顯。㊼

㊻ 見《春秋通論》第十二篇：〈論春秋兼采三傳，不主一家，始於范寧，而實始於鄭君〉。

㊼ 見《春秋通論》第三十七篇：〈論啖趙陸不守家法，未嘗無扶微學之功，宋儒治春秋者，皆此一派〉。

皮氏對於《春秋》一經兼采三傳的研治方法，並不贊同，因此，他歷敘了唐宋諸儒研治《春秋》的重要學者之後，不免感歎地說，「蓋自唐宋以後，《春秋》無復專門之學，故不知專門之善，而反以為非」[48]了。

要之，皮氏站在今文經學的立場，對於研治《春秋》一經，主張學守專門，其不取兼采的態度，是非常堅定的。

(三)結語

綜合前文所述，大約可以得出幾項重點：

1.皮錫瑞在《經學通論・序》中曰：「經為孔子所定，孔子以前，不得有經。」又在《經學歷史・經學開闢時代》中曰：「孔子有帝王之德，而無帝王之位，晚年知道不行，退而刪定《六經》，以教萬世，其微言大義，實可為萬世之準則。」又曰：「《春秋》自孔子加筆削褒貶，為後王立法，而後《春秋》不僅僅為記事之書。」上述之言，可

---

[48] 同注[47]。

以視為是今文經學家皮錫瑞對於《六經》以及《春秋》的基本看法，在《春秋通論》之中，皮氏也對於自己的此一基本看法，作出了更為廣泛和細密的闡論。

2.就《春秋》一經而言，皮錫瑞站在今文經學的立場，首先認為《春秋》是孔子所作，《春秋》的性質，則是經而非史，因此，《春秋》之中，具有微言大義，而《春秋》表義的方法，則是借事而明義，因此，《左傳》僅是記事之史，而非解經之作，故研治《春秋》一經，必取專門之態度，而不宜兼采三傳，以免混亂家法。

3.皮錫瑞在《春秋通論》中，對於宋儒諸家所論《春秋》之意義，雖不完全贊成，大體則予以肯定，反之，對於劉知幾懷疑《春秋》，以及杜預、孔穎達以《左氏》為解經之傳，則殊表反對，此則由於，宋儒所論《春秋》，大抵皆以孔子所作之立場視之，而劉氏則係以「史」視《春秋》也。

4.在晚清之《春秋》學中，尤其是在《公羊》學中，皮氏的著作較為平實，他的說法，較之廖平和康有為等人的看法，也比較不涉怪誕，因此，站在《公羊》學的立場，如果從皮氏的觀點去看《春秋》，《春秋》與孔子的關係，才更加密切，《春秋》一經，也才更有意義，更具價值。

5.在當代學者之中，治《春秋》一經，熊十力先生應為重要的學者，熊氏在《讀經示要》

書中，提出了不少《春秋》要旨，與皮氏的觀點，也有非常相近的地方，如論《春秋》為改制之經，非記事之史，如論《春秋》借事明義，不必合于本事等，皆與近世以史視《春秋》的學者們，有所不同。熊氏為哲學家，非史學家，以哲學家的立場去看《春秋》，也與今文經學家的觀點，十分相近。

6. 皮錫瑞在《春秋通論》中，對於《公羊》學家所說的大復仇、大一統、夷夏觀、經權論等，討論較少，反之，在稍為涉及夷夏觀之處，還以為「聖人心同天地，以天下為一家，中國為一人，必無因其種族不同，而有歧視之意」，「可見《春秋》立義，皆以今之所謂文明野蠻，為褒貶予奪之義，後人不明此旨，徒嚴種族之辨，於是同異競爭之禍烈矣，蓋託於《春秋》義，而實與《春秋》義不甚合也」，皮氏身當晚清，於此夷夏之辨，自不得不稍作和緩之論。

7. 皮錫瑞《春秋通論》之中，一共有五十六篇論文，內容繁富，此文所枚舉的，只是筆者以為係其中較為重要的部分，遺漏之處，自不在少，尚請學者專家，多予指正。

（此文原刊於國立中山大學《第二屆國際清代學術研討會論文集》，民國八十八年十一月出版）

二十、楊樹達《春秋大義述》析評

楊樹達先生是近代著名的歷史學者，以研治鐘鼎、甲骨、語言、文字之學，享譽士林，在抗日戰爭期間，他激於義憤，撰成《春秋大義述》一書，用以鼓舞民心，激勵士氣。

此文之作，主要在於分析楊氏之書的四項重點，然後加以評論：

第一，「篇目之安排」，說明楊氏之書，在其篇目名稱及次第的安排上，即已表現出與時代的緊密關聯。

第二，「大義之彰顯」，說明楊氏之書，使用綱目體裁的方式，在他所撰寫的提綱中，表達他對《春秋》大義的闡明。

第三，「論斷之依據」，說明楊氏之書，採取歸納的方法，將《春秋》經傳中的史事及有關的評論意見，類聚一處，因而得到極爲可信的論斷。

第四，「微旨之寄寓」，說明楊氏在此書中，從篇目的安排，大義的彰顯，史事的論斷上，去表達他所寄寓在書中的微旨，而使讀者感受到激勵的力量。

本文就以上四項重點，分析楊氏之書的內容，加以評論，並彰明楊樹達先生在抗日戰爭期間撰寫該書的一番用心。

(一)引言

楊樹達字遇夫，湖南長沙人，生於清光緒十一年，卒於民國四十五年，當西元一八八五年至一九五六年，享年七十二歲。

楊氏自幼入塾，研讀詩書，光緒二十三年，楊氏進入長沙時務學堂，從梁啓超、熊希齡等學習新知，光緒三十一年，楊氏前往日本，先後進入東京宏文書院大塚分校及京都第三高等學校學習，辛亥革命後，返回國內，先後執教於北京師範大學、清華大學、湖南大學，歷時凡數十年，民國三十七年，獲選爲中央研究院第一屆院士。

楊氏一生，專意講學，著述甚多，如《高等國文法》、《詞詮》、《古書句讀釋例》、《中國修辭學》、《淮南子證聞》、《鹽鐵論要釋》、《漢書窺管》、《周易古義》、《老子古義》、《論語古義》、《論語疏證》、《積微居金文說》、《積微居甲文說》、《積微居金石小學論叢》、《積微居小學述林》、《積微居讀書記》等書，皆屬蜚聲士林之學術專

著。❶

民國二十年九月十八日，日軍進佔瀋陽，民國二十六年七月七日，蘆溝橋事變發生，楊樹達時因親病，自北平歸省湖南，民國二十九年，抗戰進入艱苦階段，楊氏激於義憤，秉其愛國情操，撰成《春秋大義述》一書，以寄寓心志，楊氏在該書的〈自序〉中曰：

> 余自民國八年北遊，居舊京將二十年，教士於清華大學者十載，二十六年夏，以親病乞假南歸，歸二月而倭夷憑恃武力，挑釁蘆溝，先是倭夷強據我東三省及熱河，國人已中心憤怒，群思起與相抗，至是益憤寇難之逼，不能復忍，我軍事委員長蔣公以神武之姿，因國人之怒，起率南北健兒，以與夷虜周旋，伸其撻伐，蓋自始戰迄今，歷時三十餘月矣。

又曰：

❶ 參劉紹唐主編：《民國人物小傳》第十冊，台北，傳記文學出版社初版民國七十七年十一月。

余時既移席於湖南大學，每念二十年都講之所，東南財賦之區，淪為羊豕窟宅，不可卒拔，又自念荏染書生，迫於衰暮，不能執戈衛國，深用震悼於厥心，一日獨居深念，忽悟先聖之述《春秋》，以復讎攘夷為大義，爰取往業，再三熟復，粗有所明，二十八年秋，乃以是經設教，意欲令諸生嚴夷夏之防，切復讎之志，明義利之辨，知治己之方，又以是經大義散在諸篇，學者始習，艱於通貫，乃取諸大義之比近者，類聚而群分之，立文為綱，而以經傳附著其下，欲令學者力省時約，易於通解，每習一章，即明一義。

又曰：

自知學識闇陋，不足明先聖之志於萬一，顧念經術之就衰，痛島夷之猾夏，寧敢以固陋自廢，而不誦其所聞，於是紹述大義，凡得二十九篇，當世賢人君子，儻能嘉其用心，匡所不逮，使聖學明而民志定，正義立而夷禍平，將國族實嘉賴之，寧獨余一人之私幸也。❷

---

❷ 楊樹達：《春秋大義述》，上海，商務印書館初版，民國三十二年十二月，下引並同。

楊氏此〈序〉，於民國二十九年二月二十五日，作於湖南辰谿，在〈序〉文中，楊氏敘說了撰寫此書的時代背景、寫作用意、以及內容大要。楊氏此書，於民國三十二年十二月，由商務印書館出版，出版之時，書前有吳興陳立夫先生所撰之〈序〉，〈序〉文曰：

> 春秋二百四十二年之間，綱紀陵夷，荊蠻猾夏，孔子以述而不作之聖，愁然憂之，故於《詩》《書》，則刪其煩蕪，於《禮》《樂》，則定其訛謬，於《周易》，則贊其幽賾，而獨於《春秋》一經，則毅然取史氏之舊文，加以筆削，垂萬世之法，微言大義之所存，蓋有在於是矣，絜其要領，則大一統與攘夷狄二者為先，大統一則必尊王室，以其為號令所自出，不可得而僭，尤不可得而干之也，攘夷狄則必內諸夏，以其為立國之大防，不可得而踰，亦必不可一日潰也。

又曰：

> 自抗戰軍興，舉國一心，以翊戴中樞，安夏攘夷，期成大業，媢外者則民族有賊子之誅，專命者則國家有亂臣之討，而《春秋》之義，必使其戶曉家喻，正人心以固

國本，其事蓋不可緩，湖南大學教授楊君遇夫，治經深有得於屬辭比事之教，講學之餘，思有以自靖獻於國家民族，成此《春秋大義述》一書，以示後學，遠道問序於余，因發其凡如此，倘亦桴鼓相應之義也。

陳立夫先生的〈序〉文，寫於民國三十年三月，也是抗日戰爭最爲艱苦的時期，是時，太平洋戰爭尚未爆發，國內則和談之議頻興，故〈序〉文中，於大一統與攘夷狄之外，則於媚外之誅與專命之討兩者，也特別加以強調，楊氏之書，陳〈序〉之外，尚有曾運乾先生所撰之〈序〉文，〈序〉中曰：

吾友長沙楊積微先生，說字之精，遠逾段令，釋詞之審，上邁二王，注班漢則抗手晉顏，校淮南殆鼎足高許，亦既天下學士，家誦其書矣，邇者以來，鑒於國變日亟，慨然中輟其考訂精嚴之素業，而從事於師絕道喪之微言，條舉《公羊》《春秋》綱義，類繫經傳於其下，以淺持博，以一持萬，為《春秋大義述》一書，展卷觀之，不煩鉤稽，而麟經數十義法，豁然如披雲霧而睹天日，其開宗明義兩篇，曰〈復讎〉，曰〈攘夷〉，上契聖心，近符國策，不僅為久湮之義發其覆，抑又為新造之邦植其基。

曾運乾先生的〈序〉文，寫於民國三十年一月，曾氏也是長沙人，擅長《尚書》及古音之學，負有時名。在〈序〉文中，曾氏對於楊氏爲學，由考訂轉入探索《春秋》微言大義的心路歷程，敘說較詳。

此文之作，目的在於分析楊樹達先生《春秋大義述》一書之寫作方法，內容大要，並對其寫作的用心，寄寓的義旨，作出評論。

(二)析　評

對於楊樹達先生《春秋大義述》一書，本文擬從「篇目之安排」、「大義之彰顯」、「論斷之依據」、「微旨之寄寓」等四個方面，加以分析及評論。

1. 篇目之安排

楊樹達先生《春秋大義述》一書，分爲五卷，共計爲二十九篇，其篇目，依次爲〈榮復讎第一〉、〈攘夷第二〉、〈貴死義第三〉、〈誅叛盜第四〉、〈貴仁義第五〉、〈貴正己第六〉、〈貴誠信第七〉、〈貴讓第八〉、〈貴豫第九〉、〈貴變改第十〉、〈貴有辭第十一〉、〈譏慢第十二〉、〈明權第十三〉、〈謹始第十四〉、〈重意第十五〉、〈重民第十六〉、〈惡戰伐第十七〉、〈重守備第十八〉、〈貴得眾第十九〉、〈尊尊第二十〉、〈大受命第二十一〉、〈錄正諫第二十二〉、〈親親第二十三〉、〈重妃匹第二十四〉、〈尙別第二十五〉、〈正繼嗣第二十六〉、〈諱辭第二十七〉、〈錄內第二十八〉、〈言序第二十九〉。

《春秋大義述》卷首，有「凡例」二十六條，敘說該書體例，「凡例」之中，對於該書二十九篇篇目名稱與次第之安排，曾經提出清晰之說明，如「凡例」第七條曰：

> 倭奴狂狡，陵我中華，五十年於此矣，著者年方十歲，即有中倭甲午之戰，於時親睹父兄憤慨之誠，即切同仇之志，年既冠，出遊倭京，益知倭奴之凶狡，晚遭大難，自恨書生，不能執戈衛國，乃編述聖文，昭示後進，故本編以〈復讎〉〈攘夷〉二篇為首，惡倭寇，明素志也。

在此條「凡例」之中，楊氏敘說了《春秋大義述》一書，所以要以〈復讎〉〈攘夷〉兩篇居全書之首的用意。又如「凡例」第八條中曰：

> 華倭國力，本不相當，而三年以來，我方將士，前仆後繼，視死如歸，馴致愈戰愈強，而倭寇乃陷入深淵，不能自拔，環顧歐陸，最強大之國，不一二月，遽即淪亡，以彼例此，我國潛力強盛，頓使世界震驚，此固由國人涵濡聖教，故人有忠義之心，亦由元帥賢明，故爾士心激厲也，本編次述〈貴死義〉，念國殤，厲將士也。

在此條「凡例」之中，楊氏敘說了要以〈貴死義〉繼於〈復讎〉與〈攘夷〉兩篇之後，正是爲了激勵抗日將士，視死如歸的用意。又如「凡例」第九條曰：

> 人臣之罪，莫大於叛國，宋魚石齊慶封以中原之人，受夷狄之封，憑藉異族之勢，以脅父母之邦，固天地所不容，神人所共憤也，故楚靈雖不道，其討慶封也，《春秋》予之伯討，而董子亦著封罪之宜死，誠深惡而痛絕之也，倭寇鴟張，不謂今日炎黃之胄，尚有為魚石慶封之續，藉外援以叛國者，真人類之梟獍也，故次述〈誅叛盜〉，明眾怒，張天討也。

在此條「凡例」之中，楊氏指出了抗戰之時，漢奸叛國之流的可惡，也更明確地顯示了楊氏之書，即從篇目名稱與次第的安排而言，也是緊扣了抗日戰爭中的諸般史事，發揮了《春秋》大義的褒貶精神。又如「凡例」第十條曰：

國於天地，必有與立，與立者何，道德是已，國父著書，力倡固有道德，總裁詔示國人，諄諄以養成道德為言，皆此物此志也，次述〈貴仁義〉、〈貴正己〉、〈貴誠信〉、〈貴讓〉、〈貴豫〉、〈貴變改〉、〈譏慢〉諸篇，皆修身養德之事也，蓋根本不立，萬事皆隳，雖有智能，適增罪惡爾。

在此條「凡例」之中，楊氏敘說了以道德修身自立自強爲本的各篇要義。又如「凡例」第十一條曰：

士必以良友自輔，國必求與國自助，故折衝樽俎者尚矣，次述〈貴有辭〉，明外交之重要也。

在此條「凡例」之中，楊氏說明了在抗戰前期的艱苦歲月之中，國人期望求取友邦協助的迫切情況。

另外，自〈明權第十三〉以下，從注重民生的〈重民〉，到愛好和平的〈惡戰伐〉，到不能缺乏軍事防衛力量的〈重守備〉，到監督吏制的〈錄正諫〉等等，大體而言，二十九篇篇目的名稱與次第，確實有其內在理路的貫串線索，也有其條理井然的層層體系，因此，楊樹達先生在《春秋大義述》一書中的篇目安排，不僅能彰顯《春秋》的大義，也能緊扣抗日戰爭的時代背景和時代精神，而進行了彰明古籍、兼寓新義的雙重任務。

2.大義之彰顯

楊樹達先生所撰《春秋大義述》一書，重在彰顯《春秋》之大義，故採取歸納的方法，將《春秋》及各《傳》中所述類似的事件，聚爲一篇，又採取綱目式的體例，以自身之言論文字爲綱，提絜各篇大義，使《春秋》大義，從而彰著明顯，楊氏在該書「凡例」第一條中說道：「《春秋》之所重在義，聖人固已明示後人，此書編述，一以大義爲主，考證之說，概不錄入。」又在「凡例」第五條中說道：「《春秋》始隱訖哀，凡二百四十二年，一《經》大義，散在《傳》中諸篇，學者非偏讀全書，再三孰復，不易得其條貫，此書既主述大義，故將各《傳》之屬於某一義者類聚之，即取其大義爲篇名，絜各《傳》文中要旨立爲綱，而以《經》《傳》附列於其下，意欲期讀者，每讀一篇，得明一義，聊收節省日力之效云爾。」已將此書之寫作方式，敘說清楚。因此，即就《春秋大義述》一書楊氏所撰寫之各篇提綱而言，也已足夠了解楊氏此書在其篇中所欲彰顯的大義，例如在《春秋大義述》卷一〈榮復讎第一〉篇中楊氏所撰的提綱曰：

> 《春秋》榮復讎。復國讎者賢之。國讎不可並立於天下，雖百世可復也。復讎而戰，雖敗猶可伐，故內不言敗，復讎敗則特書。讎者無時可與通，故與讎狩則譏。與讎會則譏。與讎為禮則譏。娶讎女則譏。事復讎，而無復讎之誠者，譏。君弒，賊不討，不書葬，以為臣不討賊，非臣，子不復讎，非子。讎在外不能討則書葬。無賊可討則書葬。復讎者，滅其可滅，葬其可葬。家讎不可復。父不受誅，子復讎可也。朋友復讎，相衛而不相迿，古之道也。

在〈榮復讎第一〉篇中，楊氏一共撰寫了十七條提綱，在這十七條提綱之下，每條提綱都有支持此條提綱主張的《經》《傳》史籍資料，對於此條提綱，作出詳密的證明，每條提綱，由《經》《傳》資料證明其可信，證明其來源，而每條提綱，也依據其《經》《傳》資料，作出了概括性及綜合性的提要說明。每條提綱與每條提綱之間，也有其密切之關聯性質，因此，將每條每條提綱簡擇出來，貫串成一篇前後相聯之文字，則正好彰顯了該篇文章所欲表顯的《春秋》「大義」。如此篇自「榮復讎」入手，提爲綱領，然後提出了「復國者賢之」，以至「國讎不可並立於天下，雖百世可復也」的目標，以至爲「復讎而戰，雖敗猶可伐」的激勵之語，以至「讎者無時可與通」，故「與讎狩」、「與讎會」、「與讎爲禮」、「娶讎女」、「無復讎之誠者」，則皆「譏」之，以至「君弒，賊不討」，則「不書葬」，以至由君國之讎，至於父母之讎等等，皆由每條提綱，作出系統之貫聯，同時也彰明了「榮復讎」的《春秋》大義。又如在《春秋大義述》卷一〈貴死義第三〉篇中楊氏所撰的提綱曰：

> 《春秋》貴死義。　國君之死者，萊君死國則正之。　紀侯死國則賢之。　人臣之死者，孔父義形於色而死，則賢之。　仇牧不畏強禦而死，則賢之。　荀息不食其言而死，則賢之。　女子之死者，宋伯姬守禮而死，則賢之。　貴死義，故賤苟生，國君見獲不能死位，則絕之。　故蔡侯獻舞名。　沈子嘉名。　邾婁子益名。　曹伯陽名。　隗子之不名，以小國故不詳耳。　國君失國不能死位，亦絕之，故穀伯綏鄧侯吾離名。　鄭忽名。　邾子益名。　郜子盛伯之不名，以魯同姓故耳，此國

君之見賤者也。鄭祭仲不能死難，故見惡於《春秋》。曹大夫不能死義，故眾殺而不名。楚公子比不能死義，故加以弒君之罪。凡伯不能死義，故書以歸以見其辱命，此人臣之見賤者也。逢丑父代齊頃公之死，可謂能捨身也，而《春秋》非之者，以其使頃公苟生，置其君於人所甚賤故也。

在〈貴死義第三〉篇中，楊氏一共撰寫了二十二條提綱，這二十二條提綱，從國君如萊君紀侯能夠以義殉國，人臣如孔父仇牧荀息的以義死難，到女子如宋伯姬的守禮死義，都是《春秋》視以為是賢明的對象。反之，國君人臣，如果偷生苟活，不能捐軀報效國家，《春秋》則直書其名，以表示輕賤視之的意義，至於成公二年齊晉鞌之戰，齊師戰敗，晉郤克將虜獲齊頃公，頃公之車右逢丑父在戰車上與頃公易位，又使頃公下車覓取飲水，因而得以免於被俘，此在逢丑父，雖屬捨身與敵，代君而死，有功國家，但是，《春秋》以為，逢丑父措其君於人所至賤之地，而因以苟生，也不是真能知曉權變的舉動，故也並不稱許他的行為。又如在《春秋大義述》卷三〈重民第十六〉篇中楊氏所撰的提綱曰：

《春秋》重民。故齊桓愛民則稱之。楚莊恤百姓則與之。魯僖有志乎民則稱之。魯文無志乎民則譏之。重民力則譏築作。故城中丘譏。新延廄，譏。作南門，譏。作雉門及兩觀，譏。築鹿囿，譏。築臺，譏。毀臺，譏。久役，譏。亟伐，譏。亟大蒐，譏。重民食，故有年則書。告糴則譏。重民命，故公子遂乞師則譏。魯僖以楚師伐齊則譏。鄭棄其師則譏。重民財，故稅畝則譏。虞山林藪澤則譏。聖人之意，亦大可見矣。

在〈重民第十六〉篇中，楊氏一共撰寫了二十三條提綱，這二十三條提綱，主要說明《春秋》大義，以重視人民爲本，從愛民恤民如齊桓公楚莊王之受到稱許，到不重視人民如魯文公的受到譏刺，以至一切輕用民力，如築新城、建新廄、作新門、設鹿囿、多戰伐、多蒐閱之事，都是《春秋》譏刺的對象，以至進而重視人民的生活食物是否豐足，重視百姓的農作稅賦是否合理，重視人民百姓的身家性命而主張不應輕動干戈輕啓戰端，都是楊氏歸納所見《春秋》經中「重民」的大義所在。又如在《春秋大義述》卷三〈惡戰伐第十七〉篇中楊氏所撰寫的提綱曰：

《春秋》惟重民也，故惡戰伐。滅國者疾之。取邑者疾之。火攻者疾之。伐喪，則尤惡之。諸侯取鄭邑，諱之曰，城虎牢。而晉士匄不伐齊喪，則善之。然宋襄公以豎刁易牙爭權而征齊，則與之。楚靈王以齊慶封亂齊而伐防，則與之。為復讎而興師者，則榮之。故齊襄滅紀，為之諱而書大去。魯與齊戰於乾時，雖敗績而不諱，此國君之復讎者也。伍子胥假吳師以伐楚，則善而不誅，此臣子之復讎者也。至魯季公忿不加暴，則大其獲莒挐。宋襄公不忘大禮，則譽為文王之戰，此戰而能以禮見稱者也。

在〈惡戰伐第十七〉篇中，楊氏一共撰寫了十五條提綱，這十五條提綱，都是楊氏歸納《春秋》經中所記事例所得聖人厭棄戰爭的大義，因此，像滅人之國、奪人之邑、以大火燒焚人物、或趁人國有喪而加以攻伐，都是《春秋》最爲棄惡的行爲，故戰伐之事，除以戈止武，安寧邦國，如宋襄公楚靈王者，能復君父之讎，如魯莊公伍子胥者，則不在棄惡之列，其他爭城爭地、殺人盈野之事，皆是聖人最爲厭惡棄絕之行徑。

以上所舉數例，都是楊樹達先生自《春秋》經傳中歸納得見聖人在《春秋》中所主張之「大義」，然後以提綱的方式，加以寫出，又以經傳資料，臚列其下，加以佐證，因此，提綱中的「大義」，皆屬楊氏自《春秋》經傳中，客觀歸納而得，所得結論，也都堅確可信。

3. 論斷之依據

楊樹達先生撰寫《春秋大義述》一書，採取歸納的方法，將《春秋》經傳中相關的史事以及評論的意見，類聚一處，從而得到極爲可信之論斷，因此，在該書每篇的提綱之下，皆有廣徵博引的相關史事及評論資料，用以佐證楊氏所撰提綱的可信程度，而在楊氏引用的史事及評論資料中，由於所著重的在彰明《春秋》的經義，因此，大體上是以《公羊傳》、《穀梁傳》、《春秋繁露》爲主，而以其他經傳資料爲輔，例如《春秋大義述》卷二〈貴誠信第七〉篇中「宋華元楚子反不欺則大之」的提綱之下，楊氏引述資料曰：

「宣十五年，夏，五月，宋人及楚人平。」《公羊傳》曰：「外平不書，此何以書，大其平乎己也。何大乎其平乎己，莊王圍宋，軍有七日之糧爾，盡此不勝，將去而歸爾，於是使司馬子反乘堙而闚宋城，宋華元亦乘堙而見之，司馬子反曰，子之國何如，華元曰，憊矣，曰，何如，曰，易子而食之，析骸而炊之，司馬子反曰，嘻，甚矣憊，雖然，吾聞之也，圍者柑馬而抹之，使肥者應客，是何子之情也，華元曰，吾聞之，君子見人之厄則矜之，小人見人之厄則幸之，吾見子，君子也，是以告情於子也，司馬子反曰，諾，勉之矣，吾軍亦有七日之糧爾，盡此不勝，將去而歸爾，揖而去之，反於莊王，莊王曰，何如，司馬子反曰，憊矣，曰，何如，曰，易子而食之，析骸而炊之，莊王曰，嘻，甚矣憊，雖然，吾今取此然後歸爾，司馬子反曰，不可，臣已告之矣，軍有七日之糧爾，莊王怒曰，吾使子往視之，曷為告之，司馬子反曰，以區區之宋，猶有不欺人之臣，可以楚而無乎，是以告之也，莊王曰，諾，舍而止，雖然，吾猶取此然後歸爾，司馬子反曰，然則君請處於此，臣請歸爾，莊王曰，子去我而歸，吾孰與處於此，吾亦從子而歸爾，引師而去之，故君子大其平乎已也。」《韓詩外傳．二》曰：「楚莊王圍宋，有七日之糧，曰，盡此而不剋，將去而歸，於是使司馬子反乘闉而窺宋城，宋使華元乘闉而應之……。君子善其以誠相告也。」

楚莊王圍宋，楚司馬子反與宋華元相見，各言其軍中實情，誠懇相告，楚軍因而引師歸去，《春秋》遂記此事曰「宋人及楚人平」，平是和平之義，而《公羊傳》也說「故君子大其平乎己」，指君子稱許此次事件能夠和平解決，楊樹達先生在此條「宋華元楚子反不欺則大之」的提綱之下，引述《春秋》經、《公羊傳》、《韓詩外傳》的記述和評論，（《韓詩外傳》

的記述與《公羊傳》大略相同），而得出前述的提綱，一則說明提綱的來源，一則也說明了提綱論斷的言必有據，信而可徵。又如《春秋大義述》卷二〈貴讓第八〉篇中「齊桓公不讓公子糾，則書入以惡之」的提綱之下，楊氏引述資料曰：

> 「莊九年，齊小白入於齊。」《公羊傳》曰：「其言入，何，篡辭也。」《穀梁傳》曰：「大夫出奔，反，以好曰歸，以惡曰入，齊公孫無知弒襄公，公子糾小白不能存，出亡，齊人殺無知而迎公子糾於魯，公子小白不讓公子糾，先入，又殺之於魯，故曰，齊小白入於齊，惡之也。」

齊亂，襄公被弒，公子糾與小白出亡，亂平，齊人迎公子糾，而小白不讓，先入於齊，又使魯人殺公子糾，《春秋》經記「齊小白入於齊」，《公羊傳》謂言「入」乃指其篡奪君位，《穀梁傳》則指言「入」乃「惡之」之意，楊樹達先生在此條「齊桓公不讓公子糾，則書入以惡之」的提綱之下，引述了《春秋》經、《公羊傳》、《穀梁傳》的記述和評論，以佐證其論斷《春秋》大義「貴讓」的依據。又如《春秋大義述》卷三〈謹始第十四〉篇中「蕭同姪子笑客，齊患之始也」的提綱之下，楊氏引述資料曰：

「成二年，秋，七月，齊侯使國佐如師，已酉，及國佐盟於袁婁。」《公羊傳》曰：「前此者，晉郤克與臧孫許同時而聘于齊，蕭同姪子者，齊君之母也，踊於踣而窺客，則或跛或眇，於是使跛者迓跛者，使眇者迓眇者，二大夫出，相與踦閭而語，移日，然後相去，齊人皆曰，患之起，必由此始，二大夫歸，相與率師為鞌之戰，齊師大敗。」成元年，《穀梁傳》曰：「冬十月，季孫行父禿，晉郤克眇，衛孫良夫跛，曹公子手僂，同時而聘于齊，齊使禿者御禿者，使眇者御眇者，使跛者御跛者，使僂者御僂者，蕭同姪子處臺上而笑之，聞于客，客不說而去，相與立胥閭而語，移日不解，齊人有知之者，曰，齊之患，必自此始矣。」

齊國與晉國、魯國、衛國、曹國的聯軍大戰於鞌，是春秋時代重要的戰役之一，齊國大敗，霸業由是漸衰，而關係如此緊要的戰爭，卻起源於齊君母子以玩笑的態度接待各國的使臣，歷史重大事件，肇端卻如是細微，《公羊傳》與《穀梁傳》，發明《春秋》之義，以爲患由此起，楊樹達先生也提出了「蕭同姪子笑客，齊患之始」的「《春秋》謹始」的論斷。又如《春秋大義述》卷五〈惡戰伐第十七〉篇中「宋襄公不忘大禮，則譽爲文王之戰」的提綱之下，楊氏引述資料曰：

「僖二十二年，冬，十有一月，己巳，朔，宋公及楚人戰于泓，宋師敗績。」《公羊傳》曰：「偏戰者日爾，此其言朔，何，《春秋》辭繁而不殺者，正也，何正爾，宋公與楚師期于泓之陽，楚人濟泓而來，有司復曰，請迨其未畢濟而擊之，宋公曰，不可，吾聞之也，君子不厄人，吾雖喪國之餘，寡人不忍行也，既濟，有司復曰，請迨其未畢陳而擊之，宋公曰，不可，吾聞之也，君子不鼓不陳列，已陳，然後襄公鼓之，宋師大敗，故君子大其不鼓不成列，臨大事而不忘大禮，有君而無臣，以為雖文王之戰，亦不過此也。」《春秋繁露．俞序篇》曰：「善宋襄公不厄人，不由其道而勝，不如由其道而敗，《春秋》貴之，將以變習俗而成王化也。」又〈王道篇〉曰：「宋襄公曰，不鼓不成列，不阸人，此《春秋》之救文以質也。」《史記．宋微子世家》曰：「太史公曰，襄公既敗于泓，而君子或以為多，傷中國缺禮義，褒之也，宋襄之有禮讓也。」《淮南子．泰族訓》曰：「泓之戰，軍敗君獲，而《春秋》大之，取其不鼓不成列也」。

宋襄公與楚人戰於泓水，能夠守禮不渝，雖然戰爭失利，而《春秋》不以成敗之判相論，以爲襄公在戰爭危疑之中，能夠不忘大禮，甚至以爲文王行軍作戰，也不能有逾於此，所以才特別加以稱譽，《春秋》記載此一戰爭，不但記載日期「己巳」，而且特別記載時間「朔」，清晨會戰，正是稱許宋襄公的行事得體，不計小功，所以《公羊傳》也特別對於《春秋》的記「朔」，表示是「正也」，是「得正道」（何休注語）的意義，要之，從關係生死存亡的戰爭行爲中，能夠不以成敗去論其優劣，即在此處，最能見出《春秋》的文化理想與禮義精神。

從以上的幾件例子，可以見出，楊樹達先生在《春秋大義述》一書之中，歸納所得之《春秋》大義，也都言必有據，信而可徵，佐證確鑿，堅實不移。

4. 微旨之寄寓

楊樹達先生在日軍侵華、舉國抗戰之際，激於義憤，撰成《春秋大義述》一書，他蒿目時艱，感慨殊深，伏案著書，自然也有不少的微旨與心意，寄託在古人的典籍之中。至於楊樹達先生又是怎樣去表達他那微旨和心意呢？

首先，楊氏之書，在篇目次第的安排和篇目意涵的強調上，去表達其寓寄的微旨，例如以〈榮復讎〉、〈攘夷〉、〈貴死義〉、〈誅叛盜〉等四篇依次置於最前，〈惡戰伐〉、〈重守備〉等篇置於稍後，從篇目次第的安排以及篇目意涵的強調，尤其在抗戰時期，都很容易引起讀者們的愛國觀念。

其次，楊氏以提綱絜領的文字敘說，彰明《春秋》的大義，同時，在彰明的大義中，也傳達了以古鑑今的類似義趣，例如〈榮復讎〉篇中的「國讎不可並立於天下，雖百世可復也」，〈攘夷〉篇中的「春秋嚴夷夏之防，內其國而外諸夏，內諸夏而外夷狄」，〈誅叛盜〉篇中的「人臣挾他國之威以陵脅己國，其罪已大矣」，〈惡戰伐〉篇中的「春秋惟重民也，故惡戰伐」，這些提綱中的《春秋》「大義」，也給讀者們提示了一種是非、邪正、褒貶、取捨的論斷標準，這種論斷標準，讀者們很自然地會應用到眼前的事例上去，而加以論斷。

再次，楊氏之書，在每一條提綱之下，都類聚了許多經傳諸子的「史事」，以佐證該一提綱所彰明的「大義」，在一件件的「史事」的敘述之中，讀者們閱讀該書，很自然地會產生以古喻今、引今證古的聯想，以當前的相似事件，去和古代的「史事」，相互印證比較，從而加以論斷，加以評議。

楊樹達先生撰寫《春秋大義述》一書，有感而發，下筆之際，意有所寄，手下書寫的雖然是古代經典的意義，心中所關切的卻不免是當前的巨變，至於讀者，在抗戰期間，閱讀楊氏之書，感憤國難，從該書的篇目、大義、史事、序文、凡例之中，產生啓發，將古代的事件，與眼前相似的事件，聯類比較，也自然易於感受到楊氏在該書言語之外的一些意趣。

舉例言之，清光緒二十年，西元一八九四年，中日甲午戰爭發生，清廷割讓台灣，民國二十年，九一八事變發生，日本侵佔東北三省，民國二十六年七月七日，蘆溝橋事變發生，日軍侵華行動，全面展開，四十年間，日軍對於我國，步步進逼，肆其暴行，我國軍民同胞，忍辱已久，復讎之志，堅不可拔，楊樹達先生在《春秋大義述》書中，首篇即申論〈榮復讎〉之大義，讀者閱讀該篇，自然易於感受到楊氏激勵士氣、喚醒國魂的言外之意。

又如抗戰軍興，我國英勇將士，奮起抵抗，以劣勢之裝備器械與敵人作殊死之鬥，犧牲壯烈，傷亡無數，高級將領，親冒矢石，取義成仁，如趙登禹、佟麟閣、張自忠者，指不勝屈，楊樹達先生於《春秋大義述》書中第三篇所論〈貴死義〉之大義，讀者閱讀該篇，自然易於感受到楊氏禮讚抗日陣亡將士的言外之意。

又如《春秋大義述》有〈誅叛盜〉一篇，讀者閱讀該篇，自然易於聯想及殷汝耕、王揖唐、梁鴻志、汪精衛等人之叛僞政權，《春秋大義述》有〈惡戰伐〉一篇，讀者閱讀該篇，自然易於聯想及犧牲已至最後關頭，全民不得不奮起抗敵的處境，《春秋大義述》有〈重守備〉一篇，讀者閱讀該篇，自然易於聯想及國家不能缺乏守衛疆土的武備力量，《春秋大義述》有〈貴有辭〉一篇，讀者閱讀該篇，自然易於聯想及抗戰時期外交工作之艱困情形。

要之，楊樹達先生《春秋大義述》一書，撰著背景，別有緣由，有所寄寓，事本自然，其主旨雖在彰明《春秋》之大義，也同時盼能激勵國人之心志，因此，讀者若身處抗戰危難之際，閱讀其書，必更能以古史今事，相似之處，類推比較，得到楊書言外的旨趣，從而激發愛國的情操。

㈢結　語

綜合前文所述，約略可得結語如下：

1.楊樹達先生本以研治金石甲骨語言文字之學，成就卓著，享譽士林，及至抗戰時期，國難當頭，激於義憤，乃毅然輟捨舊業，轉而探究《春秋》，抒發大義，寄寓微旨，用以鼓舞民心，激勵士氣，無疑是一種愛國的行爲與可貴的情操。

2.楊樹達先生《春秋大義述》一書，在篇目的名稱與次第的安排上，即已表現了與時代的緊密關係，在《春秋》大義的彰顯上，他則以撰寫提綱的方式，去加以表達，在論斷的依據方面，他則採取歸納的方法，將《春秋》經傳中的史事敘述與有關的評論意見，類聚一處，從而提出極爲堅確的論斷。因此，即就《春秋》一經本身的研究而言，楊氏研究的成果，也極爲客觀而可憑信。

3.楊樹達先生身處民族危亡之際，撰寫《春秋大義述》一書，當時的讀者們，置身國家艱困之時，閱讀楊氏之書，以古鑑今，以今喻古，很自然地會從該書的篇目、大義、史事、序文、凡例之中，感受到是非邪正的論斷標準，激勵出同仇敵愾的奮發力量。

4.抗日戰爭，日寇侵華，神州大地，遍歷烽煙，學者專家，身當此際，也往往感發奮起，於文字著述中兼寓其愛國之情懷，例如陳援庵（垣）先生於抗日戰爭期間，身居舊京，閱讀古人之書，深切感受到宋人胡三省在異族統治下注釋《資治通鑑》之心情，因而撰成《通鑑胡注表微》❸一書，陳氏在書中曾藉胡三省所言「亡國之恥，言之者痛心，矧見之者乎」❹的話語，用以戒懼國人，又再三強調夷夏觀念、民族意識之重要，並謂「當國土被侵陵，或分裂時，則此種意識特著」❺，用以激勵民心。又如馮芝生（友蘭）先生，在抗戰時期，身率愛國青年，飄泊於西南天地之間，講學不輟，撰成《新理學》、《新事論》、《新世訓》、《新原人》、《新原道》、《新知言》等所稱之「貞元六書」❻，用以激勵國人，要「一面

---

❸ 此書〈自序〉於民國三十四年七月，撰於北平。

❹ 見《通鑑胡注表微》書前〈小引〉所引《通鑑·後晉記》開運三年胡注之言。

❺ 見《通鑑胡注表微·夷夏篇第十六》。

❻ 據馮先生各書自序，「貞元六書」，除《新知言》撰成於民國三十五年六月，其他五書，皆撰成於民國二十七年至三十三年抗日戰爭期中，地點則多在雲南昆明。

抗戰，一面建國」❼，也用以激勵自己，「以期對於當前之大時代，即有涓埃之貢獻」❽，同樣也是知識份子報效國家的一種表現。又如錢賓四（穆）先生，於抗戰期間，感懷國家危亡，撰成《國史大綱》❾一書，用以昭蘇國魂，一則強調，「我民族國家之前途，仍將於我先民文化所貽自身內部獲得其生機」，使國人對於抗戰的前景，堅定信心，再則強調，「抗戰勝利，建國完成，中華民族固有文化，對世界新使命之開始」，使國人對於未來之前途，充滿希望。而楊樹達先生所撰著之《春秋大義述》一書，論其存心，論其作用，皆足以與前述援庵、芝生、賓四諸位先生之著述，並轡齊驅，同樣具有時代之精神與不朽之意義。

5.楊樹達先生《春秋大義述》一書，近時以來，注意及之者，似極罕見，然而，楊先生在抗日戰爭時期的一番用心，也不應任其淹沒，因此，本文之作，即在探索《春秋大義述》一書的內容與意旨，予以表出，俾使一段歷史眞相，得以彰明於世。

---

❼ 見《新事論·論抗建》。

❽ 見《新理學·自序》。

❾ 《國史大綱》撰成於民國二十八年六月，地點則在雲南宜良，民國二十九年六月，商務印書館初版。

（此文原刊於林慶彰教授主編之《經學研究論叢》第九輯，台北，學生書局，民國八十九年十二月出版）

二十一、「經學即心學」

——試析王陽明與馬一浮對《六經》之觀點

(一)引　言

經學是中國傳統學術的主脈，經學史上，有所謂今古文之分。今古文的分別，始於始皇焚書之後，漢收典冊，當時經籍，以漢代通行隸書書寫者，稱之爲今文經，而出於曲阜孔壁之中，以蝌斗文字書寫者，則稱之爲古文經。

今古文經的分別，起初不過始於文字書寫的差異，進而乃漸至於有經典傳授之不同，家法師法之不同，並引起漢代儒者數次規模較大之爭議。

大體而言，今文學家以《春秋》爲最要，視《六經》皆經過孔子之删訂，古文學家以《周禮》爲最要，視《六經》皆周公制太平之舊典，此種看法的相異，一直影響到歷代經學的發展，到了清代，今文經學家以康有爲的「孔子改制」說，最具代表性，古文經學家則以章學誠的「六經皆史」說，最具代表性。

在經學今古文的主要流派之外，經學史上，另外還有一種較爲不同的說法，則是「經學即心學」的觀點，其中尤以明代的王陽明及近代的馬一浮，二人的說法，最爲重要。以下，即就王馬二人的學說，敘述其內容，比較其異同，並討論其在經學史上，所具有的地位與意義。

㈡王陽明對《六經》之觀點

王守仁字伯安，浙江餘姚人，生於明憲宗成化八年，卒於明世宗嘉靖七年，當西元一四七二年至一五二九年，享年五十七歲，卒謚文成。守仁早年讀書，築室陽明洞中，後曾講學陽明書院，學者稱爲陽明先生。

陽明先生論學，主張「心即理」之說，他曾說道：「心即理也，天下又有心外之事，心外之理乎？」又說：「物理不外於吾心，外吾心而求物理，無物理矣。」❶陽明主張心外無

---

❶ 並見《傳習錄》卷上，台北，商務印書館，民國五十六年台一版。

物，心外無理，物與理皆具於吾心之內，明吾心，即是明物理，因此，主張宇宙萬事萬物之規律，皆歸於吾心之判斷。

陽明先生於四十九歲之時，爲《象山文集》作〈序〉，曾說：「聖人之學，心學也。」❷及至五十四歲，作〈稽山書院尊經閣記〉一文，對於「六經」，也即以心學的立場去加以解釋，而提出「經學即心學」的觀點。

王陽明〈稽山書院尊經閣記〉曰：

> 經，常道也，其在於天謂之命，其賦於人謂之性，其生於身謂之心，心也、性也、命也，一也，通人物，達四海，塞天地，亙古今，無有乎弗具，無有乎弗同，無有乎或變者也。是常道也，其應乎感也，則爲惻隱、爲羞惡、爲辭讓、爲是非，其見於事也，則爲父子之親、爲君臣之義、爲夫婦之別、爲長幼之序、爲朋友之信。是惻隱也、羞惡也、辭讓也、是非也，是親也、義也、序也、別也、信也，一也，皆所謂心也、性也、命也，通人物，達四海，塞天地，亙古今，無有乎弗具，無有乎

---

❷ 見《陸九淵集》附錄一，台北，里仁書局，民國七十一年。

弗同，無有乎或變者也。❸

陽明先生首先提出，「經」是常道，既是常道，則應無所不在，故當其在天，則謂之「命」，在人，則謂之「性」，在身，則謂之「心」，而心性命三者，皆屬常道，故時通古今，廣達四海，包羅天地宇宙人物，無不具有不變之常道存在。此一常道，在人與人之感應中，可見之於仁義禮智四端之發，此一常道，在人與人的關係中，可見之於人們相與的五倫之際，因此，人間事物，四端之發，五倫之際，莫不皆是此一常道作用之顯現。王陽明〈稽山書院尊經閣記〉又曰：

是常道也，以言其陰陽消息之行焉，則謂之《易》，以言其紀綱政事之施焉，則謂之《書》，以言其歌詠性情之發焉，則謂之《詩》，以言其條理節文之著焉，則謂之《禮》，以言其欣喜和平之生焉，則謂之《樂》，以言其誠僞邪正之辨焉，則謂之《春秋》。是陰陽消息之行也，以至於誠僞邪正之辨也，一也，皆所謂心也、性也、命

---

❸ 見《王陽明全集》卷七，台北，正中書局，民國四十二年，下引並同。

> 也，通人物，達四海，塞天地，亙古今，無有乎弗具，無有乎弗同，無有乎或變者也。夫是之謂《六經》，《六經》者非他，吾心之常道也。

《六經》之書，各有來源，《易》本於占卜，《書》本於載籍，《詩》本於歌謠，《禮》本於儀節，《樂》本於節奏，《春秋》本於史纂，但是，《六經》之作，提升其層次，細繹其內容，也都各有要義，所以，《莊子．天下》曰：「《詩》以道志，《書》以道事，《禮》以道行，《樂》以道和，《易》以道陰陽，《春秋》以道名分。」《春秋繁露．玉杯》也曰：「《詩》道志，故長於質，《禮》制節，故長於文，《樂》詠德，故長於風，《書》著功，故長於事，《易》本天地陰陽，故長於數，《春秋》正是非，故長於治人。」《史記．太史公自序》也曰：「《禮》以節人，《樂》以發和，《書》以道事，《詩》以達意，《易》以道化，《春秋》以道義。」以上的這些意見，主要都在提綱挈領，以便說明《六經》的作用。而陽明先生在該文中，也提出《易》之要旨在言「陰陽消息」之常道，《書》之要旨在言「紀綱政事」之常道，《詩》之要旨在言「歌詠性情」之常道，《禮》之要旨在言《條理節文》之常道，《樂》之要旨在言「欣喜和平」之常道，《春秋》之要旨在言「誠偽邪正」之常道，在該文中，陽明先生既自《六經》以言「常道」，又自「常道」以言「吾心」，因以《六經》

之理歸於「吾心」，故綜而指出，「《六經》者非他，吾心之常道也。」王陽明〈稽山書院尊經閣記〉又曰：

故《易》也者，志吾心之陰陽消息者也，《書》也者，志吾心之紀綱政事者也，《詩》也者，志吾心之歌詠性情者也，《禮》也者，志吾心之條理節文者也，《樂》也者，志吾心之欣喜和平者也，《春秋》也者，志吾心之誠僞邪正者也。

陽明先生於上節文中，先自《六經》要旨，以言「吾心」，在此節文中，則自「吾心」，以言《六經》，而以「吾心」之理，散在《六經》，以爲「吾心」之中，具有常道，常道之發，分別散在「陰陽消息」、「紀綱政事」、「歌詠性情」、「條理節文」、「欣喜和平」、「誠僞邪正」等不同之事中而已。王陽明〈稽山書院尊經閣記〉又曰：

君子之於《六經》也，求之吾心之陰陽消息而時行焉，所以尊《易》也，求之吾心之紀綱政事而時施焉，所以尊《書》也，求之吾心之歌詠性情而時發焉，所以尊《詩》也，求之吾心之條理節文而時著焉，所以尊《禮》也，求之吾心之欣喜和平而時生焉，所以尊《樂》也，求之吾心之誠僞邪正而時辨焉，所以尊《春秋》也。

陽明先生主張「心即理」，以爲人同此心，心同此理，因此，探求《六經》之理，固可以不求之外，而求於內，反求吾心中之「陰陽消息」、「紀綱政事」、「歌詠性情」、「條理節文」、「欣喜和平」、「誠僞邪正」之理，而時時分別措於實用，即正所以尊重《六經》，也即所以尊重「常道」。❹

陽明先生於〈稽山書院尊經閣記〉一文之末，作出譬喻，他說「《六經》者，吾心之記籍也，而《六經》之實，則具於吾心」，他以爲，《六經》之要旨，在於吾心，如同富人之產業，存於家中，而《六經》之文字，則不過如同產業之簿記而已，人們如果「不知求《六經》之實於吾心」，而徒然考索《六經》之文字，則也如同富人之子孫，徒然記誦財產之名簿而已，都是捨本逐末的行爲。

要之，陽明先生論學，主張「心即理」，主張本心之內，具備萬事萬物的理則，人們只

---

❹ 參蔡仁厚教授：〈王陽明論「經學即心學」——稽山書院尊經閣記之疏解〉，見《新儒家的精神方向》，台北，學生書局，民國七十一年。

要返求本心，則自然能夠彰明眾理，故陽明先生既以為「經乃常道」，即持之而與「心即理」之說，相互印合，而以為《六經》即吾心中所呈現之常理常道，因而引出「經學即心學」之歸宿，由是也將「心學」之功能，作出充分之發揮。

(三)馬一浮對《六經》之觀點

馬浮字一浮，號湛翁，浙江紹興人，生於清光緒九年，卒於民國五十六年，當西元一八八三年至一九六八年，享年八十五歲。

馬一浮先生早年留學美國日本，多讀西方哲學著述，二十四歲返國之後，隱居於西子湖畔，遍讀文瀾閣所藏《四庫全書》，不求聞達。

抗日軍興，倭寇侵陵，馬一浮先生隨同浙江大學西遷，先後講學於江西省之泰和縣及廣西省之宜山縣，先成《泰和會語》及《宜山會語》二書，其後再遷於四川省之樂山縣，創立復性書院，期以昌明學術，端正人心，以報國家，乃又完成《復性書院講錄》與《爾雅臺答問》二書。

在《泰和會語》中，有幾篇文章，最能代表馬先生的思想重心，那就是〈論六藝該攝一切學術〉、〈論六藝統攝於一心〉、〈論西來學術亦統於六藝〉，這幾篇文章，也最能代表馬先生對於《六經》的觀點。

馬先生的爲學，雖然是博極群書，兼綜儒佛，但其思想的重心，卻仍然是落在儒家的六藝《六經》之中，他認爲《詩》、《書》、《易》、《禮》、《樂》、《春秋》，不應該是普通的六部書冊，而當是廣義地顯示出六種學術，其內容則可以該攝一切文化。

馬一浮先生在〈論六藝該攝一切學術〉一文中，先論「六藝統諸子」，他曰：

> 欲知諸子出于《六藝》，須先明《六藝》流失，〈經解〉曰：「《詩》之失愚，《書》之失誣，《樂》之失奢，《易》之失賊，《禮》之失煩，《春秋》之失亂。」

> 〈漢志〉諸子十家，其可觀者九家。其實九家之中，舉其要者，不過五家，儒、墨、名、法、道是已。出於王官之說，不可依據，今所不用。

又曰：

又曰：

不通《六藝》，不名爲儒，此不待言。墨家統於《禮》，名、法亦統於《禮》，道家統於《易》。❺

馬先生不同意諸子出於王官之說，他以爲諸子之學，皆可以統攝於《六藝》之中，他認爲，先秦諸子九流十家，其中最重要的五家爲儒墨名法道家，「不通《六藝》，不名爲儒，此不待言」，其餘四家，分析而言，墨家思想〈節用〉、〈尊天〉、〈明鬼〉，可以統攝於《禮》，〈兼愛〉〈尚同〉，可以統攝於《樂》。名家法家皆出於《禮》，而法家也往往兼道家言，故名家法家，可統攝於《禮》。道家老子，得於《易》爲多，莊子得於《禮》爲多，故道家可統攝於《易》與《樂》。同時，依據《禮記・經解》的論斷，墨家自然也具有了「煩」與「奢」的流失，名家法家自然也具有了「煩」與「賊」的流失，道家自然也具有了「賊」的

❺ 見馬一浮：《泰和宜山會語合刻》，台北，廣文書局，民國六十九年，下引並同。

流失，流爲陰謀。❻其實，《漢書．藝文志》在〈諸子略〉的小序中也曾說道：「今異家者，各推所長，窮知究慮，以明其旨，雖有蔽短，合其要歸，亦《六經》之支與流裔。」這些意見，與馬一浮先生「六藝統攝諸子」之說，正可以互相發明。因此，馬先生以爲，「觀於五家之得失，可知其學，皆統於《六藝》，而諸子學之名，可不立也。」

其次，在〈六藝該攝一切學術〉一文中，馬先生再論及「六藝統四部」，由於後世書籍，分爲經、史、子、集四部，經部諸書，統攝於《六藝》，自屬當然，「六藝統諸子」，已如上述，以下所論，重點則在史、集兩部，馬先生曰：

> 司馬遷作《史記》，自附於《春秋》，班〈志〉因之，紀傳雖由史公所創，實兼用編年之法。多錄詔令奏議，則亦《尚書》之遺意。諸〈志〉特詳典制，則出於《禮》。如地理志祖〈禹貢〉，職官志祖《周官》，準此可推，紀事本末，則《左氏》之遺也。……編年記事，出於《春秋》，多存論議，出於《尚書》，記典制者出於《禮》。

❻ 參胡楚生：〈老子三寶釋義——兼論馬一浮對老子思想的批評〉，見《老莊研究》，台北，學生書局，民國八十一年。

判其失亦有三，曰誣、曰煩、曰亂。知此，則知諸史悉統於《書》、《禮》、《春秋》，而史學之名，可不立也。

又曰：

文章體制，流別雖繁，皆統於《詩》《書》。〈漢志〉猶知此意，故單出〈詩賦略〉，便已攝盡，六朝以有韻爲文，無韻爲筆，後世復分駢散，並弇陋之見，《詩》以道志，《書》以道事，文章雖極其變，不出此二門。……如是，則知一切文學，皆《書》、《詩》教之遺，而集部之名，可不立也。

馬先生論學，不從細小處作枝節的考索，他總是直抉根原，從發源處將要旨揭示出來，他用「統攝」二字，也正是他從高處遠處著眼的明證，因此，他也提出了《六藝》可以統攝四部的看法。

再次，在〈論六藝統攝于一心〉一文中，馬先生曰：

《六藝》本是吾人性分內所具的事，不是聖人旋安排出來，吾人性量本來廣大，性德本來具足，故《六藝》之道，即是此性德中自然流出的，性外無道也，從來說性德者，舉一全該則曰仁。開而爲二，則爲仁智，爲仁義。開而爲三，則爲智仁勇。開而爲四，則爲仁義禮智。開而爲五，則加信而爲五常。開而爲六，則並智仁聖義中和而爲六德。就其眞實無妄言之，則曰至誠，就其理之至極言之，則曰至善。故一德可備眾行，萬行不離一德。

又曰：

聖人之教，使人自易其惡，自至其中，便是變化氣質，復其本然之善，此本然之善，名爲天命之性，純乎理者也，此理自然流出諸德，故亦名爲天德，見諸行事則爲王道，《六藝》者，即此天道之所表顯，故一切道術皆統攝於《六藝》，而《六藝》實統攝於一心，即是一心之全體大用也。

馬先生以爲，學術不離人生，人生不離人心，《六藝》中所涵攝所彰顯的是人們良知性德中重要的道德五倫五常，即如《漢書·藝文志》中〈六藝略〉小序所說：「《六藝》之文，《樂》以和神，仁之表也，《詩》以正言，義之用也，《禮》以明體，明者著見，故無訓也，《書》以廣聽，智之術也，《春秋》以斷事，信之符也，五者，蓋五常之道，相須而備，而《易》爲之原。」《六藝》既用以彰顯人們良知中之性德，性德又統攝於一心，故一心能統攝《六藝》，《六藝》也必攝歸於吾人一心之內。

以上所引馬浮先生的言論，其中最重要也最具根本性的，自然是「六藝統攝于一心」，這也是馬先生對於《六經》的主要觀點。❼

至於馬先生以爲西來學術也統於《六藝》的說法，大約也最易使人致疑，其實，馬先生並不像一些嗜古成癖的人那樣，以爲許多現代學術，在我國都早就「古已有之」，而只是從另外一個角度去抒發他的見解，在〈論西來學術亦統於六藝〉一文中，馬先生曰：

自然科學可統於《易》，社會科學可統於《春秋》，因《易》明天道，凡研究自然界一切現象者皆屬之，《春秋》明人事，凡研究人類社會一切組織形態者皆屬之。

---

❼ 參楊儒賓教授：〈馬浮「六藝統於一心」思想析論〉，見《鵝湖學誌》十二期，一九九四年。

又曰：

西方哲人所說的眞善美，皆包含於《六藝》之中，《詩》、《書》是至善，《禮》、《樂》是至美，《易》、《春秋》是至眞。《詩》教主仁，《書》教主智，合仁與智，豈不是至善麼？《禮》是大序，《樂》是大和，合序與和，豈不是至美麼？《易》窮神知化，顯天道之常，《春秋》正名撥亂，示人道之正，合正與常，豈不是至眞麼？

又曰：

全部人類之心盡，其所表現者，不能離乎《六藝》也，全部人類之生活，其所演變者，不能外乎《六藝》也。

由於「西洋學術文化，均可統攝於眞善美三種價值，而《六藝》之中，《詩》《書》屬於善，《禮》《樂》屬於美，《易》《春秋》屬於眞，《六藝》或六部門的學術文化，其來源不是出於物質條件，而是得吾人心性中自然流出」❽，因此，即使名稱不同，言語有異，而論其根源，西方學術，自然也可以統攝在彰顯眞善美精神的《六藝》之中，所以，馬先生說：「天下萬事萬物，不能外於《六藝》，《六藝》之道，不能外於自心。」又說：「天地一日不毀，此心一日不亡，《六藝》之道，亦一日不絕，人類如欲拔出黑暗而趨光明之途，捨此無由也。」❾

總之，馬先生討論《六經》，完全是從大處高處遠處去著眼整體，他把《六藝》看成是一種有系統地、有活潑生命的有機體，把《六藝》看成是人類心靈思想感情意志的活生生的呈現，由人們心性中自然地流露，而不是將《六藝》看成是一堆枯躁呆板的材料，一堆零星駁雜的知識，從而去揭示出傳統學術的精神。❿

❽ 見賀麟：《中國當代哲學》。

❾ 見馬一浮：《宜山會語》中〈說忠信篤實〉。

❿ 參胡楚生：〈讀馬湛翁「泰和宜山會語合刻」〉，見《孔孟月刊》十八卷四期，民國六十八年十二月。

㈣結語——「經學即心學」在經學史上之意義

王陽明論學，上承陸象山之心學，而以「致良知」、「心即理」、「知行合一」，爲三大綱領。馬一浮先生論學，出入百家，兼綜儒佛，本自與朱熹之學，似最接近，而在討論到《六經》統攝於一心之時，則又直承陽明心學的立場，而益加推闡。

基本上，王陽明與馬一浮二人對於《六經》的觀點，都可以歸宿到「經學即心學」此一命題之上。

王陽明先生主張「心即理」，又以爲《經》爲常道，要在彰顯人生的常理常則，其在人身，即謂之心，故以爲《六經》之常道，具於吾心，從而推出「經學即心學」之論斷。

馬一浮先生推闡《六經》之功能，以爲《六藝》可以統攝傳統四部之學，也可以統攝一切西來學術，而《六藝》又必統攝於一心，其討論內容，雖似較陽明所論廣泛，實則，二人皆以《六經》爲常道常則，可以統攝各種理道學術，而此常道常則，又皆屬於人們心靈中本具之天理，本具之性德，因此，就根源意義而論，「經學即心學」，王馬二位先生所論，範疇並無不同。

在經學史上，自西漢以來，即有今古文之異同與爭議，此種異同與爭議，迄至清代，仍然成為經學史上重要之議題。綜覽整個經學歷史的發展，「經學即心學」的命題，其影響的力量，自然不能與今古文經學的議論，相提並論，但是，在經學史上，另外有一個命題，「經學即理學」，其性質與重要性，卻與「經學即心學」，非常相當。

宋元明三代，理學盛行，降及晚明，學者束書不觀，空談心性，馴至國勢衰危，有鑑於此，晚明諸大儒者，乃提倡篤實之為學精神，力求拯救頹風，顧亭林在〈與施愚山書〉中曾經曰：

> 愚獨以為理學之名，自宋人始有之，古之所謂理學，經學也，非數十年不能通也，故曰，君子之於《春秋》，沒身而已矣，今之所謂理學，禪學也，不取之《五經》，而但資之語錄，校諸帖括之文而尤易也。⑪

亭林以為，古之所謂理學，即經學也，故主張從經書中求其義理，而特別指斥明末理學之末

---

⑪ 見《顧亭林文集》卷三，中華書局《四部備要》本。

流，逕棄群《經》，取之語錄，而多入於禪學，稍後，全祖望在〈顧先生神道表〉中，推衍亭林先生之意，而曰：

> 晚益篤志《六經》，謂古今安得別有所謂理學者，經學即理學也，自有舍經學以言理學者，而邪說以起，不知舍經學，則其所謂理學者，禪學也。⓬

全祖望對顧亭林語義的推衍之詞，雖然並不完全符合亭林先生的用意，但是，「經學即理學」此一命題，自是簡捷明暢，易於記取。

要之，所謂之「經學即理學」，此一命題，主要是顧亭林有懲於晚明理學末流，不務實學，流於狂禪，故激勵學者，講究理學，必需資於經學，故所謂「經學即理學」，實則，乃意欲納理學於經學之中，以經學而統攝理學。

至於從王陽明與馬一浮二位先生學說中所歸結而出之「經學即心學」，其目的實欲納經學於心學之中，以心學而統攝經學，所以，兩者在主從關係上，也並不完全相當。

⓬ 見全祖望：《鮚埼亭集》卷十二，清嘉慶九年刻本。

在整個經學的歷史上，今古文經學的流變，自然是發展的主脈，括略言之，以章學誠爲代表的「六經皆史」之說，比較起來，較爲接近歷史的眞相⑬，以康有爲爲代表的「孔子改制」之說，最爲擁有理想的成份⑭，而以顧亭林爲代表的「經學即理學」之說法，則具有矯弊的作用，而以王陽明與馬一浮爲代表的「經學即心學」之說法，則具有遼闊的視野及包羅的胸襟。

總之，「經學即心學」，雖然在經學史上並不是主要的學說，它卻將《六經》的意義，推向更爲高遠的學術頂端，更爲廣大的涵攝層面，在經學史上，自然也應有其特殊的意義存在。

（此文原刊於《中國文化月刊》二六五期，民國九十一年四月出版）

---

⑬ 參胡楚生：〈章實齋「六經皆史說」闡義〉，見《清代學術史研究》，台北，學生書局，民國七十七年。

⑭ 參梁啓超：《清代學術概論》，台北，商務印書館，一九九四年。

二十二、《五經》要義約論

㈠引　言

根據《史記・孔子世家》之記載，孔子生於魯襄公二十二年，卒於魯哀公十六年，當西元前五五一年至西元前四七九年，享年七十三歲[1]。

孔子少而好學，常陳俎豆，設禮容，及長，嘗爲魯司空，又爲大司寇，魯定公十四年，孔子五十六歲，由大司寇，行攝相事，誅魯大夫亂政者少正卯，與聞國政三月，塗不拾遺，齊人聞而恐懼，選女樂文馬遺魯君，魯君臣往觀終日，怠於政事，孔子遂行，週遊天下，求干諸侯，多不能用。

孔子去魯，凡十四年，而後返回魯國。

---

[1] 《史記》，台北，鼎文書局影印新校注本，下引《史記》並同。

孔子之時，周室衰微而禮樂廢，詩書缺。孔子乃追跡三代之禮，序書傳，上記唐虞之際，下至秦繆公，編次其事，故《書傳》、《禮記》，自孔子編定。

孔子曾經告語魯國大師曰：「樂其可知也，始作翕如，縱之純如，皦如，繹如也，以成。」又曰：「吾自衛反魯，然後樂正，雅頌各得其所。」

古詩本有三千餘篇，及至孔子，去其重，取其可施於禮義，上採契后稷，中述殷周之盛，至幽厲之缺，凡三百五篇，皆弦歌之，禮樂自此可得而述，以備王道，成六藝。

孔子晚年喜《易》，序〈彖〉、〈繫〉、〈象〉、〈說卦〉、〈文言〉。讀《易》，韋編三絕。

魯哀公十四年，西狩獲麟，孔子往視之，曰：「吾道窮矣。」乃因魯史記作《春秋》，上自隱公元年，下訖哀公十四年，十二公，二百四十二年，據魯，親周，故殷，運之三代，以繩當世，以爲天下儀表。

以上所述，皆據《史記．孔子世家》所記，擇其大端，有涉孔子與六藝關係者，加以敘說。

根據《史記．孔子世家》所記，孔子以前，六藝原已存在，例如詩有三千餘篇，書本是唐虞三代典謨誥訓之記錄，禮之儀文，樂之節奏，本出於宗廟祀神所奉，而漸成爲朝廷典制，易本卜筮之用，春秋本係魯國史書。

根據《史記・孔子世家》所記，孔子對於古之六藝，曾經加以整理刪削之功，《史記・封禪書》曰：「繆公立三十九年而卒，其後百有餘年，而孔子論述六藝。」《史記・太史公自序》曰：「周室既衰，諸侯恣行，仲尼悼禮廢樂崩，追修經術，以達王道，匡亂世，反之於正，見其文辭，爲天下制儀法，垂六藝之統紀於後世。」《史記・孔子世家》曰：「孔子布衣傳十餘世，學者宗之，自天子王侯，中國言六藝者，折中於夫子，可謂至聖矣。」六藝在孔子之時，雖已舊有，但是，經過孔子加以「論述」、加以「折中」、加以「爲天下制儀法」等工作以後，六藝已不復舊觀，經過孔子刪詩書、訂禮樂、修春秋、贊易傳之後，六藝已經由古之舊籍，成爲孔子之新典，已經成爲孔子賦予常道之「六經」。❷

㈡要 義

古之六藝，自從孔子刪修整理之後，已經成爲「六經」，而「六經」之中，性質不同，

❷ 皮錫瑞：《經學通論・序》曰：「經爲孔子所定，孔子以前，不得有經。」台北，河洛圖書出版社影印本，下引皮氏《經學通論》並同。

又各自具有其要旨大義存在。

例如《莊子・天下篇》曰:「《詩》以道志,《書》以道事,《禮》以道行,《樂》以道和,《易》以道陰陽,《春秋》以道名分。」❸以為《詩》的作用,在表達意志,《書》的作用,在記述政事,《禮》的作用,在規範行為,《樂》的作用,在調和性情,《易》的作用,在窮究陰陽變化,《春秋》的作用,在正名定分。

又如《春秋繁露・玉杯篇》曰:「《詩》道志,故長於質,《禮》制節,故長於文,《樂》詠德,故長於風,《書》著功,故長於事,《易》本天地陰陽,故長於數,《春秋》正是非,故長於治人。」❹以為《詩》的作用,在表達意志,故以眞實見長,《禮》的作用,在節制行為,故以文明見長,《樂》的作用,在歌詠善德,故以諷喻見長,《書》的作用,在明著功績,故以政事見長,《易》的作用,在窮究陰陽變化,故以象數見長,《春秋》的作用,在辨正是非,故以治正人的行徑見長。

又如《史記・太史公自序》曰:「《禮》以節人,《樂》以發和,《書》以道事,《詩》

❸《莊子》,郭慶藩《莊子集釋》本,台北,世界書局出版。

❹《春秋繁露》,蘇輿《春秋繁露義證》本,台北,河洛圖書出社影印。

以達意，《易》以道化，《春秋》以道義。」以爲《禮》的作用，在節制行爲，《樂》的作用，在抒發和諧，《書》的作用，在記述政事，《詩》的作用，在表達意志，《易》的作用，在窮究變化，《春秋》的作用，在確立正義。

《史記・太史公自序》又曰：「《易》著天地陰陽四時五行，故長於變，《禮》經紀人倫，故長於行，《書》記先王之事，故長於政，《詩》記山川谿谷禽獸草木牝牡雌雄，故長於風，《樂》樂所以立，故長於和，《春秋》辨是非，故長於治人。」這一段話，太史公同樣在闡釋六經的要義，而所作的詮解，卻較前段前述，更爲明確，更爲精到。

又如《漢書・藝文志》曰：「《樂》以和神，仁之表也，《詩》以正言，義之用也，《禮》以明體，明者著見，故無訓也，《書》以廣聽，知之術也，《春秋》以斷事，信之符也，五者，蓋五常之道，相須而備，而《易》爲之原。」❺以爲《樂》的作用，在調和精神，《詩》的作用，在導正語言，《禮》的作用，在明示體要，《書》的作用，在廣宣聽聞，《春秋》的作用，在判斷事理，又以《易》爲其他五經的根源。

以上的記載，都在闡釋六經的要旨，只是，這些記載，都是從外觀的角度去評論六經的

❺《漢書》，台北，鼎文書局影印新校注本，下引《漢書》並同。

要旨，以下，筆者則要試從六經本身的內容，去枚舉例證，加以說明五經的要旨（《樂經》亡佚，故不討論）。

孔子借用古代的六藝，加以整理，別賦新義，而成爲具含常道的六經，《四庫提要·經部·總敘》曾曰：「經稟聖裁，垂型萬世，刪訂之旨，如日中天。」已經說明孔子整理六藝成爲六經的旨意，《四庫提要·經部·易類小序》則曰：「聖人覺世牖民，大抵因事以寓教，《詩》寓於風謠，《禮》寓於節文，《尚書》《春秋》寓於史，而《易》則寓於卜筮。」❻則是說明了孔子六經「因事寓教」的方式，皮錫瑞撰《經學通論》，在《春秋通論》之中，也提出了《春秋》是「借事明義」寄寓要義的方式❼，其實，不止《春秋》是「借事明義」，略加推論，六經也都是「因事寓教」，因此，對於六經（五經）之表達方式，可得而言，《詩》是「借詩明義」，《書》是「借史明義」，《禮》是「借儀明義」，《易》是「借象明義」，《春秋》是「借事明義」。

因此，孔子以前，六藝爲典章古籍史料之積累文獻，經過孔子刪削整理，賦予新義之後，

---

❻《四庫提要》，台北，藝文印書館影印本。

❼見皮錫瑞：《經學通論》卷四頁二十一。

六藝已成爲具有常理常則之六經，以下即分別再就六經（五經），敘說其要旨及其表達之方式。

1.《詩經》

《史記・孔子世家》記載：「古者，詩三千餘篇，及至孔子，去其重，取可施於禮義，上采后稷，中述殷周之盛，至幽厲之缺，始於衽席，故曰，〈關雎〉之亂，以爲風始，〈鹿鳴〉爲小雅始，〈文王〉爲大雅始，〈清廟〉爲頌始。三百五篇，孔子皆弦歌之，以求合韶武雅頌之音，禮樂自此可得而述，以備王道，成六藝。」又記：「孔子語魯太師，樂其可知也，始作翕如，縱之純如，皦如，繹如也。吾自衛返魯，然後樂正，雅頌各得其所。」根據以上記載，古詩有三千餘篇，經孔子刪去重複，僅得三百零五篇，是爲今傳之《詩經》，《詩經》又有國風、大小雅、及三頌之別，十五國風，多出於民間歌謠，大小雅，則係朝會宴饗之樂，周魯商三頌，則係祭祀頌神之樂章。

詩三千餘篇，經孔子刪削重複之後，所得三百零五篇，已經孔子別賦用意，別具義蘊，而成爲孔子之「經」，而具有典範常則之意義，而其表達意義之方式，則是「借詩明義」，借用既有之歌謠樂章，以寄寓常規常則之理想，例如《詩經・鄭風・出其東門》曰：

出其東門，有女如雲，雖則如雲，匪我思存，縞衣綦巾，聊樂我員。
出其闉闍，有女如荼，雖則如荼，匪我思且，縞衣茹藘，聊可與娛。❽

〈出其東門〉，此詩兩章，每章六句，從文字的辭面上看，從民謠的本色上看，都是描述男女戀愛之詩，詩中由男士口氣發言，首章言男女情侶，分離不見，男士思念情人，出行於東門之外，乃見東門之外，女子眾多，有如天邊雲彩，而男士心中，面對眾多之女子，並不稍易其志，仍然深繫思念之情人，期盼與身穿樸素衣著之情人，相處相樂，才能獲得精神上之鼓舞，此詩次章，意義與首章相似，皆屬男士思念心中情人，不爲外在眾多女子而移其志之事。就歌謠本身而言，此詩實止男士思念情人之作，但是，詩三百篇，經過孔子刪訂整理之後，別賦新義，則借此民間歌謠之情「詩」，而賦予男女相戀，宜當專心終始，而勿濫情泛交之意「義」在內，以爲教化之理想，以爲導正青年男女情感之規範。

又如《詩經．魏風．碩鼠》曰：

❽《詩經》，台北，藝文印書館影印阮刻《十三經注疏》本，下引《詩經》並同。

碩鼠碩鼠，無食我黍，三歲貫女，莫我肯顧，逝將去女，適後樂土，樂土樂土，爰得我所。

碩鼠碩鼠，無食我麥，三歲貫女，莫我肯德，逝將去女，適彼樂國，樂國樂國，爰得我直。

碩鼠碩鼠，無食我苗，三歲貫女，莫我肯勞，逝將去女，適彼樂郊，樂郊樂郊，誰之永號！

〈碩鼠〉一詩，共有三章，每章八句，此詩之作，以比之手法，以大鼠比喻苛捐重稅之國君，以食我之黍麥比喻重斂民財，以三年比喻時日已久，人民不堪忍受，民心離散，不可復留，故將往之他處，尋覓新生之地，詩之內容，大略如是。而經孔子刪訂整理之後，別賦新義，則借此「詩」，以寄寓並彰明君主不當暴虐重斂於民，使民不堪命，競相逃亡之「義」，以為治國者作箴規。

又如《詩經·小雅·漸漸之石》曰：

漸漸之石，維其高矣，山川悠遠，維其勞矣，武人東征，不皇朝矣。

漸漸之石，維其卒矣，山川悠遠，曷其沒矣，武人東征，不皇出矣。
有豕白蹢，烝涉波矣，月離于畢，俾滂沱矣，武人東征，不皇他矣。

〈漸漸之石〉，此詩三章，每章六句，詳味詩辭，應是描寫出征將士，感歎道途艱辛，跋涉勞苦之作，首二章言山崖陡峭，難於攀登，道路悠長，征途艱難，而軍士行役，已無暇顧及己身之安危，三章言洪水爲患，大雨滂沱，軍士行役，人畜涉水而過，已無暇顧及其他事務，詩之內容，大略如是。而經孔子刪訂整理之後，別賦新義，則借此「詩」，以寄寓並彰明君主治國，宜深體軍士之苦，不當久役在外，艱辛不顧之「義」，以爲有國者作鑑戒。

以上所舉，都是孔子刪訂古詩，借用古代流傳之詩篇歌謠，而寄寓並表明其在人情事理上的各種規範意義的例子，《詩》本爲民間歌謠，十五國風，辭義明白易了，即使雅頌之作，也多有美刺之作用存在，針對詩中所詠之對象，「美」指詩中正面之肯定事項，「刺」指詩中負面之否定事項，肯定者固然是善可爲法，否定者也應該是惡可爲戒，達到「言之者無罪，聞之者足以戒」的作用，因此，孔子「借詩明義」，所明之義，大致可自詩中美刺方面，推尋而出。

《史記·孔子世家》記載：「古者，詩三千餘篇，及至孔子，去其重。」孔子對於三千多篇的詩歌，進行刪去重複，❾加以整理而潤飾的工作，使民間歌謠的原始面貌，呈現得更加完善，❿並將民謠中所表示的感情，眞實呈現，所傳達的心聲，恰如其份，因而賦予教化的功用，展現常規常則，使善可法，惡可爲鑑，用以教導世人，使人經由誦習《詩經》，而產生導正感情意志的功效，顧亭林《日知錄》曾說：「孔子刪詩，所以存列國之風也，有善有不善，兼而存之，猶古之太師，陳詩以觀民風，而季扎聽之，以知其國之興衰，正以二者並陳，故可以觀、可以聽。」⓫也說明了孔子刪詩的態度與作用。

經過孔子的刪削整理，民間歌謠性質的「詩三百篇」，已經別賦新義，別具功能，而成爲《詩經》，以此教授世人，才可以產生教化的理想，孔子說：「《詩》可以興，可以觀，可以群，可以怨。」⓬更是說明，世人學習《詩經》，可以啓發人們的感情意志，可以審察

---

❾ 參金德建：〈論孔子整理詩經去其重複〉，戴君仁先生：〈孔子刪詩說折衷〉，皆載林慶彰教授所編：《詩經研究論集》二，台北，學生書局。

❿ 參屈萬里先生：〈論詩經非民間歌謠的本來面目〉，載林慶彰教授所編：《詩經研究論集》，台北，學生書局。

⓫ 見原抄本《日知錄》卷三，「孔子刪詩」條，台北，明倫出版社印行本。

⓬ 見《論語．陽貨》，台北，藝文印書館影印阮刻《十三經注疏》本。

人們的感情意志，可以溝通人們的感情意志，也可以宣洩人們的感情意志，而達到導正情志的目的。

《詩經》的內容，包羅甚廣，舉凡道德修養、人情世故、社會倫常、治國原理，無不蘊涵，孔子借用此一記錄古代民眾感情心聲之「詩」篇，而寄寓並表明其教化理想之意「義」，即是孔子「借詩明義」之工作方式與內容要旨。

2.《書經》

《史記·孔子世家》記載：「孔子之時，周室微而禮樂廢，詩書缺，追跡三代之禮，序《書》傳，上紀唐虞之際，下至秦繆，編次其事，曰，夏禮，吾能言之，杞不足徵也，殷禮，吾能言之，宋不足徵也，足，則吾能徵之矣。觀殷夏所損益，曰，後雖百世，可知也，以一文一質，周監二代，郁郁乎文哉，吾從周。故《書》傳，《禮》記自孔氏。」已說明孔子整理《尚書》、《禮記》的經過，並說明《尚書》之用，在於彰明前代之典章制度，以供後世據以了解典制沿承之事。

《史記·儒林列傳》曰：「夫周室衰而〈關雎〉作，幽厲微而禮樂壞，諸侯恣行，政由彊國，故孔子閔王路廢而邪道興，於是論次《詩》、《書》，修起禮樂。」同樣也記述了孔子論次《尙書》的用意。

《史記・儒林列傳》又曰：「伏生者，濟南人也，故爲秦博士，孝文帝時，欲求能治《尙書》者，天下無有，乃聞伏生能治，欲召之，是時伏生年九十餘，老，不能行，於是詔太常使掌故朝錯往受之，秦時焚書，伏生壁藏之，其後兵大起，流亡，漢定，伏生求其書，亡數十篇，獨得二十九篇，即以教于齊魯之間。」漢代伏生所得《尙書》二十九篇，後世視之爲今文經，雖不得爲孔子論次之全，也可窺見孔子《尙書》之精要，及其寓義之方式，因此，「借史明義」，便是孔子整理《尙書》的主要工作，例如《尙書・堯典》記曰：

> 曰若稽古帝堯，曰放勳，欽、明、文、思、安安，允恭克讓，光被四表，格于上下，克明俊德，以親九族，九族既睦，平章百姓，百姓昭明，協和萬邦，黎民於變時雍。[3]

〈堯典〉記載，帝堯能具備欽敬、明達、文雅、思慮周密等特質，又能儒雅安詳，謙恭禮讓，

---

[3] 《尚書》，台北，藝文印書館影印阮刻《十三經注疏》本，下引《尚書》並同。

以至於光輝普照，感動天地神明，主要在於他能彰明本有的優良德性，以孝悌存心，親和家族，然後推廣到臣民百性，再擴展到天下之大小諸侯，使之都能協和調順，這種由領導者個人修身立品，以至於治理國事的程序，不但確立了帝王修己治人的基本模範，也對於後來《大學》中「格物、致知、誠意、正心、修身、齊家、治國、平天下」的思想，產生了啓迪的作用，《尚書・堯典》又記曰：

帝曰：「疇咨若時登庸？」放齊曰：「胤子朱啓明。」帝曰：「吁！嚚訟，可乎！」帝曰：「疇咨若予采？」驩兜曰：「都！共工方鳩僝功。」帝曰：「吁！靜言庸違，象恭，滔天。」

又記曰：

帝曰：「咨！四岳，朕在位七十載，汝能庸命，巽朕位。」岳曰：「否德忝帝位。」曰：「明明揚側陋。」師錫帝曰：「有鰥在下，曰虞舜。」帝曰：「俞予聞，如何？」岳曰：「瞽子，父頑，母嚚，象傲，克諧，以孝蒸蒸，乂不格姦。」帝曰：「我其試哉。」女于時，觀厥刑于二女，釐降二女于嬀汭，嬪于虞，帝曰：「欽哉！」

〈堯典〉記載，帝堯在位既久，年已漸老，乃徵求大臣意見，推薦賢德人才，用以繼承帝王的職位，經大臣推職薦堯子丹朱及大臣共工，堯皆以爲各有缺點，並非理想人選，大臣又推薦虞舜，以爲虞舜雖係平民，家人又多缺失，但舜能以孝友爲念，立身處事，感化頑劣，足見其有過人的品德才能，故堯決定加以試用，以至俟堯年老之後，乃命虞舜，「汝陟帝位」，而將帝位禪讓予舜。孔子刪訂《尙書》，借著唐堯禪位之歷「史」記載，用以寄寓並彰明天子當以公治天下，而不應私其一家一姓之意「義」，而爲後世確立天子傳賢的規範。

又如《尙書．湯誓》記曰：

王曰：「格爾衆庶，悉聽朕言，非台小子，敢行稱亂，有夏多罪，天命殛之。今爾有衆，汝曰：『我后不恤我衆，舍我穡事，而割正夏。』予惟聞汝衆言，夏氏有罪，予畏上帝，不敢不正，今汝其曰：『夏罪其如台？』夏王率遏衆力，率割夏邑，有衆率怠弗協，曰：『時日曷喪，予及汝皆亡！』夏德若茲，今朕必往。爾尚輔予一人，致天之罰，予其大賚汝，爾無不信，朕不食言，爾不從誓言，予則孥戮汝，罔有攸赦。」

〈湯誓〉記載，夏桀無道，暴虐人民，商湯居亳，以弔民伐罪之心，前往征討夏桀，因而誓師，以告亳地軍眾百性，說明夏桀輕加重役，窮盡民力，夏邑之民，經已忍無可忍，欲與夏桀，偕死同亡，茲爲解救夏邑民眾，服膺上帝命令，執行天罰，不得不前往征討之意，因而告令士卒，恪守軍律，否則，將嚴加懲處，並將累及妻子家人爲奴，以見伐夏之行，果決迫切。孔子刪訂《尙書》，至於〈湯誓〉，乃借夏桀暴虐，商湯征誅之歷「史」記載，寄寓並彰明君王無道，大臣可弔民伐罪之意「義」，以爲後世暴君殘民，作警惕鑑戒。

又如《尙書・無逸》記曰：

周公曰：「嗚呼！我聞曰，昔在殷王中宗，嚴恭寅畏，天命自度，治民祇懼，不敢荒寧，肆中宗之享國，七十有五年。其在高宗，時舊勞于外，爰暨小人，作其即位，乃或亮陰，三年不言，其惟不言，言乃雍，不敢荒寧，嘉靖殷邦，至於小大，無時或怨，肆高宗之享國，五十有九年。其在祖甲，不義惟王，舊爲小人，作其即位，爰知小人之依，能保惠于庶民，不敢侮鰥寡，肆祖甲之享國，三十有三年。自時厥後，立王生則逸，生則逸，不知稼穡之艱難，不聞小人之勞，惟耽樂之從，自時厥後，亦罔或克壽，或十年，或七八年，或五六年，或四三年。」

〈無逸〉篇記周公告誡成王之辭，主要在使成王得知稼穡之艱難，得知百姓之隱痛，因而能夠體恤民眾，自厲自強，因此，於前段記載之中，周公歷敘殷王中宗祖乙在位七十五年，殷王高宗武丁在位五十九年，殷王祖甲在位三十三年爲例，說明習勞康強，逸豫傷身之理，《尚書・無逸》又記曰：

周公曰：「嗚呼！厥亦惟我周，太王、王季，克自抑畏，文王卑服，即康功田功，徽柔懿恭，懷保小民，惠鮮鰥寡，自朝至于日中昃，不遑暇食，用咸和萬民，文王不敢盤于遊田，以庶邦惟正之供，文王受命惟中身，厥享國五十年。」

〈無逸〉篇記載周公告誡成王之辭，於枚舉前朝殷王三位英明君主長期在位之後，又舉出本朝文王在位五十年爲例，用以勗勉成王，以安民爲務，《尚書・無逸》又記曰：

周公曰：「嗚呼！繼自今嗣王，則其無淫于觀、于逸、于遊、于田，以萬民惟正之供，無皇曰，今日耽樂。乃非民攸訓，非天攸若，時人丕則有愆，無若殷王受之迷亂，酗于酒德哉！」

〈無逸〉篇記載周公告誡成王，不應沉迷於歡樂、逸豫、遊戲、田獵，尤其不應像殷王商紂一樣，沉酗於酒，以致荒淫亡國。因此，孔子刪訂《尚書》，借著周公告誡成王之歷「史」記載，用以寄寓並彰明君王在位，理當體恤百姓，農稼艱辛，自己切勿逸豫傷身之意「義」。

以上所舉，都是孔子刪訂《尚書》，借用古代典謨誥訓中的歷史文獻記錄，而寄寓並表明其在政治上各種規範意義的例子，至於從現存二十九篇今文《尚書》的整體而言，則皮錫瑞於《經學通論》中，特別強調，「《尚書》是經，非史」⓮，「二十九篇，篇篇有義」，例如：第一，「〈堯典〉，見爲君之義」，第二，「〈皐陶謨〉，見爲臣之義」，第三，「〈禹貢〉，見禹治水之功」，第四，「〈甘誓〉，見天子親征，申明約束之義」，第五，「〈湯誓〉，見禪讓變爲征誅，弔民伐罪之義」，第六，「〈盤庚〉，見國遷詢萬民，命眾正法度

⓮ 見皮錫瑞：《經學通論》卷一頁一〇二。

之義」，第七，「〈高宗肜日〉，見遇災而懼，因事進規之義」，第八，「〈西伯戡黎〉，見拒諫速亡，取以垂戒之義」，第九，「〈微子〉，見殷之亡，由法度先亡，取以垂戒之義」，第十，「〈牧誓〉，見弔民伐罪，兼明約束之義」，第十一，「〈洪範〉，見天人不甚相遠，禍福足以儆君之義」，第十二，「〈大誥〉，見開國時基業未固，防小腆靖大難之義」，第十三，「〈金縢〉，見人臣忠孝，足以感天，人君報功，當逾常格之義」，第十四，「〈康誥〉，見用親賢以治亂國，宜愼用刑之義」，第十五，「〈酒誥〉，見禁酒以絕亂源，宜從重典之義」，第十六，「〈梓材〉，見宥罪加惠，以永保民之義」，第十七，「〈召誥〉，見宅中圖大，祈天永命之義」，第十八，「〈洛誥〉，見營洛復政，留公命後之義」，第十九，「〈多士〉，見開誠布公，以靖反側之義」，第二十，「〈無逸〉，見人君當知艱難，毋以太平漸耽樂逸之義」，第二十一，「〈君奭〉，見大臣當和衷共濟，閔天越民之義」，第二十二，「〈多方〉，見綏靖四方，重言申明之義」，第二十三，「〈立政〉，見爲官擇人，尤當愼選左右之義」，第二十四，「〈顧命〉，見王者所以正終，當命大臣立嗣子之義」，第二十五，「〈康王之誥〉，見王者所以正始，當命大臣保王室之義」，第二十六，「〈甫刑〉，見哀敬折獄，輕重得中之義」，第二十七，「〈文侯之命〉，見命方伯安遠邇之義」，第二十八，「〈費誓〉，見諸侯專征，嚴明紀律之義」，第二十九，「〈秦誓〉，見穆公悔過，卒伯西戎之義」⑮，皮氏以為，《尚書》二十九篇，篇篇有義，而且，「《尚書》是經非史」，經為常道，故《尚書》二十九篇之中，每篇皆有孔子所寄寓之意義，而可以為後世政治、社會、人倫作為規範之常道常則存在，以希盼人們，能加以踐行。要之，對於《尚書》一經的整體要旨，皮氏的說明，頗為簡明而易曉。

3.《儀禮》

《史記．儒林列傳》曰：「夫周室衰而〈關雎〉作，幽厲微而禮樂壞，諸侯恣行，政由彊國，故孔子閔王路廢而邪道興，於是論次《詩》、《書》，修起禮樂。」此言周幽王、厲王之時，禮樂大壞，孔子閔之，故起而修訂禮樂。

《史記．孔子世家》曰：「孔子之時，周室微而禮樂廢，《詩》、《書》缺，追跡三代之禮，序《書》傳，上紀唐虞之際，下至秦繆，編次其事，曰，夏禮，吾能言之，杞不足徵也，殷禮，吾能言之，宋不足徵也，足，則吾能徵之矣。觀夏殷所損益，曰，後雖百世，可知也，以一文一質，周監二代，郁郁乎文哉！吾從周，故《書》傳、《禮》記自孔子。」又

---

⑮ 見皮錫瑞：《經學通論》卷一頁七十四。

曰：「孔子以《詩》、《書》、《禮》、《樂》教弟子，蓋三千焉，身通六藝者，七十有二人。」此言孔子修訂禮樂，而以之教授弟子也。

《漢書·藝文志》六藝略有《禮古經》五十六卷，《經》七十篇，又曰：「漢興，魯高堂生傳《士禮》十七篇。」今傳《儀禮》十七篇，或孔子以《禮古經》五十六卷教弟子，而刪省爲十七篇。

今傳《儀禮》一書，自〈士冠禮第一〉、〈士昏禮第二〉、〈士相見禮第三〉、〈鄉飲酒禮第四〉、〈鄉射禮第五〉、〈燕禮第六〉、〈大射儀第七〉、〈聘禮第八〉、〈公食大夫禮第九〉、〈覲禮第十〉、〈喪服第十一〉、〈士喪禮第十二〉、〈既夕禮第十三〉、〈士虞禮第十四〉、〈特牲饋食禮第十五〉、〈少牢饋食禮第十六〉、〈有司徹第十七〉，計有十七篇，依古代五禮所分，則十七篇之性質，計有吉、凶、賓、嘉四禮，而軍禮已經亡佚。

《禮記·經解》曰：「故朝覲之禮，所以明君臣之義也，聘問之禮，所以使諸侯相尊敬也，喪祭之禮，所以明臣子之恩也，鄉飲酒之禮，所以明長幼之序也，昏姻之禮，所以明男女之別也。」[16]也說明了《儀禮》之重要內容。

---

[16] 《禮記》，台北，藝文印書館影印阮刻《十三經注疏》本，下引《禮記》並同。

古代禮制，儀式節文繁多，及至孔子，斟酌損益，加以修訂，賦予新義，成爲常經，其表達要義之方式，則爲「借儀明義」，借用儀式節文，而寄寓所蘊含之意義，例如《儀禮・士昏禮》，記述士人娶妻成婚之禮，而儀式繁多，主要有六項內容，分別是「納采」，「問名」、「納吉」、「納徵」、「請期」、「親迎」等儀節，以及士人親至女家，迎娶新婦返家成婚，清代張爾岐《儀禮鄭註句讀》一書⓱，將〈士昏禮〉的儀式，分爲十五節，其第九節記「婦至成禮」之儀式曰：

婦至，主人揖婦以入，及寢門，揖入，升自西階，媵布席於奧，主人於室即席，婦尊西，南面，媵御沃盥交，贊者徹尊冪，舉者盥，出，除鼏，舉鼎入，陳于阼階南，西面，北上……，揖婦即對筵，皆坐，皆祭，祭薦黍稷肺，贊爾黍，授肺脊，皆食，以湇醬，皆祭舉，食舉也，三飯，卒食。贊洗爵，酌酳主人，主人拜受，贊户内北面答拜，酳婦，亦如之，皆祭，贊以肝從，皆振祭，嚌肝，皆實於菹豆，卒爵，皆

⓱ 張爾岐：《儀禮鄭註句讀》，台北，藝文印書館影印乾降八年和衷堂藏版，下引張氏書並同。

拜，答拜，受爵再酳如初，無從，三酳用巹，亦如之。⑱

《儀禮．士昏禮》記士人親迎，新婦至於男方家中，一對新人，依儀節而行合巹飲宴酌酳之禮，儀式極為繁瑣，《禮記．昏義》曰：

婦至，婿揖婦以入，共牢而食，合巹而酳，所以合體同尊卑以親之也。

因此，《儀禮．士昏禮》所記新婦迎至男方家中，一對新人，同牢共食的「儀」節，其所以要極其繁瑣，《禮記．昏義》以為，重點是在要使男女雙方，體認到彼此一體相合，等同尊卑，相親相愛的意「義」。《儀禮．士昏禮》第十三節又記「舅姑饗婦」之儀式曰：

舅姑共饗婦以一獻之禮，舅洗於南洗，姑洗於北洗，奠爵。舅姑先降自西階，婦降自阼階，歸婦俎於婦氏人。

⑱ 《儀禮》，台北，藝文印書館影印阮刻《十三經注疏》本，下引《儀禮》並同。

《儀禮·士昏禮》此節記新婦入門成禮，次日，經過「婦見舅姑」、「贊者醴婦」、「婦饋舅姑」等儀節之後，又舉行「舅姑饗婦」之上述儀節，《禮記·昏義》曰：

厥明，舅姑共饗婦以一獻之禮，奠酬，舅姑先降自西階，婦降自阼階，以著代也。

舅姑饗新婦之禮完成之後，舅姑先自堂前西階而下，新婦後自阼階而下，西階爲客階，阼階爲主階，此一「儀」節背後所蘊含之意「義」，則是新婦入門成婚，已經具有替代婆婆作爲持家主婦之資格了。

又如《儀禮·鄉射禮》記古代地方官員所舉行射箭比賽之儀節，儀式繁多，依據清代張爾岐《儀禮鄭註句讀》一書所作的分節，張氏對於〈鄉射禮〉一篇的儀式，一共分爲七類五十一節，第一類爲「射前之事」，第二類爲「獻飲之事」，第三類爲「第一番射事」，第四類爲「第二番射事」，第五類爲「第三番射事」，第六類爲「射後飲酒之事」，第七類爲「送賓拜賜之事」。大略而言，〈鄉射禮〉之儀式，五十一節，自第一節「戒賓」、第二節「陳設」、第三節「速賓」、第四節「迎賓拜至」、第五節「主人獻賓」、第六節「賓酢主人」，一直到第十九節「三耦取弓矢俟射」、第二十節「司射誘射」，才到達準備射箭的階段，一直到第二十一節「三耦射」，方才正式展開射箭之比賽動作，射箭之人，由鄉學中選出之優秀青年擔任，兩人一組，稱之爲耦，共選六人，分爲上中下三耦，於「司射誘射」，由負責教導射箭之「司射」示範射箭之後，正式展開射箭比賽，《儀禮・鄉射禮》記「三耦射」之儀式曰：

司馬命獲者執旌以負侯，獲者適侯，執旌負侯而俟，司射還，當上耦，西面作上耦射，司射反位，上耦揖進，上射在左，並行，當階，北面揖，及階，揖，上射先升三等，下射從之，中等，上射升堂，少左，下射升，上射揖，並行……司射進，與司馬交於階前，相左，由堂下西階之東，北面視上射，命曰：「無射獲，無獵獲。」上射揖，司射退，反位，乃射，上射既發，挾弓矢，而後下射射，拾發，以將乘矢，……三耦卒射，亦如之，司射去扑，倚於西階之西，升堂，北面告於賓曰：「三耦卒射。」賓揖。

《儀禮》儀式繁多，此節記「三耦射」事，文已略加删省，而儀式仍繁多如此，其意義究何所在？《禮記・射義》曰：

> 射之爲言繹也，或曰舍也，繹者，各繹己之志也，故心平體正，持弓矢審固，持弓矢審固，則射中矣。

又曰：

> 故射者，進退周還必中禮，內志正，外體直，然後持弓矢審固，持弓矢審固，然後可以言中，此可以觀德行矣。

《禮記》出於七十子後學所記，當能闡發孔子訂禮之要旨，〈射義〉所記，說明射箭比賽，雖係人們身體外在之行爲舉動，卻實在抒發反映人們內心之意志趨向，故而只有內在心平氣和，外在體直魄正，舉動合度，不急不躁，才能穩持弓矢，而有射中侯靶的機會，因此，射箭比賽，不僅可以觀察人們的技術，也可以觀察到人們的德行，因此，《儀禮．鄉射禮》在「三耦射」此節中的繁多儀式，主要是爲了鍛練射者的德行，而孔子也遂借此節繁多的「儀式」，而彰明儀式背後所蘊含的意「義」。又如《儀禮．鄉射禮》之第三十三節「飲不勝者」記曰：

司射適堂西，命弟子設豐，弟子奉豐升，設於西楹之西，乃降，勝者之弟子洗觶，升酌，南面坐奠於豐上，降，袒執弓，反位。司射遂袒執弓，挾一個，搢扑，北面於三耦之南，命三耦及眾賓：「勝者皆袒決遂，執張弓，不勝者皆襲，說決拾，卻左手，右加弛弓於其上，遂以執弣。」司射先反位，三耦及眾射者皆與其耦進立於射位，北上，司射作升飲者，如作射，一耦進，揖如升射，及階，勝者先升堂，少右，不勝者進，北面坐取豐上之觶，興，少退，立卒觶，進，坐奠於豐下，興，揖，不勝者先降，與升飲者相左，交於階前，相揖，出於司馬之南，遂適堂西，釋弓，襲而俟，有執爵者，執爵者坐取觶，實之，反奠於豐上，升飲者如初，三耦卒飲。

《儀禮》此節，主要記載三耦射箭比賽，分出勝負之後，其不勝者以飲酒爲罰之儀式，至於以射箭爲賽，不勝者飲酒，儀式繁多，其意義究何所在？《禮記・射義》曰：

射者，仁道也，射求正諸己，己正然後發，發而不中，則不怨勝者，反求諸己而已矣，孔子曰：「君子無所爭，必也射乎，揖讓而升，下而飲，其爭也君子。」

又曰：

孔子曰：「射者何以射，何以聽，循聲而發，發而不失正鵠者，其唯賢者乎！若夫不肖之人，則彼將安能以中。」

《禮記》以爲，射箭比賽的儀式節文，蘊含了理想的仁道在內，因爲，射箭不僅是一種技藝，也是一種鍛練道德的修養工夫，由射箭的技術而言，欲求射中鵠侯，必需先行要求自己身體正直，姿式正確，心氣平和，凝神內斂，然後才能穩固持弓，瞄準發射，這已經是貫通身心內外，技進於道的修養功夫，同時，射箭比賽，勝固可喜，發射不中，也只能反省自己的缺失何在，飲酒自罰，而不可埋怨對方的勝己一籌，因此，孔門後學所記的《禮記》，才引用孔子在《論語》中的言辭，加以佐證，說明射箭比賽，不勝者飲酒等「儀」式背後，實際具有君子修己之道的意「義」存在。

又如《儀禮．聘禮》記述列國諸侯之間，派遣大夫相互訪問之禮儀，張爾岐《儀禮鄭註句讀》，將〈聘禮〉一篇的儀式分爲三十三節，大夫受命，出訪他國，從第一節「命使」，國君任命使臣，到國君主持授幣（幣爲圭璧金玉及皮帛馬匹之總稱），到大夫出行，抵達他國，他國國君設飧以禮大夫，到第十一節「聘享」，才正式行聘問之禮，記曰：

公皮弁，迎賓於大門內，大夫納賓，賓入左門，公再拜，賓辟，不答拜，公揖入，每門每曲揖，及廟門，公揖入，立於中庭。賓立接西塾，几筵既設，擯者出請命，賈人東面坐，啓櫝，取圭垂繅，不起而授上介，上介不襲，執圭屈繅，授賓，賓襲，執圭，擯者入告，出辭玉，……公側襲，受玉於中堂與東楹之間，擯者退，負東塾而立，賓降，介逆出，賓出，公側受宰玉，裼降立，擯者出請，賓裼，奉束帛加璧享，擯者入告，出許，庭實：皮則攝之，毛在內，內攝之，入設也……聘於夫人，用璋，享用琮，如初禮，若有言，則以束帛，如享禮，擯者出請事，賓告事畢。

以上所記，大夫受命至於主國，覲見主國國君，向國君進行享禮，進獻圭璧束帛獸皮之類的禮品，又進獻琮璋之類禮品於主國國君夫人，應是〈聘禮〉之中最爲重要的儀節，另外，〈聘禮〉於第二十四節「還玉報享」記曰：

君使卿皮弁，還玉於館，賓皮弁襲，迎于外門外，不拜，帥大夫以入，大夫升自西階，鉤楹，賓自碑內聽命，升自西階，自左，南面受圭，退負右房而立，大夫降中庭，賓降自碑內，東面，授上介于阼階東，上介出請，賓迎，大夫還璋，如初入，賓裼，迎，大夫賄用束紡，禮玉帛乘皮，皆如還玉禮，大夫出，賓送，不拜。

以上所記，爲主國國君命卿士前往賓館，將往聘大夫所獻圭璋玉帛之屬的禮品加以歸還的儀式，至於兩國往還，大夫往聘，覲見君主，既獻以貴重的禮品，何以主國國君又命卿士將禮物送還？《禮記·聘義》曰：

以圭璋聘，重禮也，已聘而還圭璋，此輕財而重禮之義也，諸侯相厲以輕財重禮，則民作讓矣。

又曰：

君親禮賓，賓私面私覿，致饔餼，還圭璋，賄贈，饗食燕，所以明賓客君臣之義也。

《禮記》以爲，諸侯命大夫往聘他國，攜帶圭璋玉器之類極爲珍貴的禮品相贈，主要在於強調聘禮的重要性，至於大夫出訪，既然已以圭璋玉器之珍品進獻予主國國君，主國國君卻又命令卿士將玉器珍品歸還給來聘大夫，這些「儀」式，主要在於顯示輕視財貨而重視禮儀的意「義」，因爲，諸侯交往，如果都能以輕財重禮相互激勵，則人民百姓自然受到感染而從風向化，社會也會因而興起謙讓的風氣，同時，大夫以賓客身分往訪，個人能夠進見主國國君，主國國君又能使卿士致送燕食，歸還玉器珍品，有所餽贈，主要表示賓主之際，君臣之間，關係友好的意義。

以上所舉，都是孔子修訂禮樂，借著《儀禮》中的一些「儀」節，以彰明蘊含在儀節背後意「義」的三個例子。如從《儀禮》一書的整體而言，則《儀禮》十七篇，包括吉凶賓嘉各種禮儀之儀節，儀節背後，又蘊含孔子所寄寓之意義，則是孔子希望人們，習行儀節，使之成爲社會人群行爲之理想規範。

清人淩廷堪〈復禮論〉曰：「夫人之所受於天者性也，性之所固有者善也，所以復其善者學也，所以貫其學者禮也，是故聖人之道，一禮而已矣。孟子曰：契爲司徒，教以人倫，父子有親，君臣有義，夫婦有別，長幼有序，朋友有信。此五者，皆吾性之所固有者也，聖人知其然也，因父子之道，而制爲士冠之禮，因君臣之道，而制爲聘覲之禮，因夫婦之道，而制爲士昏之禮，因長幼之道，而制爲鄉飲酒之禮，因朋友之道，而制爲士相見之禮，自元士以至於庶人，少而習焉，長而安焉，禮之外，別無所謂學也。」⑲凌氏自人性先天雖善，也需後天力學以復其善的角度，強調力學之重點，即在於禮，因而以爲，「聖人之道，一禮而已」，而聖人因人倫之不同關係，而制爲不同之禮，以教眾人，因而強調聖人制禮之重要。

清人邵懿辰《禮經通論》曰：「〈昏義〉曰：夫禮，始於冠，本於昏，重於喪祭，尊於朝聘，和於鄉射。故有〈冠義〉以釋〈士冠〉，有〈昏義〉以釋〈昏禮〉，有〈問喪〉以釋〈士喪〉，有〈祭義〉、〈祭統〉以釋〈特性〉、〈少牢〉、〈有司徹〉，有〈鄉飲酒義〉以釋〈鄉飲〉，有〈射義〉以釋〈鄉射〉、〈大射〉，有〈燕義〉以釋〈燕〉、〈食〉，有〈聘義〉以釋〈聘禮〉，有〈朝事〉以釋〈覲禮〉，有〈四制〉以釋〈喪服〉，而無一篇之義出於十七篇之外者，是冠、昏、喪、祭、朝、聘、鄉、射八者，約十七篇而言之也。」又曰：「冠、昏、喪、祭、射、鄉、朝、聘八者，禮之經也，冠以明成人，昏以合男女，喪以仁父子，祭以嚴鬼神，鄉飲以合鄉里，燕射以成賓主，聘食以睦邦交，朝覲以辨上下，天下

---

⑲ 凌廷堪：〈復禮論〉，引見皮錫瑞：《經學通論》卷三頁十二。

之人，盡於此矣，天下之事，亦盡於此矣。」[20]邵氏之言，更能將《儀禮》十七篇的要旨大義，作出系統之說明。

4.《易經》

《史記·孔子世家》曰：「孔子晚而喜《易》，序〈彖〉、〈繫〉、〈象〉、〈說卦〉、〈文言〉。讀《易》，韋編三絕，曰，假我數年，若是，我於《易》，則彬彬矣。」據此而言，《易》之卦爻符號及卦爻辭，雖係傳自古代，而孔子喜《易》，爲撰〈十翼〉，則是信而有徵。

《史記·田敬仲完世家》曰：「蓋孔子晚而喜《易》，《易》之爲術，幽明遠矣，非通人達才，孰能注意焉。」所述與〈孔子世家〉相同。

《史記·司馬相如列傳·贊》曰：「《春秋》推見至隱，《易》本隱之以顯。」此言《春秋》之作，乃依人事而言天道，而《易》之爲書，則係假天道以明人事之律則。

《易》本爲卜筮而作，世傳伏羲畫卦，文王重卦，並撰卦爻之辭，及至孔子，撰成〈十

---

[20] 邵懿辰：《禮經通論》，引見皮錫瑞：《經學通論》卷三頁十四。

翼〉，以羽翼《易經》，以義理說《易》，故《易》有「人更三聖，世歷三古」之說，今按《易》有三義，變易、不易、易簡，而主要爲變易之義，易卦由陰陽三爻符號構成八經卦，由八經卦再重疊爲六爻，而構成六十四卦，六十四卦，計有三百八十四爻，從而組成一個系統符號，有象徵意義，表示宇宙之間，六十四種大的變化現象，也表示三百八十四種較小的變化現象，由是而用以指示人生，趨吉避凶，遷善改過，及至孔子，更爲六十四卦之卦名、卦辭、爻辭，另撰〈彖傳〉、〈象傳〉，而《易》之義理性質，乃益爲濃厚，而《易經》及《易傳》之解說方式，則係「借象明義」，假借卦爻之象，以說人事之義，例如《易經・乾卦》曰：

☰乾，元、亨、利、貞。

初九，潛龍勿用。

九二，見龍在田，利見大人。

九三，君子終日乾乾，夕惕若，厲，无咎。

九四，或躍在淵，无咎。

九五，飛龍在天，利見大人。

上九，亢龍有悔。

用九，見群龍无首，吉。

象曰：大哉乾元，萬物資始，乃統天，雲行雨施，品物流行，大明終始，六位時成，時乘六龍以御天，乾道變化，各正性命，保合大和，乃利貞，首出庶物，萬國咸寧。

象曰：天行健，君子以自彊不息。潛龍勿用，陽在下也。見龍在田，德施普也。終日乾乾，反復道也。或躍在淵，進无咎也。飛龍在天，大人造也。亢龍有悔，盈不可久也。用九，天德不可爲首也。[21]

（〈文言傳〉省略不錄）

《周易》六十四卦，每卦六爻，卦有卦象，爻有爻象，〈乾卦〉爲陽剛之卦，〈乾卦〉六爻皆陽，自初九至上九，象徵宇宙事物之六種變化，也象徵一件事物發展之六個階段，而卦辭爻辭，又分別以文字說明卦象爻象所寓含之意義，〈乾卦〉六爻，皆以龍爲象徵，因龍爲古

---

[21] 《易經》，台北，藝文印書館影印阮刻《十三經注疏》本，下引《易經》並同。

代傳說中最具剛強變化能力之神物，故〈乾〉卦爻辭，以之爲象徵，說明〈乾〉卦具有「元亨利貞」四種德性，則其發展變化之際，各個階段，首先，「初九，潛龍勿用」，如同潛伏之龍，積蓄能力，暫時勿令有所作爲，其次，「九二，見龍在田，利見大人」，如同潛藏之龍，乘時而動，出現於田野之上，有利於競得先機，其三，「九三，君子終日乾乾，夕惕若，厲，无咎」，激勵君子之行爲，必須勤奮不懈，由朝至夜，惕厲自警，方能處於險境而安然無恙，其四，「九四，或躍在淵，无咎」，象徵龍潛藏於深淵之中，待時而動，當可騰躍於九天之上，其五，「九五，飛龍在天，利見大人」，象徵陽剛之力，蓄積充沛，已可出而應世，如同龍飛居天，尊榮不已，其六，「上九，亢龍有悔」，則係剛強至極，或將力衰而悔，因以告戒，勿臻過盛。即此〈乾卦〉而言，《易經》借用六爻陽剛之「象」，以彰明天道以及人事中所寓含的各種變化之「義」，以勸人把握時機，趨吉避凶，成就事業。至於《易傳》中〈彖傳〉及〈象傳〉，則是孔子對於《易經》卦爻辭之進一步闡釋，而〈文言傳〉，則因文字過繁，姑且省略。

又如《易經·家人卦》曰：

☲家人，利女貞。

象曰：家人，女正乎內，男正乎外，男女正，天地之大義也，家人有嚴君焉，父母之謂也，父父、子子、兄兄、弟弟、夫夫、婦婦，而家道正，正家而天下定矣。

象曰：風自火出，家人，君子以言有物而行有恒。

初九，閑有家，悔亡。

象曰：閑有家，志未變也。

六二，无攸遂，在中饋，貞吉。

象曰：六二之吉，順以巽也。

九三，家人嗃嗃，悔厲，吉，婦子嘻嘻，終吝。

象曰：家人嗃嗃，未失也，婦子嘻嘻，失家節也。

六四，富家，大吉。

象曰：富家大吉，順在位也。

九五，王假有家，勿恤，吉。

象曰：王假有家，交相愛也。

上九，有孚，威如，終吉。

象曰：威如之吉，反身之謂也。

〈家人卦〉，家人指一家之人，爲家庭之卦，言家人相處之道，家內之人，以主婦守正爲最要，故卦辭曰「利女貞」，由主婦之正，而使家人男女皆正，家道皆正，故能由人人家齊而推至國治。此卦六爻，離下巽上，離爲火，巽爲風，風由火中而出，象徵外在事功，也必由內在德業而出。此卦六爻，象徵家庭之六種情況，首先，「初九，閑有家，悔亡」，指家庭初組，意志未變之始，即應閑立法度，免使人情流放，其次，「六二，无攸遂，在中饋，貞吉」，指二爻爲陰，象徵主婦意不外逐，力主中饋，以持家爲業，必能得吉，其三，「九三，家人嗃嗃，悔厲，吉，婦子嘻嘻，終吝」，三爻爲陽，象徵家長治家雖嚴，家人愁苦，卻終至能吉，反之，若放縱婦子，而無禮儀，則終必有憾，其四，「六四，富家，大吉。」四爻以陰而居柔位，象徵家庭內一切順利，富庶大吉，其五，「九五，王假有家，勿恤，吉」，五爻以陽而居尊位，象徵王者也必以齊家爲治國之基礎，乃能獲得吉祥，其六，「上九，有孚，威如，終吉」，上九一爻，居此卦之末，象徵治家之道，需有孚信，需有威嚴，方能獲得美滿成功。即此〈家人卦〉而言，《易經》借用離巽之卦，風自火出之「象」，以及六爻之「象」，以彰明家人相處之「義」，而欲人家庭和樂，內外修齊。至於《易傳》中〈彖傳〉

及〈象傳〉，則是孔子對於《易經》此卦卦爻辭之進一步闡釋。

又如《易經·漸卦》曰：

䷴漸，女歸吉，利貞。

彖曰：漸之進也，女歸吉也，進得位，往有功也，進以正，可以正邦也，其位，剛得中也，止而巽，動不窮也。

象曰：山上有木，漸，君子以居賢德善俗。

初六：鴻漸于干，小子厲，有言，无咎。

象曰：小子之厲，義无咎也。

六二，鴻漸于磐，飲食衎衎，吉。

象曰：飲食衎衎，不素飽也。

九三，鴻漸于陸，夫征不復，婦孕不育，凶，利禦寇。

象曰：夫征不復，離群醜也，婦孕不育，失其道也，利用禦寇，順相保也。

六四，鴻漸于木，或得其桷，无咎。

象曰：或得其桷，順以巽也。

九五，鴻漸于陵，婦三歲不孕，終莫之勝，吉。

象曰：終莫之勝，吉，得所願也。

上九，鴻漸于陸（逵），其羽可用爲儀，吉。

象曰：其羽可用爲儀，吉，不可亂也。

〈漸卦〉要旨，指事物發展，當循序漸進，順乎自然，而不應違戾常則，輕舉冒進，有如女子出嫁，必需依據儀節禮制，逐一履行，始獲利吉。此卦艮下巽上，艮爲山，巽爲木，木在山上，逐漸成長，由小而大，故有漸進之象，亦象徵君子成德居業，移風易俗，也當持之以恒，以漸進而抵於成也。此卦六爻，皆以鴻雁爲喻，以鴻雁飛行，行列有序，而或來或往，又不失時序，首先，「初六，鴻漸于干，小子厲，有言，无咎」，初爻爲陰，如鴻雁初飛漸而至於河岸之邊，又如童子力弱，或有危厲之事發生，其次，「六二，鴻漸于磐，飲食衎衎，吉」，磐爲巨石，二爻爲陰，有如鴻雁漸飛而至磐石之上，象徵踏實安穩，飲食安和，其三，「九三，鴻漸于陸，夫征不復，婦孕不育，利禦寇」，三爻爲陽，有如鴻雁漸飛而至平原大陸之上，又如夫婦婚後，良人遠征，妻子懷孕在身，生育不便，而象徵有凶險之虞，其四，「六四，鴻漸于木，或得其桷，无咎」，四爻爲陰，又居柔位，有如鴻雁漸飛而至小山樹木之上，止息於橫柯之間，象徵能安處而無憂也，其五，「九五，鴻漸于陵，婦三歲不孕，終莫之勝，吉」，五爻爲陽，如鴻雁漸飛而至山陵高阜之上，又如婦人三年不孕，象徵尊者雖居高位，而並非一切順遂，其六，「上九，鴻漸于陸（逵），其羽可用爲儀，吉」，此爻爲陽，如鴻雁漸飛而至於雲霧之中，象徵高潔脫俗之境。即此〈漸卦〉而言，《易經》借用艮木之卦，山上有木之「象」，以及六爻由「干」而「磐」而「陸」而「木」而「陵」而「逵」，漸進之「象」，以彰明人事物理之進步，皆當逐漸而行，序不越次之「義」，而欲人們加以遵循，以獲禎祥，而不急進圖功，反致過失也。而孔子《易傳》，則又對於〈漸卦〉之卦爻辭，作出更多義理之發揮。

以上所舉，乃《易經》中借用卦象爻象，以彰明寓義之三個例證，如從《易經》一書的整體而言，則六十四卦，每卦皆有一中心主旨，六十四卦，代表六十四種事項之大變化，三百八十四爻，則表示三百八十四種更細微事項之小變化，《易經》六十四卦，略事歸類，即可見出許多具體之事項，例如「天地」（〈乾〉、〈坤〉）、「教育」（〈屯〉、〈蒙〉）、「法律」（〈訟〉、〈噬嗑〉）、「軍事」（〈師〉）、「社會」（〈同人〉、〈大有〉、〈比〉、〈大畜〉、〈井〉、〈鼎〉）、「道德」（〈謙〉、〈中孚〉、〈大過〉、〈小過〉、〈恆〉）、「疾病」（〈蠱〉）、「家庭」（〈家人〉）、「婚姻」（〈歸妹〉）、「行旅」（〈旅〉）、

「美術」（〈賁〉）、「感情」（〈咸〉）等。又可見出許多抽象之觀念，例如「謹慎」（〈履〉）、「順利」（〈泰〉）、「閉塞」（〈否〉）、「觀察」（〈臨〉）、「衰微」（〈剝〉）、「恢復」（〈復〉）、「險阻」（〈坎〉）、「退避」（〈遯〉）、「壯盛」（〈大壯〉）、「進展」（〈晉〉）、「減損」（〈損〉）、「增加」（〈益〉）、「果決」（〈夬〉）、「改革」（〈革〉）、「渙散」（〈渙〉）、「節制」（〈節〉）等。六十四卦雖未全舉，已可見其大端，而且，《易經》爲變化之書，每卦每爻，變動不居，也不可以限制其僅爲某一端緒而發。

總之，《易經》六十四卦，「聖人設卦觀象，繫辭焉而明吉凶，剛柔相推而生變化」，「是故君子居則觀其象而玩其辭，動則觀其變而玩其占，是以自天祐之，吉无不利」㉒，而六十四卦，三百八十四爻，組成一個嚴密的系統，以象徵各種大小不同的變化之理則，假借天道，以說人事，而教人改過遷善，趨吉避凶，求取禎祥幸福，這便是《易經》一書的大用。皮錫瑞《經學通論》曰：「伏羲畫卦，雖有占而無文，而亦寓有義理在內。」又曰：「孔子見當時之人，惑於吉凶禍福，而卜筮之史，加以穿鑿附會，故演易繫辭，明義理，切人事，

㉒ 見《易經·繫辭上傳》。

借卜筮以教後人。」㉓又曰：「孔子欲借卜筮以教人，不能不借象數以明義。」㉔也頗能說明孔子與《易經》之關係。

5.《春秋》

《史記・孔子世家》曰：「魯哀公十四年，春，狩大野，叔孫氏車子鉏商獲獸，以爲不祥，仲尼視之，曰，麟也，取之。」又曰：「子曰，弗乎弗乎，君子病沒世而名不稱焉，吾道不行矣，吾何以自見於後世哉！乃因史記作《春秋》，上至隱公，下訖哀公十四年，十二公，據魯，親周，故殷，運之三代，約其文辭而指博。」又曰：「孔子在位聽訟，文辭有可與人共者，弗獨有也，至於爲《春秋》，筆則筆，削則削，子夏之徒，不能贊一辭，弟子受《春秋》，孔子曰，後世知丘者以《春秋》，而罪丘者亦以《春秋》。」記述孔子因魯史而作《春秋》之用意，以及《春秋》一經之要旨。

《史記・儒林列傳》曰：「世混濁莫能用，是以仲尼干七十餘君無所遇，曰，苟有用我

㉓ 見皮錫瑞：《經學通論》卷一頁四十一。

㉔ 見皮錫瑞：《經學通論》卷一頁三十四。

者，期月而已矣。西狩獲麟，曰，吾道窮矣，故因史記作《春秋》，以當王法，其辭微而指博，後世學者多錄焉。」所記孔子作《春秋》，其用意，乃是爲天下制理則，欲是非有定準，故曰，以當王法也。

《史記・太史公自序》曰：「上大夫壺遂曰，昔孔子何爲而作《春秋》哉？太史公曰，余聞董生曰，周道衰廢，孔子爲魯司寇，諸侯害之，大夫壅之，孔子知言之不用，道之不行也，是非二百四十二年之中，以爲天下儀表，貶天子，退諸侯，討大夫，以達王事而已矣。子曰，我欲載之空言，不如見之行事之深切著明也。夫《春秋》，上明三王之道，下辨人事之紀，別嫌疑，明是非，定猶豫，善善惡惡，賢賢賤不肖，存亡國，繼絕世，補敝起廢，王道之大者也。」記述孔子之作《春秋》，用意乃在藉春秋二百四十二年間之史事，定之以是非之標準，以作爲天下後世之儀型表率。

《史記・十二諸侯年表》曰：「孔子明王道，干七十餘君，莫能用，故西觀周室，論史記舊聞，興於魯，而次《春秋》，上記隱，下至哀之獲麟，約其辭文，去其煩重，以制義法，王道備，人事浹，七十子之徒，口受其傳指，爲有所刺譏褒諱挹損之文辭不可以書見也。」記述孔子作《春秋》，爲有所刺譏褒諱挹損，故不可以文辭書見，而以口受弟子，及至後世，著於竹帛，故研索《春秋》，不得不假途三《傳》，尤以《公羊傳》，最能闡明《春秋》之要旨。

其實，遠在《史記》之前，《孟子・滕文公》已曰：「世衰道微，邪說暴行有作，臣弒其君者有之，子弒其父者有之，孔子懼，作《春秋》，《春秋》，天子之事也，是故孔子曰，知我者其惟《春秋》乎，罪我者其惟《春秋》乎。」《孟子・離婁》曰：「王者之迹熄而《詩》作，《詩》亡，然後《春秋》作，晉之《乘》，楚之《檮杌》，魯之《春秋》，一也，其事則齊桓晉文，其文則史，孔子曰，其義，則丘竊取之矣。」㉕已記述孔子作《春秋》，爲天下立儀法，等同天子所爲之事，也記述孔子作《春秋》，雖取之魯史舊文，齊桓晉文等舊事，而其眞正所重，乃在賦予其中之新義也。

要之，《春秋》之作，所重在義，而其表達意義之方式，則係如皮錫瑞所謂之「借事明義」㉖，例如《春秋》莊公二十八年記曰：

冬，築微，大無麥禾，臧孫辰告糴于齊。

㉕ 《孟子》，台北，藝文印書館影印阮刻《十三經注疏》本，下引《孟子》並同。

㉖ 參胡楚生：〈春秋公羊傳中「借事明義」之思維模式與表達方法〉，載國立中興大學《文史學報》三十期。

《左傳》記曰：

冬，饑，臧孫辰告糴于齊，禮也。㉗

《公羊傳》曰：

告糴者何？請糴也，何以不稱使？以為臧孫辰之私行也，曷為以臧孫辰之私行？君子之為國也，必有三年之委，一年不熟告糴，譏也。㉘

魯莊公二十八年，魯國農穀不熟，禾麥盡皆歉收，饑荒嚴重，其冬，執政大夫臧孫辰前往齊國購買糧食，雖是必要的行為，但是，《公羊傳》卻以為，臧孫辰身為執政的大臣，平日謀國治政，即當早為之規劃，使國家至少應該擁有三年之存糧，以備不時之需，才能使百姓免

㉗ 《左傳》，台北，藝文印書館影印阮刻《十三經注疏》本，下引《左傳》並同。

㉘ 《公羊傳》，台北，藝文印書館影印阮刻《十三經注疏》本，下引《公羊傳》並同。

於饑饉之苦，而臧孫辰既不能謀計於先，雖係奉莊公之命，前往齊國，《春秋》卻仍然不稱其爲使臣，以見臧孫辰赴齊購糧，似爲私人之行徑，以譏刺其爲政謀國的失策。因此，就此一例子而言，《春秋》借魯國臧孫辰赴齊國購糧之「事」，而彰明了執政大夫理當爲國籌謀，寬貯糧食，以安百姓之「義」。

又如《春秋》成公十五年記曰：

冬，十有一月，叔孫僑如會晉士燮、齊高無咎、宋華元、衛孫林父、鄭公子鰌、邾婁人，會吳于鍾離。

《公羊傳》曰：

曷爲殊會吳？外吳也，曷爲外也？《春秋》內其國而外諸夏，內諸夏而外夷狄，王者欲一乎天下，曷爲以外內之辭言之？言自近者始也。

魯成公十五年十一月，魯國大夫叔孫僑如，前往鍾離，與各國大夫相會，但是，《公羊傳》

指出，《春秋》先記述叔孫僑如與晉、齊、宋、衛、鄭、邾婁等國大夫相會，然後才記述與吳國大夫相會，而不一併記述，主要的原因，是突顯出吳國的特殊，說明吳國無禮義之教，有夷狄之行，所以「外吳」，將吳國列居於中夏民族之外，因此，《春秋》主張，諸侯各國，當分別內外，天子居內，諸夏居外，夷狄又居更外，由近而遠，故鍾離之會，《春秋》兩次書「會」，即在有意分別中夏各國與吳國的內外先後，使夷狄不得以此而淆亂中夏。因此，就此一例子而言，《春秋》借魯國大夫叔孫僑如與各國大夫相會之「事」，而彰明了內諸夏而外夷狄之「義」。

又如《春秋》僖公二十二年記曰：

冬，十有一月，己巳，朔，宋公及楚人戰于泓，宋師敗績。

《公羊傳》曰：

偏戰者日爾，此其言朔何？《春秋》辭繁而不殺者正也，何正爾？宋公與楚人期戰于泓之陽，楚人濟泓而來，有司復曰：「請迨其未畢濟而擊之。」宋公曰：「不可，吾聞之，君子不厄人，吾雖喪國之餘，寡人不忍行也。」既濟，未畢陳，有司復曰：「請追其未畢陳而擊之。」宋公曰：「不可，吾聞之也，君子不鼓不成列。」已陳，然後襄公鼓之，宋師大敗，故君子大其不鼓不成列，臨大事而不忘大禮，有君而無臣，以爲雖文王之戰，亦不過此也。

魯僖公二十二年十一月己巳，宋楚兩國，在泓水交戰，宋襄公主張「不重傷，不禽二毛」（《左傳》記載），主張「不鼓不成列」，雖然兩軍交鋒，宋國失敗，《公羊傳》卻以爲，宋楚兩國交戰，是正規的戰爭，所以，《春秋》才特別書寫交戰的時日「己巳，朔」，以彰顯戰爭的正當性，同時，也特別稱許宋襄公遵守道義的作戰精神，特別稱贊宋襄公「臨大事而不忘大禮」的正當行爲，以爲「雖文王之戰，亦不過此」，以爲即使文王行軍作戰，也不能超越宋襄公光明正大的仁義作爲，對宋襄公作出了極高的評價。因此，就此一例子而言，《春秋》借宋襄公與楚人戰於泓水之「事」，而彰明了仁義之師作戰理當光明正大之「義」。

以上所舉，皆《春秋》中借用史事，以彰明寓義之三個例證。至於整部《春秋》，其大義要旨，雖不易一一縷述，但是，《春秋》文成數萬，其旨數千，論其要旨，皮錫瑞《經學通論》曰：「《春秋》大義，在誅討亂賊，微言，在改立法制。」推而言之，正名分、寓褒貶、譏世卿、重進化、崇謙讓、惡詐諼、尊王攘夷等，皆可屬《春秋》之要旨。

實則，從整體而論，則孔子修《春秋》，借用春秋二百四十二年之間的史事，彰明寓義，主要在爲後世釐定人間行事之是非準則。

《孟子・滕文公》曰：「昔者，禹抑洪水，而天下平，周公兼夷狄、驅猛獸，而百姓寧，孔子成《春秋》，而亂臣賊子懼。」大禹與周公，都是歷史上在位執政之聖人，抑治洪水，兼併夷狄，安寧百姓，又都是具體而嘉惠百姓的大功業，孟子卻以孔子成《春秋》之功，與之相提並論，主要以爲，孔子成《春秋》，能使人人得知是非之標準，從而釐正人心，以免邪說橫流，壞人心術。

皮錫瑞於所著《經學通論》之《春秋通論》之內，有一篇曾論及「論孔子成《春秋》，不能使後世無亂臣賊子，而能使亂臣賊子不能無懼」，其言曰：「或曰，孟子言孔子成《春秋》而亂臣賊子懼，何以《春秋》之後，亂臣賊子不絕於世，然則孔子作《春秋》之功安在，孟子之言，殆不足信乎？曰，孔子成《春秋》，不能使後世無亂臣賊子，而能使亂臣賊子，不能全無所懼，自《春秋》大義昭著，人人有一《春秋》之義，在其胸中，皆知亂臣賊子，人人得而誅之，雖極凶悖之徒，亦有魂夢不安之隱，雖極巧辭飾說，以爲塗人耳目之計，而耳目仍不能塗，邪說雖橫，不足以蔽《春秋》大義，亂賊既懼當時義士，聲罪致討，又懼後世史官，據事直書。如王莽者，多方掩飾，窮極詐僞，以蓋其篡弒者也。如曹丕司馬炎者，妄託禪讓，褒封先代，篡而未敢弒者也。如蕭衍者，已行篡弒，旋知愧憾，深悔爲人所誤者也。如朱溫者，公行篡弒，猶畏人言，歸罪於人以自解者也。他如王敦桓溫，謀篡多年，而至死不敢。曹操司馬懿，及身不篡，而留待子孫。凡此等，固由人有天良，未盡泯滅，亦由《春秋》之義，深入人心，故或遲之久而後發，或遲之又久而卒不敢發，即冒然一逞，犯天下之不韙，終不能坦懷而自安。」㉙皮氏所論，已甚詳密。

其實，孔子作《春秋》，最重要的貢獻，是爲後世人們行事，訂定了是非的標準，成爲世人共許共遵的標準，有此是非的標準，分別了孰是孰非，後世的亂臣賊子，在此是與非的標準衡量之下，才能知道其所作所爲，確實爲「非」，心中一念知其爲「非」，理不直氣不壯，心中愧疚，尚有知所悔改之機會，否則，如果亂臣賊子爲非作歹之後，不知道自己所作所爲爲「非」，反自以爲所作所爲，乃「替天行道」，「理直氣壯」，則其人將永無改過遷善之機會，天下也永無撥亂返正之機會。因此，孔子成《春秋》，所釐定的是一項是非之標準，尤其是在亂世，有標準，才有希望。孔子不能使天下不亂，孔子不能使後世無亂臣賊子，

㉙ 見皮錫瑞：《經學通論》卷四頁二十五。

但他撰成《春秋》，釐定人倫是非的準則，卻能使後世亂臣賊子知所愧懼，而使人間具含了撥亂返正的希望。在這種情形之下，所以，孟子才能將孔子成《春秋》的貢獻，與大禹治洪水、周公抑夷狄的功勞，相提並論。

《史記·太史公自序》曰：「夫《春秋》，上明三王之道，下辨人事之紀，別嫌疑，明是非，定猶豫，善善惡惡，賢賢賤不肖，存亡國，繼絕世，補敝起廢，王道之大者也。」實則，孔子成《春秋》，最重要者，是為後世人倫行事，釐定了是非的準則，不僅《春秋》一經，貢獻在此，即使推之於其他五經，也同樣是具有了常經常則的意義和貢獻，因此，孔子的貢獻在此，五經的價值也在此。

㈢結　語

古有六藝，源於歷代賢哲積累所得之文獻載籍，「詩」出於民間歌謠，宴饗頌歌，「書」出於典謨誥誓，史家所記，「禮」出於社會俗尚，禮節儀式，「樂」出於聲音成文，協和民心，「易」出於伏羲畫卦，文王重卦，「春秋」出於魯國史冊，記事之書。

及至孔子，志存匡濟，周遊天下，求干諸侯，凡十四年，然後返魯，乃因「古詩」三千餘篇，去其重複，釐訂爲三百篇，又序「書傳」，上記唐虞，下至秦穆，編次其事，又觀「周禮」，監於夏殷，有所損益，晚而喜「易」，乃序十翼，假年讀易，韋編三絕，至於西狩見麟，因嘆道窮，乃作「春秋」，而皆別賦新義，立爲常道常則。

因此，孔子以前，「六藝」爲典章古籍文獻史料，經過孔子刪削整理，以述爲作，別賦新義之後，六藝已成爲具有常道常則之「六經」。因此，孔子在春秋時代，社會秩序極爲混亂，價值觀念極度雜淆之際，他借用既有之古代文獻，賦予特別意義，爲世人之行事，建立常則，樹立典範，確立準繩，俾使人們在判斷事理之是非對錯時，而有所遵循，孔子「六經」之價值在此，孔子對世人之貢獻也在此。

因此，六藝經孔子削刪整理，已經寄寓了孔子心目中之常道常則，六藝已經由古籍文獻，提升爲世人文化思想的準則，人倫教化的規範，兩千多以來，已經深植於國人精神命脈之中，已經成爲中華民族共同遵循的價值標準，在人生、道德、社會、歷史、政治等方面，也早已實質地影響了人們的價值判斷。

茲將前文所論「五經」之要旨大義，及其所表達之方式，列之於下，試爲說明：

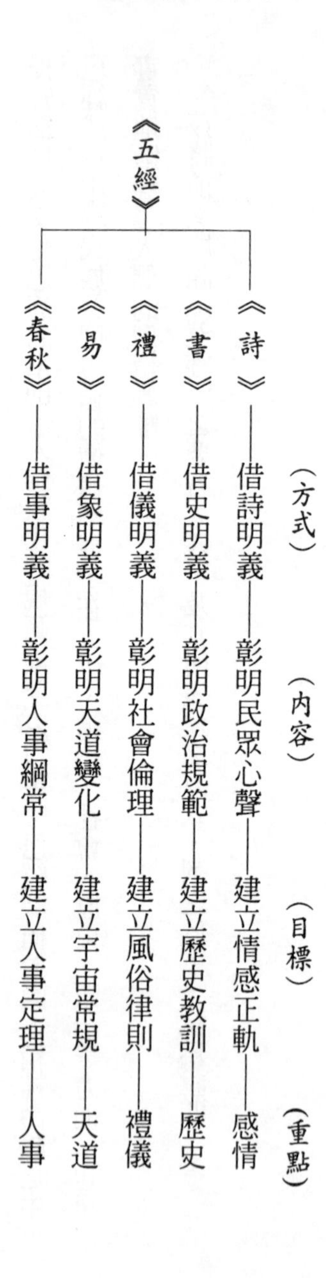

以上，即就《五經》要旨，約略說明，以表顯《五經》之價值。

心理學家認爲，人類的心靈之中，含有三種重要的原素，一是「知」，二是「情」，三是「意」，知是知識記憶，情是感情情緒，意是思慮意志，由此三者，影響了人們心靈的判斷趨向。

在《五經》之中，《尚書》《儀禮》屬於「知」，《詩經》屬於「情」，《易經》《春秋》屬於「意」。孔子在亂世之際，刪削整理《五經》，賦予新義，對於人們心靈中「知、情、意」三方面的發展，都釐定出理想的準則規範，用以導正人們的行爲，使之知所準衡，而不致逾越應有的常道常則，因此，孔子對於後世的貢獻，《五經》對於後世的價值，也都胥在於此。司馬遷推崇孔子說：「自天子王侯，天下言六藝者，折中於夫子，可謂至聖矣。」㉚從前述的脈絡下省視，「至聖」之稱，孔子應該是當之而無愧。

(四)附　論

經學是傳統學術的重心，經學自先秦時代，逐漸形成，《詩》、《書》、《禮》、《樂》、《易》、《春秋》，逐漸而有「六藝」之稱，也逐漸而有「六經」之名。

經學史上，到了漢代，有今古文的分別，也出現了今古文的對峙和爭論。今古文的分別，緣於秦火焚書，典籍大量損毀，漢興以後，蒐集亡佚，整理故籍，其中典冊，以漢代通行之隸書書寫者，稱爲今文經，其中出於民間壁藏，以古籀文字書寫者，稱爲古文經，因此，今古文的分別，最初，只是由於五經文字書寫的不同。

漢興以後，文帝、景帝，曾爲專經，設立博士，至於武帝，獨尊儒學，乃置五經博士，先後所設立的十四家博士，皆屬今文經學，西漢中葉以後，古文經書，逐漸出現，至於哀帝

㉚ 見司馬遷：《史記・孔子世家》。

時代，劉歆撰〈讓太常博士書〉，首先提出古文經傳如《毛詩》、《左傳》等，要求建立學官，以與今文博士抗衡，是爲經學史上今古文學第一次的爭論。自此以後，迄於東漢之末，還有幾次今古文經學的重要爭論，在光武帝時，是韓歆對於費氏《易》及《左傳》的建立，而與范升的爭論。在章帝時，是賈逵與李育對於《左傳》與《公羊傳》的爭論。在桓帝時，是鄭玄與何休對於《左傳》與《公羊傳》的爭論。在經學史上，這都是幾次較爲重要的關於今古文經學的爭論。

今古文經學的分別，今古文經學的對峙與爭論，由最初《五經》文字書寫的不同，到《五經》篇章字句的不同，到學者解經時師法家法的不同，進而形成對於《五經》觀點的不同，以至對於孔子在歷史上地位的看法，也有所不同。這些不同的看法，一直影響到漢代以後學者們對於經學觀點的歧異，也影響漢代以後學術的發展。

經學史家周予同教授在所著的《經今古文學》一書之中[31]，曾經將今文經學與古文經學的不同，分爲十三項重點，列表對照，茲將其中最爲重要的幾項，並列對舉，錄出如下：

第一、今文學崇奉孔子。

[31] 周予同：《經今古文學》，台北，商務印書館台一版，民國五十四年。

古文學崇奉周公。

第二、今文學尊孔子爲受命之素王。

古文學尊孔子爲先師。

第三、今文學視孔子爲哲學家、政治家、教育家。

古文學視孔子爲史學家。

第四、今文學以孔子爲託古改制。

古文學以孔子爲信而好古，述而不作。

第五、今文學以《六經》爲孔子作。

古文學以《六經》爲古代史料。

第六、今文學以《春秋公羊傳》爲主。

古文學以《周禮》爲主。

第七、今文學爲經學派。

古文學爲史學派。

在今古文學者們不同的眼光中，《五經》也展現了不同的面貌和內涵㉜，本文之作，嘗試從較爲接近今文學的觀點，去探索《五經》的內涵，去探索《五經》在表達義蘊時所採用的方式，以及寄託在《五經》中的要旨和微意。同時，本文之作，也只是採取今文學家的一些基本觀點，去探索《五經》的內涵，至於今文學家的某些「非常異義可怪之論」㉝，本文則不願去作太多的傅會。

㉜ 周予同教授在《經今古文學》書中，還提出了《六經》的次第，今古文學家也有不同的看法，他歸納先秦兩漢之間的許多資料，以爲今文學家對《六經》的排列次第是：「《詩》、《書》、《禮》、《樂》、《易》、《春秋》」，古文學家對《六經》的排列次第是：「《易》、《書》、《詩》、《禮》、《樂》、《春秋》」，而以爲，「古文家的排列次序是按《六經》產生時代的早晚，今文家卻是按《六經》內容程度的淺深。」

㉝ 見何休：〈春秋公羊傳序〉。

國家圖書館出版品預行編目資料

經學研究論集

胡楚生著. – 初版. – 臺北市：臺灣學生，2002 [民 91]
面；公分

ISBN 957-15-1155-2 (精裝)
ISBN 957-15-1156-0 (平裝)

1.經學 – 論文，講詞等

090.7　　91019235

經學研究論集（全一冊）

著作者：胡楚生
出版者：臺灣學生書局
發行人：孫善治
發行所：臺灣學生書局
臺北市和平東路一段一九八號
郵政劃撥戶：〇〇〇二四六六八號
電話：(〇二)二三六三四一五六
傳真：(〇二)二三六三六三三四
E-mail: student.book@msa.hinet.net
http://studentbook.web66.com.tw

本書局登記證字號：行政院新聞局局版北市業字第玖捌壹號

印刷所：宏輝彩色印刷公司
中和市永和路三六三巷四二號
電話：二二二六八八五三

定價：精裝新臺幣六〇〇元
平裝新臺幣五二〇元

西元二〇〇二年十一月初版

09009

ISBN 957-15-1155-2 (精裝)
ISBN 957-15-1156-0 (平裝)

臺灣 學生書局 出版

經學研究叢刊

❶	三國蜀經學	程元敏著
❷	書序通考	程元敏著
❸	東漢讖緯學新探	黃復山著
❹	經學研究論集	胡楚生著